CHANGER,
OUI, C'EST POSSIBLE

Données de catalogage avant publication (Canada)

Seligman, Martin E. P.

   Changer, oui, c'est possible

   Traduction de: What You Can Change And What You Can't.

    1. Changement (Psychologie).   2. Actualisation de soi.
3. Modification du comportement. I. Titre.

BF637,C4S4514   1995   158′.1   C95-941496-7

DISTRIBUTEURS EXCLUSIFS:

- Pour le Canada et les États-Unis:
  LES MESSAGERIES ADP*
  955, rue Amherst
  Montréal, Québec
  H2L 3K4
  Tél.: (514) 523-1182
  Télécopieur: (514) 939-0406
  * Filiale de Sogides ltée

- Pour la Belgique et le Luxembourg:
  PRESSES DE BELGIQUE S.A.
  Boulevard de l'Europe 117
  B-1301 Wavre
  Tél.:(10) 41-59-66
      (10) 41-78-50
  Télécopieur: (10) 41-20-24

- Pour la Suisse:
  TRANSAT S.A.
  Route des Jeunes, 4 Ter
  C.P. 125
  1211 Genève 26
  Tél.: (41-22) 342-77-40
  Télécopieur: (41-22) 343-46-46

- Pour la France et les autres pays:
  INTER FORUM
  Immeuble Paryseine, 3 Allée de la Seine
  94854 Ivry Cedex
  Tél.: (1) 49-59-11-89/91
  Télécopieur: (1) 49-59-11-96
  Commandes: Tél.: (16) 38-32-71-00
                Télécopieur: (16) 38-32-71-28

L'ouvrage original américain a été publié par Ballantine Books,
une division de Random House, Inc.,
sous le titre *What You Can Change And What You Can't.*

Dépôt légal: 4ᵉ trimestre 1995
Bibliothèque nationale du Québec

ISBN 2-7619-1267-5

MARTIN E. P. SELIGMAN

CHANGER,
OUI, C'EST POSSIBLE

Traduit de l'américain
par André Demets

à Nicole Dana Seligman

née le 26 août 1991,
à la fin d'une semaine durant
laquelle les Hommes ont changé ce qui,
tout au long de ce siècle, semblait immuable.
Elle est née dans un monde nouveau.

Mon Dieu, donne-moi la Sérénité d'accepter les choses que je ne puis changer, le Courage de changer les choses que je peux, et la Sagesse d'en connaître la différence.

Prière de la sérénité
REINHOLD NIEBUHR, 1934

PREMIÈRE PARTIE

Psychiatrie biologique contre psychothérapie et autoperfectionnement

1

Ce qui change
Ce qui ne change pas

DEUX CONCEPTIONS se heurtent dans le monde actuel. Nous vivons, d'une part, à l'heure de la psychothérapie et de l'auto-perfectionnement. Nous sommes des millions à lutter afin de nous transformer: nous suivons des régimes, nous pratiquons le jogging, nous nous livrons à la méditation. Nous adoptons de nouveaux modes de réflexion pour neutraliser nos dépressions. Nous utilisons la relaxation pour réduire notre stress. Nous nous exerçons à développer notre mémoire et à quadrupler notre vitesse de lecture. Nous appliquons des méthodes draconiennes pour cesser de fumer. Nous élevons nos filles et nos garçons de la même façon peu importe le sexe. Nous affichons nos penchants ou tentons de devenir hétérosexuels. Nous nous efforçons de perdre notre goût pour l'alcool. Nous cherchons plus de sens à nos vies. Nous espérons augmenter notre longévité.

Nous y réussissons parfois. Mais trop souvent l'autoperfectionnement et les psychothérapies échouent lamentablement. Et le prix à payer est alors énorme. Nous estimons n'être plus bons à rien. Nous nous sentons coupables et éprouvons de la honte. Nous croyons n'avoir aucune volonté et nous nous considérons comme des ratés. Nous renonçons au changement.

> *Thérèse, comme des dizaines de millions d'Américaines et d'Américains, est désespérée ; elle estime, bien à tort, être une ratée. Après dix ans d'efforts à essayer par tous les moyens de perdre du poids, elle considère être plus mal en point qu'avant.*
> *Il y a dix ans, à la fin de ses études universitaires, Thérèse pesait 80 kg. Elle est arrivée, quatre fois depuis lors, à descendre sous les 60 kg ; programme des Weight Watchers, Nutri/système, six mois de traitement chez un psychothérapeute du comportement et, l'année dernière, l'«Optifast». À chacun de ses régimes, grâce à beaucoup d'efforts, son poids chutait rapidement. Mais chaque fois, elle reprenait vite tous les kilos perdus, et d'autres encore. Thérèse pèse maintenant 90 kg et a renoncé à maigrir.*

Les adeptes de l'autoperfectionnement, persuadés que nous pouvons tout changer, estimeront que Thérèse doit pouvoir gagner sa lutte contre l'obésité malgré ses criants échecs antérieurs. Il y a, par ailleurs, ceux qui pensent que Thérèse ne peut réussir. L'heure n'est pas seulement celle de l'autoperfectionnement et des psychothérapies, elle est également celle de la psychiatrie biologique. Avant la fin du siècle, la carte du génome humain aura, en effet, été dressée. Les processus cérébraux sous-jacents à la sexualité, à l'ouïe, à la mémoire, au fait d'être gaucher et à la tristesse sont déjà connus. Des médicaments psychoactifs — des agents externes — calment nos peurs, soulagent nos cafards, nous font voir la vie en rose, font passer nos manies et disparaître nos psychoses beaucoup plus efficacement que nous ne pourrions le faire nous-mêmes. Notre personnalité propre — notre intelligence, nos talents musicaux, même nos sentiments religieux, notre conscience (ou son défaut), nos

14

options politiques, notre exubérance — sont les produits de nos gènes, contrairement à ce que s'imaginaient la plupart des gens, il y a à peine dix ans. Les personnalités de jumeaux identiques élevés séparément sont étrangement similaires, aussi semblables que le sont leurs tailles et leurs poids. À l'heure de la psychiatrie biologique, il semblerait donc que nos gènes s'opposent fréquemment à nos efforts, même les plus ardus, à provoquer un changement.

Mais l'opinion que tout est génétique et biochimique et que rien ne peut être modifié n'est pas toujours valable. Nombre d'individus dépassent leur QI, ne «réagissent» pas aux médicaments, changent radicalement d'existence, survivent à un cancer en phase «terminale», ou défient les hormones et les circuits cérébraux qui «régissent» le désir sexuel, la féminité ou les pertes de mémoire.

Comme bien d'autres, Clément n'a pas tenu compte de la croyance populaire voulant que ses problèmes étaient d'ordre «biologique» et a trouvé une psychothérapie adéquate dont les résultats furent rapides et permanents.

Clément, un concepteur de logiciels, souffrait, environ chaque semaine, de crises de panique soudaines et inattendues. Son cœur se mettait à battre la chamade, il perdait le souffle et se sentait mourir. Après une soixantaine de minutes de terreur, la panique se calmait. Clément se soumit pendant quatre ans à une psychanalyse qui lui fit pénétrer l'univers de son enfance et les sentiments d'abandon qui le peuplaient; le traitement ne calma pas pour autant ses crises. Pendant toute une année, il ingéra de fortes doses de Xanax (un tranquillisant à base de prazolame). La fréquence des crises de panique diminua: Clément n'en souffrait plus qu'une fois par mois, mais il était si somnolent qu'il perdit deux de ses meilleurs clients. Aussi renonça-t-il au Xanax et les crises reprirent de plus belle. Il y a deux ans, il participa à 10 séances de psychothérapie cognitivo-comportementale adaptée à son affection. Il apprit à ne plus considérer les symptômes d'anxiété (c'est-à-dire les pulsations cardiaques accélérées, les difficultés respiratoires) comme catastrophiques et précurseurs d'une crise cardiaque. Il n'a plus, depuis lors, ressenti de panique.

Tandis que s'affrontent les concepts de psychiatrie biologique et d'autoperfectionnement, une solution devient apparente. Il y a des choses en nous qui peuvent être modifiées, d'autres qui ne peuvent pas l'être et d'autres encore que l'on peut changer mais fort difficilement. Que pouvons-nous réussir à changer en nous? Quels sont les changements impossibles? Comment se fait-il que Thérèse ait échoué et que Clément ait réussi? Quand pouvons-nous vaincre nos caractéristiques biologiques? Quand notre destin dépend-il de ces caractéristiques? Voilà les questions primordiales auxquelles j'essaie de répondre dans le présent ouvrage.

De nos jours, la notion de changement n'est plus une inconnue. Mais elle est surtout consignée dans la littérature technico-scientifique et a souvent été oblitérée par les milieux commerciaux, thérapeutiques et politiques. Il y a déjà longtemps que les béhavioristes ont diffusé à travers le monde l'idée que tout peut être modifié — l'intelligence, la sexualité, les humeurs, la masculinité ou la féminité. Les psychanalystes prétendent toujours qu'avec des efforts suffisants d'introspection, il est possible de modifier sa personnalité. La gauche marxiste, les tenants du «politiquement correct» et les groupes d'entraide ont repris le refrain en chœur. Par contre, l'industrie pharmaceutique, les biologistes dressant la carte du génome humain et l'extrême droite politique soutiennent que notre caractère est immuable, que nous sommes prisonniers de nos gènes et des composantes chimiques de notre cerveau et que rien — surtout pas nos humeurs, notre intelligence et nos caractéristiques sexuelles — ne peut être modifié sans l'intervention de médications puissantes, de manipulations génétiques ou de chirurgie cérébrale. Ce ne sont là que des mensonges d'origine idéologique.

Voici quelques faits relatifs aux changements que vous pouvez obtenir:

- La panique peut être facilement apaisée, mais ne peut être guérie à l'aide de médicaments.

- Les «dysfonctionnements» sexuels — la frigidité, l'impuissance, l'éjaculation précoce — peuvent être soignés facilement.
- Nos humeurs, qui peuvent ravager notre santé physique, sont aisément contrôlables.
- La dépression peut être guérie par de simples changements dans la façon de prendre conscience des choses; certains médicaments peuvent aussi vous soulager. Elle ne peut pas être guérie par une introspection dans l'univers de votre enfance.
- L'optimisme est une technique qui s'apprend. Une fois acquise, elle augmente votre rendement professionnel et améliore votre forme physique.

Voici maintenant quelques faits relatifs à des changements impossibles:

- À long terme, les régimes alimentaires ne servent presque jamais à quoi que ce soit.
- Il est très difficile de faire en sorte que les enfants se développent sans être marqués par leur sexe.
- Aucun traitement connu n'accélère le cours normal du rétablissement des alcooliques.
- L'homosexualité ne peut pas se transformer en hétérosexualité.
- Le fait de revivre les traumatismes de l'enfance ne résout pas les problèmes de personnalité de l'adulte.

Pour se sentir bien avec ce qui ne peut être changé en nous, la première chose à faire, et que l'on a trop souvent tendance à négliger, est de savoir ce qui ne voudra pas céder en nous. Mais cela n'est pas tout; il y a généralement des moyens de s'en sortir. Ce qui fait le succès d'une existence consiste souvent à tirer le meilleur parti d'une situation malencontreuse. Mon intention n'est donc pas seulement de souligner ce qui est difficile à modifier en nous, mais aussi de révéler des techniques pour venir à bout de ces choses que nous ne pouvons changer.

Le présent ouvrage est le premier manuel précis et factuel sur ce que l'on peut ou non modifier en soi. Comme je vais montrer dans cet ouvrage que tant d'affirmations claironnantes sur l'autoperfectionnement, la psychothérapie, les remèdes pharmaceutiques et la génétique sont mensongères, et que, quoi que vous fassiez, certaines choses sont immuables en vous alors que d'autres peuvent se modifier facilement, il est important que vous en sachiez plus sur mes qualifications.

J'ai consacré les trente dernières années à étudier les questions touchant la «plasticité», ce qui, dans le jargon universitaire, désigne ce qui change et dans quelle mesure. J'ai travaillé des deux côtés de la barrière. Ma carrière universitaire a débuté dans le domaine prétentieusement nommé «apprentissage». La psychologie de l'apprentissage, comme la plupart des sciences sociales dans les années 60, était essentiellement environnementale, son idéologie étant une réaction aux cauchemardesques théories génétiques du nazisme. En organisant correctement récompenses et punitions, la théorie de l'apprentissage tenait debout et les organismes soumis à nos expériences (pigeons, humains adultes, rats, singes rhésus ou bambins — que nous appelions tous les «S» pour «sujets», tant cela avait peu d'importance) assimilaient tout ce que nous voulions leur apprendre.

Les années passées dans le laboratoire d'apprentissage m'ont cependant montré que les organismes n'apprenaient pas tout, quelque ingénieuse que fut la mise au point de l'expérience. Les rats n'apprenaient pas que certains sons annonçaient du poison; les pigeons n'apprenaient pas à picorer certaines touches qui leur évitaient de recevoir une décharge électrique. (Les êtres humains sont encore plus résistants aux changements — mais nous en reparlerons.) Dans mon premier livre, *The Biological Boundaries of Learning* (1972) (Les limites biologiques de l'apprentissage), j'ai avancé une théorie, «l'état de préparation», selon laquelle la sélection naturelle détermine ce que nous pouvons ou ne pouvons pas apprendre. L'évolution, agissant par l'entremise de nos gènes et de notre système nerveux, nous permet de changer facilement certaines choses et rend pratiquement impossible d'en changer d'autres.

Ayant bien présentes à l'esprit ces contraintes que l'évolution impose à l'apprentissage, j'ai dû choisir avec soin mes problèmes. J'étais et suis toujours une bonne âme convaincue. Je voulais découvrir des remèdes aux souffrances, laissant à des esprits plus purs la recherche de la connaissance pour la connaissance. Certaines souffrances psychologiques me paraissaient immuables, incontournables, pour des raisons biologiques. D'autres problèmes me semblaient plus malléables et plus solubles si je faisais suffisamment preuve de patience, d'énergie et d'intelligence. Il fallait que je trouve les problèmes «plastiques» sur lesquels travailler.

J'ai choisi de me pencher sur l'incapacité de s'en sortir, la dépression et le pessimisme. Chacun de ces problèmes, d'après moi, pouvait faire l'objet d'un apprentissage et d'un «désapprentissage». En 1975, je publiai *Helplessness: On Depression, Death and Development* (L'incapacité de s'en sortir: la dépression, la mort et le développement). La thèse du livre montrait comment cette incapacité était acquise à la suite d'événements malheureux et contrôlables et à quel point cette attitude pouvait dévaster toute une existence. Mon livre le plus récent, paru en 1991, *Learned Optimism**, défendait un point de vue tout à fait opposé. Il expliquait clairement le résultat de quinze années de recherches aboutissant à deux conclusions: la première, négative, voulant que des habitudes pessimistes aboutissent à la dépression, freinent les performances et minent la santé physique; la seconde, positive, montrant que le pessimisme peut être «désappris» et qu'avec sa disparition, la dépression, les contre-performances et les troubles de santé disparaissent progressivement. Mon programme actuel de recherches tend à essayer de prévenir la maladie mentale la plus coûteuse aux États-Unis, la dépression, plutôt que d'attendre qu'elle se soit déclarée avant de la soigner. Cela est tout à fait conforme à l'esprit de l'heure, qui valorise l'autoperfectionnement et la psychothérapie.

---

* *Apprendre l'optimisme,* Inter Éditions, 1994.

Dans le présent ouvrage, j'insiste sur le besoin de dire la vérité à propos de la psychologie et de la psychiatrie. Aussi vaudrait-il mieux que je commence par exposer mes inclinations et mes antécédents.

La nature de la bête. Ce livre a pour sujet les «bêtes» psychologiques: la dépression, l'angoisse, la stupidité, la méchanceté, le stress traumatique, l'alcoolisme, l'obésité, la «perversion» sexuelle. Quand je n'étais encore qu'un théoricien novice de l'apprentissage, je savais que je m'attaquais à ces «bêtes». Je ne réalisais pas encore que, pour bien les comprendre, il me fallait tenir compte d'un autre sujet: la bête humaine.

Mon idéologie d'alors me faisait croire que l'environnement était le seul responsable des «bêtes» psychologiques. La stupidité est due à l'ignorance; offrez suffisamment de livres et d'enseignement et vous guérirez la stupidité. La dépression et l'angoisse sont les résultats de traumatismes, surtout de mauvaises expériences durant l'enfance; évitez ce genre d'expériences, élevez les enfants loin de l'adversité et vous éviterez des dépressions et des angoisses futures. Les préjugés sont les fruits empoisonnés de l'inconnu; apprenez aux gens à se connaître et vous éliminerez les préjugés. Les «perversions» sexuelles sont causées par les répressions et les refoulements; permettez le défoulement et l'hétérosexualité régnera vigoureusement!

Mon inclination actuelle me fait penser que tout cela, si ce n'est pas entièrement faux, n'en est pas moins fort incomplet. La longue histoire évolutionniste de notre espèce est aussi en partie responsable de nos stupidités, de nos peurs, de nos tristesses, de nos crimes, de nos désirs sexuels et de bien d'autres choses encore. Le fait d'être des humains s'ajoute à tout ce qui nous arrive pour nous accabler de «bêtes» psychologiques ou pour nous protéger d'elles. Pour comprendre et combattre des effets aussi malfaisants, il nous affronter la «bête» humaine.

Non aux vaches sacrées. Mon livre se situe sur la frontière qui sépare deux conceptions politiques. Il y a d'un côté la faction raciste de la droite qui espère ardemment que l'intelligence, la féminité et la criminalité sont toutes d'origine génétique. Il y a d'autre part les nombreux «libéraux» des années 60, aujourd'hui grisonnants, et leurs héritiers «politiquement corrects» arpentant les campus, qui condamnent tous ceux qui osent critiquer les victimes. Selon eux, les échecs de ces dernières ne peuvent leur être reprochés, car ils sont le résultat de la pauvreté, du racisme, d'une mauvaise éducation, d'un système injuste, de privations, de carences affectives, et d'un tas d'autres choses dont elles ne sont pas responsables.

Je n'ai aucune attache, ni avec la droite ni avec la gauche. Leurs vaches sacrées et leurs conclusions m'exaspèrent. Je ne suis attaché qu'aux arguments raisonnés, aux opinions originales qui méritent l'attention, aux évaluations réfléchies des preuves. Je réalise qu'une bonne partie de ce que je vais exprimer dans le présent ouvrage apportera parfois de l'eau au moulin de l'une ou l'autre des deux factions. Je crois que le fait d'affronter la bête entraîne à émettre des opinions impopulaires. Lorsque les preuves désigneront des causes génétiques, je le dirai. Lorsque les preuves accuseront un environnement malsain ou un milieu familial défaillant, je le dirai. Lorsque les preuves expliqueront l'immuabilité d'une situation, je le dirai. Et lorsque les preuves montreront des moyens efficaces de changement, je le dirai également.

Les études de résultats comme meilleures preuves. Supposons un instant que l'on prédise une épidémie de rubéole. Vous êtes enceinte et vous savez que cette maladie provoque des malformations congénitales. Deux vaccins sont disponibles en pharmacie, le Measex et le Pneuplox. Une star de Hollywood déclare au petit écran qu'elle a été vaccinée au Measex et qu'elle n'a pas été atteinte de rubéole. Une athlète olympique témoigne également en ce sens. Votre meilleure amie a entendu dire le plus grand bien

21

du produit. De leur côté, les fabricants du Pneuplox ne font pas de publicité. On a, par contre, soumis le produit à des tests appelés *étude de résultats*. On l'a administré à 500 personnes dont deux seulement ont attrapé la rubéole par la suite. Cinq cents autres personnes ont reçu une vaccination fictive et 28 d'entre elles ont contracté la maladie. Imaginez maintenant que le Measex n'ait pas été soumis à un test semblable. Quel vaccin allez-vous choisir? Bien sûr, celui qui a fait l'objet d'un rigoureux contrôle des résultats.

Vous faire une idée sur la qualité des cours d'autoperfectionnement, d'une psychothérapie et de remèdes qui vous sont destinés, à vous ou à un membre de votre famille, n'est pas chose facile. Les groupes et entreprises qui en font la promotion sont en effet riches et influents et essaient de vendre leurs «marchandises» à l'aide de puissants moyens de persuasion: témoignages, dossiers médicaux, bouche à oreille, recommandations («Mon médecin est le meilleur spécialiste de la région en la matière»), toutes formes astucieuses de publicité. Et, comme pour le choix d'un vaccin ou de la chimiothérapie plutôt que des radiations pour traiter un cancer, se fier à toute cette publicité n'est pas une bonne façon de décider du choix d'un régime amaigrissant ou d'un centre de désintoxication pour votre père alcoolique ou d'un médicament plutôt que d'une psychothérapie pour soigner une dépression. Les études de résultats, souvent disponibles de nos jours, sont de bien meilleurs critères.

Jusqu'à récemment, les tenants de l'autoperfectionnement et ceux de la psychiatrie biologique ont utilisé différentes formes de preuves dans le conflit qui les oppose. Les psychiatres biologistes commencèrent par des études de cas puis passèrent aux études de résultats, en comparant un groupe traité avec un médicament à un autre auquel on donnait une pilule de sucre, un placebo. Les partisans de l'autoperfectionnement et de la psychothérapie se basent encore, pour la plupart, sur des études de cas individuels et des témoignages: photos «avant et après» d'une personne obèse, le cas spectaculaire d'un joueur de football professionnel membre des Alcooliques anonymes, le cas de la guérison soudaine d'une profonde dépression après une confrontation orageuse du malade avec sa mère. Les études de cas font l'objet de lectures captivantes, mais n'ont que peu de valeur d'un point de vue clinique et ne sont souvent qu'une preuve intéressée. Le «vendeur» présente un cas qui témoigne de l'efficacité de son «produit». Vous ne saurez jamais le nombre d'échecs encourus.

L'évaluation des changements s'est récemment affinée. Quand feu Gerald Kerman devint directeur de l'ADAMHA (l'Administration gouvernementale des États-Unis sur l'alcool, les toxicomanies et la santé mentale) sous la présidence de Jimmy Carter, il soutint que les psychothérapies devaient être soumises à des évaluations aussi sévères que celles imposées par la FDA (Office du contrôle pharmaceutique et alimentaire des États-Unis) aux produits pharmaceutiques. Il assura le financement d'études comparatives pour les médicaments et pour les psychothérapies. Une grande partie des connaissances actuelles des professionnels de la psychologie et de la psychiatrie découle de nombre de ces études fouillées et coûteuses. Mais le grand public n'en a pas connu grand-chose à cause, notamment, du pouvoir des associations de psychothérapeutes et de fabricants de produits pharmaceutiques. Nous pouvons maintenant affirmer en toute confiance que, dans de nombreux cas, certaines psychothérapies sont efficaces et d'autres ne le sont pas. Cette technique comparative a eu peu d'effets dans le secteur de l'autoperfectionnement, mais quand j'émettrai des jugements sur l'efficacité d'une méthode, je me baserai surtout sur des études de résultats. J'utiliserai souvent des études de cas pour illustrer des points importants, mais uniquement si leurs résultats sont confirmés par des preuves plus substantielles.

Voilà donc mes inclinations. Maintenant que vous les connaissez, vous devriez aussi connaître les vôtres. Quels sont vos préjugés latents envers l'autoperfectionnement? Pensez-vous que la psychothérapie peut modifier la plupart de vos traits de caractère? Ou estimez-vous que votre personnalité est immuable? Êtes-vous d'avis que vos actes sont dictés par un choix personnel, par votre environnement ou par vos gènes?

Lisa Friedman Miller, qui a conçu l'enquête suivante, l'a soumise à des milliers de personnes afin d'analyser dans quelle mesure des points de vue différents sur le changement sont liés aux émotions et aux penchants politiques. Il n'y a pas de bonnes ou de mauvaises réponses au questionnaire, mais vos résultats vous indiqueront votre position envers le problème crucial du changement. Soulignez la réponse qui correspond le mieux à votre point de vue. Cet exercice vous prendra moins de cinq minutes.

QUESTIONNAIRE DE PLASTICITÉ HUMAINE

Théo fait des courses dans un grand magasin et voit un chandail qui lui plaît. Il se rend à la cabine d'essayage et s'aperçoit que le prix dépasse ses moyens. Théo enfile son veston par-dessus et sort du magasin sans payer.

Qu'est-ce qui intervient dans le geste de Théo?
D'après vous:

1. À quel point le comportement de Théo est-il influencé par la situation du moment?

Pas du tout   1   2   3   4   5   6   7   Beaucoup

2. À quel point le comportement de Théo est-il influencé par des situations moins immédiates (enfance, race, système économique et social)?

Pas du tout   1   2   3   4   5   6   7   Beaucoup

3. À quel point le comportement de Théo est-il influencé par sa personnalité?

Pas du tout   1   2   3   4   5   6   7   Beaucoup

4. À quel point le comportement de Théo est-il influencé par sa volonté d'agir de la sorte?

Pas du tout   1   2   3   4   5   6   7   Beaucoup

Imaginez que vous expliquiez à Théo qu'il a mal agi. Vous lui suggérez de changer de comportement. Il admet qu'il devrait changer et qu'il veut changer.

5. À quel point Théo peut-il changer?

Pas du tout   1   2   3   4   5   6   7   Beaucoup

Supposez maintenant que vous n'avez jamais parlé à Théo de son comportement.

6. À quel point Théo changera-t-il de comportement de toute façon?

Pas du tout   1   2   3   4   5   6   7   Beaucoup

Jean rencontre une jeune femme dans une soirée chez un ami et lui propose une rencontre en tête-à-tête le lendemain soir. À la fin de ce rendez-vous, Jean déclare à la jeune femme qu'il voudrait lui faire l'amour. Comme elle refuse, il la plaque contre un mur et commence à la déshabiller.

Qu'est-ce qui intervient dans le geste de Jean?
D'après vous:

1. À quel point le comportement de Jean est-il influencé par la situation du moment?

Pas du tout   1   2   3   4   5   6   7   Beaucoup

2. À quel point le comportement de Jean est-il influencé par des situations moins immédiates (enfance, race, système économique et social)?

Pas du tout   1   2   3   4   5   6   7   Beaucoup

3. À quel point le comportement de Jean est-il influencé par sa personnalité?

Pas du tout   1   2   3   4   5   6   7   Beaucoup

4. À quel point le comportement de Jean est-il influencé par sa volonté d'agir de la sorte?

Pas du tout   1   2   3   4   5   6   7   Beaucoup

Imaginez que vous expliquiez à Jean qu'il a mal agi. Vous lui suggérez de changer de comportement. Il admet qu'il devrait changer et qu'il veut changer.

5. À quel point Jean peut-il changer?

Pas du tout   1   2   3   4   5   6   7   Beaucoup

Supposez maintenant que vous n'avez jamais parlé à Jean de son comportement.

6. À quel point Jean changera-t-il de comportement de toute façon?

Pas du tout   1   2   3   4   5   6   7   Beaucoup

David rentre chez lui après l'école. Il voit soudain une auto flambant neuve stationnée le long du trottoir. Il sort ses clefs de sa poche et, d'un geste délibéré, raye la voiture sur toute sa longueur.

**Qu'est-ce qui intervient dans le geste de David?
D'après vous:**

1. À quel point le comportement de David est-il influencé par la situation du moment?

Pas du tout   1   2   3   4   5   6   7   Beaucoup

2. À quel point le comportement de David est-il influencé par des situations moins immédiates (enfance, race, système économique et social)?

Pas du tout   1   2   3   4   5   6   7   Beaucoup

3. À quel point le comportement de David est-il influencé par sa personnalité?

Pas du tout   1   2   3   4   5   6   7   Beaucoup

26

4. À quel point le comportement de David est-il influencé par sa volonté d'agir de la sorte?

Pas du tout   1   2   3   4   5   6   7   Beaucoup

Imaginez que vous expliquiez à David qu'il a mal agi. Vous lui suggérez de changer de comportement. Il admet qu'il devrait changer et qu'il veut changer.

5. À quel point David peut-il changer?

Pas du tout   1   2   3   4   5   6   7   Beaucoup

Supposez maintenant que vous n'avez jamais parlé à David de son comportement.

6. À quel point David changera-t-il de comportement de toute façon?

Pas du tout   1   2   3   4   5   6   7   Beaucoup

Pour connaître vos scores, il vous suffit d'additionner les chiffres soulignés pour chacune des six questions et d'inscrire les résultats ci-dessous. Chacun de ceux-ci devrait se situer entre 3 et 21.

Questions 1   (situations du moment)   _____
           2   (situations moins immédiates) _____
           3   (personnalité)   _____
           4   (volonté d'agir)   _____
           5   (changement suggéré)   _____
           6   (changement volontaire)   _____

Que signifient vos scores?

Les questions 1 mesurent votre opinion sur le fait que la situation du moment pousse les individus à agir. Si votre score est de 18 ou plus, vous êtes parmi le quart des individus qui croient le plus à l'influence de la situation du moment; un total de 15 est dans la moyenne; si vous obtenez 9 ou moins, vous êtes parmi ceux qui croient le moins à l'emprise des situations du moment. Aux États-Unis, les «démocrates» atteignent généralement des scores de 16 et plus, les «républicains» et les indépendants des scores en dessous de 15.

Les questions 2 concernent l'importance de l'histoire des individus. Plus votre score est élevé, plus vous attachez de signification à ce passé. Les personnes qui obtiennent 19 ou plus font partie du quart des gens qui pensent que le passé est déterminant dans l'existence; un score de 16 se situe dans la moitié supérieure; ceux qui obtiennent 12 ou moins font partie du quart le plus sceptique. Plus vous accumulez de points, plus vous êtes en faveur du bien-être social, des mesures antidiscriminatoires et de l'aide aux pays en voie de développement. Vous avez, de plus, une tendance croissante à la dépression. Moins vous avez de points, plus vous êtes en faveur de la peine de mort, de l'avortement et des interventions militaires.

Les questions 3 sont relatives au caractère. Les personnes qui obtiennent un total élevé font partie de celles qui croient le plus en l'influence de la personnalité; 50 p. 100 des gens interrogés ont obtenu des résultats de 18 ou plus. L'étude démontre que plus votre score est élevé, plus vous soutenez le bien-être social, les mesures antidiscriminatoires et l'aide économique mais également la peine de mort, les interventions militaires et l'avortement. Plus vous avancez en âge, plus vous croyez en l'incidence du caractère. Comme vous pouvez le constater, cette échelle bat en brèche les stéréotypes de «conservateur» et de «libéral».

Les questions 4 mesurent votre opinion sur le libre arbitre — le choix personnel — et la volonté. Aux États-Unis, le quart des individus interrogés obtiennent le score maximum de 21; la moitié, 19 et plus. Ceux qui obtiennent 16 et moins font partie du quart des personnes qui croient le moins au libre arbitre. Les plus hauts scores sont obtenus par les personnes âgées, qui ont des idées conservatrices sur le plan socio-économique et qui sont moins enclines à la dépression.

Les questions 5 montrent à quel point vous estimez qu'un changement radical est possible. Le quart des personnes interrogées ont obtenu des scores de 20 ou 21, la moitié, de 16 et plus. Des scores de 10 et moins vous placent dans le quart inférieur. Les personnes aux idées libérales qui favorisent le bien-être social, les mesures antidiscriminatoires et l'aide aux pays en voie de développement obtiennent des scores élevés.

Les questions 6 évaluent votre croyance en un changement possible. Si votre score est de 11 ou plus, vous êtes parmi les 25 p. 100 de participants au test qui croient que des changements importants peuvent se produire naturellement; si vous obtenez 8 ou plus, vous faites partie de la moitié des personnes interrogées. Un score de 3 a été obtenu par le quart des individus, qui estiment que les choses demeurent généralement ce qu'elles sont. Les personnes obtenant un score élevé sont en faveur de l'aide aux pays en voie de développement, du bien-être social, des mesures antidiscriminatoires et affichent des conceptions socio-économiques libérales. Celles qui ont des scores peu élevés approuvent plus que d'autres la peine de mort, les interventions militaires et l'avortement.

QUELS SONT les faits en matière de personnalité? C'est évidemment le sujet essentiel de ce livre. Je veux vous faire comprendre ce que vous pouvez ou ne pouvez pas changer en vous afin que vous ne consacriez votre temps et vos énergies qu'au domaine du possible. Tant de temps a déjà été gaspillé. Tant de méthodes de psychothérapie, d'éducation des enfants, d'autoperfectionnement, et même certains grands mouvements sociaux de notre siècle ne sont arrivés à rien parce qu'ils ont essayé de changer l'immuable. Nous avons trop souvent pensé à tort que nous n'étions que des ratés manquant de volonté, alors que les changements que nous voulions opérer en nous n'étaient tout simplement pas réalisables. Mais tous ces efforts étaient nécessaires. Grâce à tous ces échecs, nous sommes maintenant, en effet, capables de discerner les limites de l'immuable et cela nous permet enfin de voir clairement et pour la première fois les limites de ce qui est modifiable.

29

Connaître la différence entre ce que nous pouvons changer et ce que nous devons accepter comme immuable en nous est le point de départ d'un réel changement. Et nous pourrons, grâce à ce savoir, consacrer un temps précieux à réaliser les nombreux perfectionnements reconnus possibles. Nous pourrons alors vivre sans trop de remords et sans nous faire trop de reproches. Nous pourrons vivre en confiance. Cette nouvelle vision des choses nous permettra de mieux savoir qui nous sommes et où nous allons.

2

Choristes et solistes: l'âge de l'autoperfectionnement et de la psychothérapie

Notre Fondation a pour Fin de connaître les Causes, et le mouvement secret des choses; et de reculer les bornes de l'Empire Humain en vue de réaliser toutes les choses possibles.

Inscription sur la porte de la Maison de
Salomon – Francis Bacon,
La Nouvelle Atlantide, 1626*

---

* *La Nouvelle Atlantide,* traduit par Michèle Le Dœuff et Margaret Llasera, Paris, Payot, 1983.

DANS UNE PERSPECTIVE historique, il est étonnant de constater le nombre incroyable de choses que les Occidentaux en général et les Américains en particulier considèrent pouvoir changer en eux.

On nous dit, dès l'enfance, que nous pouvons nous améliorer dans presque tous les domaines. C'est d'ailleurs ce à quoi nos écoles doivent nous aider. On ne devrait pas se contenter d'enseigner des faits aux enfants, encore faudrait-il leur apprendre à lire, à devenir de bons citoyens et de bons amants, à prendre soin de leur corps, à développer leur amour-propre, à apprécier la littérature, à être tolérants envers les personnes différentes, à jouer au football, à chanter juste, à avoir l'esprit de compétition tout en demeurant prêts à coopérer, à commander et à obéir, à entretenir une bonne hygiène, à être ambitieux, à respecter les lois.

Quoique la réalité puisse nous décevoir, telle est la mission de nos écoles.

Le perfectionnement de soi est un principe essentiel de l'idéologie américaine. Il est équivalent en importance à la liberté dans notre culture nationale. Pour nous, la promotion individuelle est un but à atteindre grâce à cette liberté. Tous les garçons et, enfin, toutes les filles, s'ils y consacrent suffisamment d'efforts et font preuve d'ambition, pourraient devenir président ou premier ministre.

C'est là l'idéal que nous professons, même si la réalité semble bien différente.

Et tout cela n'est pas de la pure rhétorique. Toute une industrie de l'autoperfectionnement fort lucrative s'est bâtie autour de nos désirs de réussite.

Les adultes occidentaux et américains consacrent des milliards de dollars et plusieurs dizaines de milliards d'heures à apprendre à :

- Vendre
- Suivre un régime
- Développer leur mémoire
- Méditer
- Gérer leur temps
- Gérer le stress
- Charmer
- Contrôler leur colère
- Négocier
- Vivre plus longtemps
- Se relaxer
- Garder leur partenaire
- Bavarder
- Accélérer la lecture
- Renoncer à l'alcool
- Goûter les vins
- Renoncer à la drogue
- Éloigner d'eux les drogués
- Parler aux enfants
- Parler au téléphone
- S'apprécier eux-mêmes
- Combattre la peur de l'avion
- Interpréter leurs rêves
- Prendre de l'assurance
- Être diplomate
- Être drôle
- Se déféminiser
- Se féminiser
- Combattre leur homosexualité
- Combattre leur homophobie
- Accroître leurs résultats aux tests d'intelligence
- Être optimiste
- Dessiner avec l'hémisphère cérébral droit
- Accepter l'optique des autres
- Se faire des amis
- Penser de façon positive
- Penser de façon réaliste
- S'enrichir spirituellement
- S'enrichir matériellement
- Acheter
- Mieux aimer
- Se détacher d'un amour
- Écrire
- Contrôler leur famille
- Être à l'heure
- Se faire élire
- Parler en public
- Apprécier la musique
- Jouer d'un instrument
- Combattre la dépression
- Se défouler
- Communiquer
- Draguer les femmes
- Draguer les hommes
- Vaincre la phobie des «maths»
- Enseigner
- Étudier
- Écouter
- Maîtriser les arts martiaux
- Prendre soin de leur corps
- Avoir de bonnes manières

Cette liste ne représente qu'une infime partie de tous les cours disponibles. Tous ceux-ci ont en commun de nous faire penser que nous pouvons changer, nous améliorer et faire des progrès. Est-ce si évident qu'il semblerait inutile de le souligner? C'est justement l'évidence même de la chose et notre conviction profonde en elle qui soulève la question, car la plupart des hommes n'ont jamais, au cours des siècles, imaginé quelque chose de semblable.

Les Occidentaux ont, traditionnellement, toujours cru que le caractère humain était immuable et que les gens ne peuvent faire de progrès, s'améliorer ou se perfectionner. Le changement d'une profonde conviction en l'immuabilité du caractère en une certitude aussi ancrée en la capacité des individus à se perfectionner est récent et il représente la révolution la plus fondamentale et la plus essentielle de la pensée moderne. C'est un phénomène qui, étrangement, a été passé sous silence par les auteurs.

Comment les Occidentaux sont-ils arrivés à croire si fermement en la plasticité humaine? D'où nous est venue notre confiance en la psychothérapie? D'où a émané notre foi en l'autoperfectionnement?

Le Séder* et le chemin de Damas

Comment nous ont été racontés et comment répétons-nous les histoires glorieuses et les courageux exploits de la tradition judéo-chrétienne? Examinons-en deux: l'exode et la conversion de Saul. Pensez-vous que les Israélites, cruellement opprimés par le pharaon, prirent leur courage à deux mains, décidèrent qu'ils avaient besoin de liberté et se rassemblèrent bravement pour filer d'Égypte? C'est ce que j'ai longtemps cru jusqu'à ce que j'écoute plus attentivement les lectures faites à un récent Séder. Voici l'histoire de la Pâque telle que rapportée par le Haggada. Voyez qui a fait quoi et à qui.

---

* Cérémonies familiales tenues les deux premières veillées de la Pâque juive et où le chef de famille lit et commente les Écritures (N. d. T.).

34

Et, obéissant à la parole de Dieu, il descendit vers l'Égypte et y séjourna... Et les enfants d'Israël prospérèrent, se multiplièrent, s'accrurent en nombre et devinrent très puissants... «J'ai fait en sorte que tu te multiplies comme se sont accrus tes champs.»

Et les Égyptiens nous maltraitèrent, nous affligèrent durement et nous réduisirent en esclavage.

Et nous implorâmes l'Éternel... Et l'Éternel entendit nos prières...

Et l'Éternel nous retira d'Égypte à bout de bras nous tendant sa main puissante et nous allâmes tremblants de peur mais émerveillés.

Dieu est l'acteur et les Israélites (et moindrement les Égyptiens) sont ses jouets. Les Israélites ne font pratiquement rien qui ne soit le fait de Dieu ou qui ne soit dicté par lui. Le seul geste qu'ils posent sans qu'il ne l'ordonne est de se plaindre. Cette action paradigmatique de se libérer n'est pas représentée comme le fait d'un peuple courageux ayant choisi la liberté. Elle n'est même pas dirigée par un général audacieux. Et de fait, Moïse cite Dieu mot pour mot, selon ses ordres. Dieu a dit:

Moi-même je serai avec chacun de vous (Moïse et Aaron) quand vous parlerez et je vous indiquerai ce que vous aurez à faire. (Exode 4:15)

Tout au long du chemin, c'est Dieu qui provoque les événements heureux. Lorsque la situation s'améliore, ce n'est pas le fait des Israéliens, ce n'est dû qu'à une intervention divine. C'est là l'essentiel du message que transmet cette histoire et c'est pourquoi les Juifs sont censés la répéter à chaque Pâque.

Examinons un autre événement majeur, d'origine chrétienne cette fois, la conversion de Saul. Pensez-vous que Saul regrettait d'avoir maltraité les disciples de Jésus, qu'il était fatigué de suivre la religion de ses pairs, qu'il acceptait aveuglément les promesses de Jésus et qu'il avait décidé de se convertir? C'est ce que je croyais avant de relire les Actes 9:

Il était en route pour Damas et approchait de cette ville quand, tout à coup, une lumière qui venait du ciel brilla autour de lui. Il tomba à terre et entendit une voix qui lui disait: Saul, Saul, pourquoi me persécutes-tu?

Il demanda: — Qui es-tu Seigneur? Et la voix répondit: — Je suis Jésus que tu persécutes. Mais relève-toi, entre dans la ville, et là on te dira ce que tu dois faire...

Le Seigneur... m'a envoyé pour que tu puisses voir de nouveau et que tu sois rempli du Saint-Esprit.

Aussitôt quelque chose de semblable à des écailles tomba des yeux de Saul et il put voir de nouveau. Il se leva et fut baptisé...

Dieu est à nouveau acteur et Saul acquiesce passivement. Il pose des questions, mais Dieu commande. Saul ne prend aucune décision ; il ne réfléchit, ne choisit, ne s'interroge jamais.

La psychologie est pratiquement absente de la Bible. Vous chercherez en vain dans l'Ancien ou le Nouveau Testament les faits intentionnels attribués aux Hommes comme une préférence, une décision ou un choix personnels. Vous chercherez en vain un héros provoquant de sa propre initiative un changement radical dans un monde d'adversité. Vous chercherez en vain un personnage qui réfléchit, pèse le pour et le contre et agit ensuite. Dieu ordonne à Abraham de sacrifier Isaac, son fils miraculeusement né dans ses vieux jours. Sans la moindre hésitation, le vieux patriarche selle son âne et s'en va accomplir la volonté du Seigneur. Et ainsi en est-il de tous les personnages bibliques.

Le contraste entre la Bible et le reportage moderne est étonnant. Quand un événement marquant se produit de nos jours, comme un tremblement de terre, les jeux Olympiques, la victoire d'une armée, l'assassinat d'une personnalité, des émeutes dans une grande ville, les reporters harcèlent les intervenants de questions telles que «Qu'avez-vous ressenti?» et «Qu'est-ce qui vous est venu à l'esprit?». Se demander ce que Josué a ressenti au moment où les murailles de Jéricho se sont écroulées est anachronique. Cette façon de se poser des questions était totalement déplacée aux yeux de ceux qui ont rapporté les événements fabuleux s'étant produits de l'époque d'Abraham à celle de Jésus. Tout ce qui était arrivé, et particulièrement les événements heureux, les progrès de l'humanité, n'était dû qu'à une simple intervention divine dans les affaires des Hommes. La réflexion, la décision et l'intention de ceux-ci ne jouaient aucun rôle. Les Écritures infirment uniformément et de façon militante l'intervention humaine.

Ce dogme de l'«implasticité» des Hommes s'est répandu dans les civilisations occidentales pendant deux mille ans.

Des fissures dans la voûte céleste

Cette vision obstinée de l'évolution de l'humanité, voulant que Dieu seul soit le moteur de tout progrès, ne fut pratiquement pas contestée durant tout le Moyen Âge. Si cette période n'est plus considérée comme totalement stagnante, elle marque indubitablement un ralentissement du rythme des changements dans les sociétés d'alors. Pendant huit cents ans, le caractère des individus ne se modifia pas et la société ne changea que fort peu. Les fils faisaient généralement ce qu'avaient fait leurs pères avant eux. Les femmes n'étaient que peu considérées. Les pauvres demeuraient pauvres. Les riches demeuraient riches. Les connaissances, diffusées sous le contrôle des autorités, ne se développaient pas. À l'exception de l'astronomie, qui s'attachait à décrire le mouvement des corps célestes, les sciences ne progressaient pas. L'Église était le centre du monde, immuablement assise sur la pierre de saint Pierre. Le rythme du changement était le reflet de l'idéologie de l'époque.

Trois fissures apparurent alors dans la voûte céleste — la liberté, la science et le libre arbitre — et le dogme de l'«implasticité» humaine commença à s'effriter. La première fissure se manifesta par la naissance d'un mouvement prônant les libertés individuelles.

Les libertés politiques. À Runnymede, en Angleterre, le 15 juin 1215, une poignée de barons rebelles arrachèrent au roi Jean sans Terre la Magna Carta ou Grande Charte qui les protégeait contre les caprices du souverain. Quoiqu'elle soit loin encore de proclamer le principe du suffrage universel, la Grande Charte marque incontestablement une première étape vers la liberté telle que nous la concevons:

> Aucun homme libre ne sera arrêté ou emprisonné, ou dépossédé de ses biens, ou déclaré outlaw, ou exilé, ou lésé de quelque manière que ce soit, et nous n'irons pas contre lui et nous n'enverrons personne contre lui, sans un jugement loyal de ses pairs, conformément à la loi du pays*.

L'évolution de la notion de liberté fut néanmoins fort lente. Il fallut attendre plus de quatre siècles avant qu'éclate la guerre civile en Angleterre, quand Charles 1er fut décapité et que le Commonwealth vit le jour. Ce n'est que six siècles plus tard que la Révolution américaine appliqua l'idée émise par John Locke voulant que le gouvernement ne tienne ses pouvoirs que du consentement des gouvernés. Suivirent, en 1789, la Révolution française et sa Déclaration des droits de l'homme et du citoyen encore plus nettement démocratique.

Le mouvement vers la liberté prit dès lors une allure foudroyante. En ce qui nous concerne ici, il fut l'une des trois vagues qui submergèrent le dogme voulant que le caractère humain soit invariable et que les individus ne puissent s'améliorer ou progresser sans une intervention divine.

---

* Article 39 de la Grande Charte (1215). *Le Livre des droits de l'Homme. Histoire et Textes de la Grande Charte (1215) aux plus récents pactes internationaux*, Jean-Jacques Vincensini, Paris, Robert Laffont — Michel Archimbault, 1985.

La deuxième fissure se produisit avec la découverte de la notion que nous ne sommes pas entièrement à la merci de la nature.

La science peut manœuvrer la nature. Jusqu'à la Renaissance et bien que l'observation précise des marées et des corps célestes permettait déjà de prédire des éclipses et parfois même des inondations, la science occidentale ne faisait à peu de choses près que décrire ce que Dieu avait créé. Étant donné l'opinion, universellement dominante en ce temps, voulant que les hommes soient impuissants à changer la nature des choses et que seules les personnes autorisées détiennent le savoir, il n'est pas surprenant que la science d'alors ait été si anémique.

Arrive alors Francis Bacon, un des authentiques esprits iconoclastes de la Renaissance. Bacon, qui selon certains aurait été l'auteur des œuvres attribuées à Shakespeare et le fils bâtard de la «reine vierge», Élisabeth 1re d'Angleterre, est né en 1561. Son père était Nicolas Bacon, garde des sceaux du royaume, et sa mère, Anne Cooke, dame d'honneur de la reine. Le père Bacon était remarquable de par son ascension sociale. Avant qu'Henri VIII mît en place l'Église anglicane, Nicolas n'était qu'un modeste clerc; quand le roi supprima les monastères et manqua de loyaux serviteurs pour s'occuper des affaires, Bacon père fut promu parmi d'autres hommes d'humble extraction. Il gravit rapidement l'échelle sociale et fut le premier membre de sa famille à accéder à une classe supérieure. La peste noire avait anéanti le système féodal; Henri VIII privait maintenant de nombreux membres de la petite noblesse de leurs privilèges et ouvrait l'accès aux hautes fonctions jusqu'alors occupées par les innombrables victimes de la peste et les nouveaux ennemis de la couronne. Des familles entières grimpèrent ainsi dans la hiérarchie de la société. Au moment de devenir adulte, Francis Bacon avait donc compris que l'ordre social n'était pas immuable.

Francis entra à l'Université de Cambridge à l'âge de douze ans (on ne prolongeait pas artificiellement l'adolescence à cette époque d'économie de subsistance) et eut immédiatement en horreur le programme d'études aristotélicien obligatoire qui passait à l'époque pour le plus savant. Il se rebella ouvertement contre cette doctrine. Rompant de manière stupéfiante avec le passé, il exhorta le monde à consulter la nature et non les autorités pour acquérir les connaissances utiles au genre humain. Il affirma que les sciences ne se limitaient pas à une observation passive de la nature. Ayant appris d'expérience que les hommes pouvaient changer l'ordre social, il affirmait que l'être humain était tout à fait capable de manœuvrer la nature. Nous pouvons nous livrer à des expériences, disait-il. Si nous voulons savoir pourquoi l'eau bout, inutile de consulter Aristote ou l'Église. Faisons des expériences et trouvons la réponse par nous-mêmes. Nous éteignons le feu et l'eau cesse de bouillir. Nous rallumons le feu et l'eau se remet à bouillir. Nous avons trouvé la réponse: l'eau bout à cause du feu.

Bacon nous a appris que la science peut changer l'ordre des choses. Un demi-siècle plus tard, Isaac Newton allait démêler les secrets du mouvement. Il s'ensuivit rapidement une explosion des connaissances en médecine, en agriculture et en science économique. Les deux siècles suivants ont été témoins d'une vague d'activités sans précédent, les êtres humains changeant de rois, de dieux et transformant même la nature. Les hommes pourraient peut-être même, en tant qu'individus, se changer eux-mêmes. Mais pour que cela devînt possible, il fallait qu'apparaisse la dernière fissure dans la voûte céleste. C'est ce qui se passa, sous une forme en apparence spéculative, à l'occasion d'un débat entre théologiens.

Le libre arbitre. Au cours des années 1480, des hérétiques moururent sur le bûcher partout en Europe. L'infâme *Malleus Maleficarum* fut publié en guise de manuel de la chasse aux sorcières décrivant les tortures à leur infliger pour les faire avouer. Le nez plein de la puanteur des chairs brûlées, Jean Pic de la Mirandole, jeune aristocrate ferrarais, débarqua à Rome et défia le dogme de l'«implasticité» humaine. Dans son discours *De la dignité de l'Homme,* le Dieu de Pic dit à Adam:

> Si nous ne t'avons donné, Adam, ni une place déterminée, ni un aspect qui te soit propre, ni aucun don particulier, c'est afin que la place, l'aspect, les dons que toi-même aurais souhaités, tu les aies et les possèdes selon ton vœu, à ton idée. Pour les autres, leur nature définie est tenue en bride par des lois que nous avons prescrites; toi, aucune restriction ne te bride, c'est ton propre jugement, auquel je t'ai confié, qui te permettra de définir ta nature*.

Pic se délecte à l'idée que les hommes ont la liberté du choix. L'homme est doté par son Créateur du pouvoir de s'élever au-dessus de toutes les autres créatures, même des anges.

Le pape condamna Pic et fit mettre ses écrits à l'Index. Pic parcourut alors le monde, pieds nus, et mourut d'un accès de fièvre dans sa trente et unième année.

Mais dans les trente ans qui suivirent, la Réforme prit son plein essor. L'Église catholique perdit son monopole sur la vie spirituelle des Européens. La Réforme ne célébrait cependant aucunement le libre arbitre. Luther en rejeta le principe, considérant que l'humanité avait été créée vile et sans pouvoir. Tout le monde est déchu, nous méritons tous la damnation.

Jean Calvin soutint alors que nous étions tous damnés ou élus avant que d'être nés. Dieu prédestine certains au salut éternel et tous les autres à la damnation perpétuelle, disait-il. Dieu maintient ses élus dans la foi et en odeur de sainteté tout au long de leur existence. La réussite en ce monde peut être la marque de cette élection divine. Ni vos actes ni vos choix ne modifieront votre sort. Les hommes sont incapables, sans aide, de faire un bon choix et la raison humaine est incapable de connaître une vérité autre que celle de l'existence de Dieu. Les bonnes œuvres ne procurent pas la grâce. Votre destin est scellé avant votre naissance.

---

* *De la dignité de l'Homme,* traduit du latin par Yves Hersant, Combas, éd. de l'Éclat, 1993.

S'il en est ainsi, pourquoi les gens s'efforceraient-ils d'être bons? Comment pourraient-ils être tenus responsables de leurs actes? Le débat théologique sur le libre arbitre était engagé. Le sort du principe voulant que les hommes puissent se changer et progresser allait dépendre de l'issue de cette monumentale polémique. Au début du XVIIᵉ siècle, des protestants hollandais libéraux, conduits par Jacobus Arminius (forme latine de Jacob Harmensen), avancèrent que les hommes jouissent du libre arbitre et qu'ils participent à leur salut. Pour être sauvés, nous devons rencontrer Dieu, sinon à mi-chemin, du moins en route. C'est ce qu'on a surnommé «l'Hérésie arminienne».

Le débat s'est prolongé pendant près de deux siècles, les arminiens trouvant immédiatement une audience aux Pays-Bas et, cent ans plus tard, en Angleterre durant la purge de la Restauration par les calvinistes. Cette «hérésie» devint populaire grâce aux prédications évangéliques de John Wesley, le fondateur anglais du méthodisme, qui prêchait par tout le pays cette doctrine du salut. Wesley a commencé par confirmer le libre arbitre des êtres humains:

> L'homme fut doté d'une volonté pouvant influencer diverses passions et affections et, finalement, de la liberté de choix, sans laquelle tout le reste eût été vain... il eût été dénué de vices ou de vertus comme toute création inanimée. L'image naturelle de Dieu se reflétait en ce pouvoir d'agir, cette compréhension, cette volonté et cette liberté*.

Wesley expliquait aux foules qui se pressaient à ses sermons que Dieu offre le salut en général mais que les hommes, grâce au libre arbitre, participent activement à leur propre félicité éternelle en utilisant les «moyens» appropriés.

> La règle générale et la plus sûre à suivre par tous ceux qui implorent le salut de Dieu est la suivante: chaque fois que

_____

* Interprétation libre du traducteur.

> l'occasion s'en présentera, utilisez tous les moyens que Dieu a
> ordonnés; car qui sait par lequel de ces moyens Dieu vous
> retrouvera pour vous donner la grâce qui mène au salut*?

Les sermons charismatiques de Wesley, trouvant audience dans les villes et villages d'Angleterre, du pays de Galles et d'Irlande du Nord, et dans les colonies américaines, ainsi que les organisations efficaces mises en place par le prédicateur pour éviter que les convertis ne renoncent à leur nouvelle foi, firent du méthodisme un mouvement religieux puissant et populaire. Le libre arbitre pénétrait ainsi dans la conscience du peuple. Les gens ordinaires ne se considéraient plus comme des réceptacles attendant passivement de voir s'y déverser la grâce. Leur vie pouvait dorénavant s'améliorer. Ils pouvaient enfin agir pour se changer en mieux. Même les malades mentaux, jusqu'alors sans espoir, étaient maintenant désenchaînés des murs de leurs prisons. En 1792, Philippe Pinel, nouveau médecin chef de l'hospice de Bicêtre à Paris, fit en effet courageusement tomber les chaînes de ses patients en présence des chefs de la Révolution française.

ET C'EST AINSI QU'AU DÉBUT du XIXe siècle les trois fissures dans le dogme de l'«implasticité» humaine sont devenues de larges lézardes irréparables. Les Révolutions américaine et française avaient entraîné la victoire; un grand nombre d'hommes avaient acquis une large part de leurs libertés politiques. On arrivait à considérer que la science pouvait changer la nature, que les hommes ne devaient plus rester passifs à attendre que la nature les détruise et que les êtres humains étaient dotés du libre arbitre. Il s'ensuivit que les hommes pouvaient se changer et s'améliorer. Le dogme de l'implasticité humaine, qui avait sévi pendant près de deux mille ans, en paralysant les progrès de l'humanité, était enfin rejeté.

---

* Interprétation libre du traducteur.

Le dogme de la plasticité humaine

Le nouveau dogme ne pouvait trouver un meilleur terrain d'expansion que celui de l'Amérique du Nord au XIXᵉ siècle. L'individualisme farouche des Américains s'opposait au chancelant état d'esprit européen relatif à l'implasticité humaine. Tous les éléments suivants alimentèrent la croyance:

- l'idée démocratique que les hommes naissent égaux;
- l'accès illimité aux richesses pour les pauvres;
- les vagues d'émigrants, main-d'œuvre mal payée réclamant bientôt le pouvoir à cor et à cri;
- la ruée vers l'or;
- la devise «de la misère à la richesse»;
- l'instruction universelle;
- la notion de réhabilitation des délinquants;
- les bibliothèques publiques;
- l'abolition de l'esclavage;
- le mouvement en faveur du vote des femmes;
- le nouveau libéralisme religieux prônant le libre arbitre et les bonnes œuvres pour atteindre le paradis;
- l'idéalisation de l'esprit d'entreprise — l'ambition et l'initiative incarnées.

Les fédéralistes*, qui doutaient que le peuple puisse se gouverner lui-même avec sagesse («Votre peuple, monsieur — votre peuple n'est qu'une énorme bête!» s'écria un jour Alexander Hamilton), perdirent bientôt le pouvoir au profit des républicains. Peu nombreux étaient ceux qui, à l'époque, défendaient encore l'idée de l'implasticité humaine. La première moitié du XIXᵉ siècle devint la grande époque des réformes sociales. Le mouvement religieux évangélique, aux limites des terres colonisées, était intensément individua-

---

* Membres du parti fédéraliste qui devint plus tard le parti républicain, dont les adversaires, appelés alors «républicains», furent à l'origine du parti démocrate *(N. d. T.)*.

liste. Ses assemblées atteignaient leur point culminant avec la dramatisation des choix du Christ. Des communautés utopistes dont le but était atteindre à la perfection humaine apparurent.

Il était couramment admis que les hommes pouvaient se changer et se perfectionner. Andrew Jackson, élu président des États-Unis, le confirma en ces termes:

> J'ai la conviction que l'homme peut s'élever; l'homme peut devenir de plus en plus imprégné de divinité; et en ce faisant, il devient plus semblable à Dieu par le caractère et capable de se gouverner lui-même. Continuons d'élever notre peuple, de parfaire nos institutions, jusqu'à ce que la démocratie ait atteint un tel point de perfection que nous pourrons proclamer en toute vérité que la voix du peuple est la voix de Dieu.

Deux opinions principales coexistaient, à l'époque, sur celui qui pouvait être l'agent d'un changement. Elles sont toutes deux encore très présentes parmi nous au seuil du troisième millénaire.

Les choristes et les solistes. Ceux qu'on appellera les «choristes» pensaient qu'une personne est à même de s'améliorer, mais que l'agent du changement doit être quelqu'un d'autre. Pour certains choristes, cet agent était le psychothérapeute qui guide le patient vers le changement. Freud, le fondateur du mouvement psychothérapeutique, a essayé de s'auto-analyser et y a renoncé.

> Mon auto-analyse est définitivement arrêtée. J'ai compris pourquoi je ne peux m'analyser qu'avec l'aide d'informations obtenues objectivement (comme un étranger). Une véritable auto-analyse est impossible; il n'y aurait plus, sinon, de maladies névrotiques.

Quand le sujet en analyse et le psychanalyste sont une seule et même personne, les conflits qui déforment la pensée et font obstacle à l'introspection sont insurmontables.

Pour d'autres choristes, le changement des institutions sociales était le moyen de faire progresser l'être humain. Ces réformateurs créèrent des bibliothèques publiques, mirent en place un enseignement universel, prônèrent la réhabilitation des délinquants, préconisèrent de soigner les malades mentaux par des thérapies, militèrent pour le droit de vote des femmes et l'abolition de l'esclavage et fondèrent des communautés utopistes. Ils militent encore de nos jours. Marx a incarné cette vision de changement: les hommes sont prisonniers du système économique capitaliste; confiez les moyens de production aux travailleurs et, ce faisant, vous contribuerez au progrès de l'humanité.

Ce groupe a engendré les «sciences sociales». À la suite des émeutes de Haymarket à Chicago, en mai 1886, où 70 policiers furent blessés et 7 tués par des grévistes armés*, la lutte des classes devint une réalité pour les penseurs. Ils attribuèrent les conduites répréhensibles non plus au caractère (immuable et personnel) de l'individu, mais bien à la pauvreté et à l'appartenance à une classe sociale (modifiables et générales). Le remède consistait à corriger l'environnement des classes défavorisées puisque les délinquants, pris individuellement, n'étaient pas responsables de leurs actes. Les théologiens ne se demandèrent plus «de quelle façon chaque individu est responsable, mais bien comment ils pouvaient être eux-mêmes responsables de tous ceux qui ne l'étaient pas». La science des institutions sociales mit ce sujet à l'ordre du jour.

Pour d'autres choristes encore, les moyens de changement consisteraient à modifier les contingences environnementales qui influent sur les individus. Les béhavioristes, sous la houlette de John Watson, ont prétendu que l'enfant était un pur produit de son environnement. Watson, en 1920, écrivait que le seul moyen de changer

---

* La fête des travailleurs, célébrée le 1er mai partout dans le monde, sauf aux États-Unis, commémore, entre autres, cet événement qui aboutit à la pendaison de quatre dirigeants syndicaux *(N. d. T.)*.

est de remodeler l'individu en changeant son environnement de manière qu'il acquière de nouvelles habitudes. Plus celles-ci se transformeront et plus sa personnalité changera. Peu d'individus peuvent réaliser tout cela sans aide.

La théorie scientifique de l'apprentissage découle de ce principe (B. F. Skinner est le plus récent et le plus populaire défenseur de ce point de vue).

Toutes ces propositions reposent sur la conviction que les êtres humains peuvent se transformer. Mais elles sous-entendent qu'ils doivent y être amenés par un psychothérapeute, par des réformes sociales, par d'utiles manœuvres environnementales. Les gens sont incapables de se transformer eux-mêmes, pensent les choristes, héritiers de Francis Bacon.

Les solistes sont, eux, les héritiers de l'individualisme de Pic de la Mirandole, d'Arminius et de Wesley. Pour eux, l'agent du changement se trouve en soi: les êtres humains peuvent s'élever en se prenant eux-mêmes en main.

Pour certains solistes, l'autoperfectionnement a des origines théologiques dérivées de la pensée de Wesley et du protestantisme libéral du XIXᵉ siècle associés à l'idéologie américaine de «farouche individualisme». *The Power of Positive Thinking (Le pouvoir de la pensée positive)* de Norman Vincent Peale, paru en 1952, et les prêches actuels de Robert Schuller, les dimanches matin dans la «Cathédrale de Cristal» ont influencé la vie de dizaines de millions d'Américains. Les individus sont persuadés qu'ils peuvent réussir ici-bas en s'améliorant personnellement et qu'ils obtiendront le salut éternel dans l'au-delà par leurs bonnes œuvres. Le pharmacien français Émile Coué qui, au tournant du siècle, recommandait à ses clients d'avaler ses pilules en se répétant tous les jours «je me sens de mieux en mieux» était un digne précurseur profane de ces solistes religieux contemporains.

Les psychologues humanistes sont également des solistes. Abraham Maslow prétendait que «l'auto-actualisation» était la forme la plus avancée de motivation humaine, quoiqu'elle ne puisse être réalisée que lorsque des besoins plus fondamentaux, comme la nourriture, la sécurité, l'amour et l'estime de soi, font défaut. En psychothérapie existentielle et humaniste, les idées de volonté, de responsabilité et de liberté ont une priorité absolue; les patients peuvent même souffrir de troubles de la volonté, la psychothérapie prônera une extension de leur capacité à faire des choix.

Les promoteurs du mouvement des Alcooliques anonymes (AA) sont aussi des solistes. Le Dr Robert H. Smith fonda les AA en 1935 et son organisation a, depuis lors, aidé probablement plus d'un million de personnes à renoncer à l'alcool, un problème qui semblait jusqu'alors insoluble. L'organisation des AA n'est cependant pas purement fondée sur le solo: un des éléments de la guérison est la détermination et la volonté, mais elles sont associées à la foi en l'aide d'une puissance supérieure et à un vigoureux appui social du groupe. En fait, les AA sont organisés sur la base d'un curieux mélange d'éléments apparemment contradictoires: l'autoperfectionnement et l'intervention d'une puissance supérieure. J'examinerai de plus près leur philosophie, leurs réussites et leurs échecs dans le chapitre consacré à l'alcoolisme.

Dans l'Amérique du XXe siècle, le dogme de «l'implasticité humaine» a succombé aux assauts des choristes et des solistes. L'ancien dogme a été remplacé par son contraire, un nouveau dogme qui soutient que les êtres humains peuvent toujours changer et s'améliorer avec l'aide d'autrui ou par eux-mêmes. Comme le dogme qu'il a balayé, le nouveau venu se manifeste par des généralisations hâtives. Tous les aspects du caractère humain, prétend-il en effet, peuvent être maîtrisés et améliorés si l'on y consacre suffisamment d'efforts, de temps d'apprentissage ou d'introspection. Ce dogme de la plasticité humaine est-il crédible?

Le Soi maximal

Bon nombre de croyances populaires sont vraisembla-bles. D'autres, comme celle du Moyen Âge voulant que la lune soit recouverte d'une sphère de cristal, sont fausses. D'autres encore sont autosatisfaisantes. La suite de ce livre va considérer la véracité de la croyance en la plasticité illimitée de la nature humaine. Mais avant de procéder à cette évalua-tion, je veux souligner que la croyance en la possibilité de nous changer diffère de la plupart des autres convictions. Elle a, pour le moins, un remarquable côté autosatisfaisant.

La société dans laquelle nous vivons exalte le soi, ce soi qui peut se changer et qui peut même modifier sa façon de penser. Notre économie se développe de plus en plus sur la base de l'initiative individuelle. Notre société accorde des pouvoirs comme jamais auparavant aux individus. Nous vivons à l'ère du contrôle personnel.

Quand les chaînes de montage firent leur apparition au tournant de ce siècle, nous ne pouvions acheter que des réfri-gérateurs blancs. En peignant tous ces appareils de la même couleur, les fabricants réalisaient des économies. À partir des années 50, le développement de machines quasi «intelli-gentes» a permis un éventail ahurissant de choix possibles. Il devient concevable (et profitable, si un marché existe) de gar-nir, par exemple, un réfrigérateur sur cent avec de faux dia-mants.

C'est la glorification du choix individuel qui a donné naissance à un tel marché. De nos jours, les blue-jeans ne sont plus tous bleus; ils existent en dizaines de teintes et en centaines de modèles différents. En permutant les accessoires disponibles, on vous offre un nombre renversant de modèles différents de nouvelles voitures. Il y a des centaines de mar-ques d'aspirine et des milliers de marques de bière.

Pour ouvrir un marché pour tous ces produits, la publi-cité a fait en sorte de développer l'enthousiasme pour le choix personnel. Le «soi» avide de plaisir qui décide et choi-sit est devenu la cible du monde des affaires. Quand les individus ont beaucoup d'argent à dépenser, l'individualisme devient une notion des plus profitables.

Depuis la Seconde Guerre mondiale, les États-Unis sont devenus un pays riche. Quoique des dizaines de millions d'Américains ne profitent pas de cette prospérité et sont laissés pour compte, les autres disposent en moyenne du plus fort pouvoir d'achat de tous les temps. Notre richesse est liée à l'ahurissant éventail de choix qui nous sont offerts suivant le même processus qui a engendré le réfrigérateur orné de strass. Personne n'a jamais disposé avant nous d'un si grand choix de nourriture, de vêtements, d'enseignement, de concerts, de livres et de savoir commercialisé.

Qui choisit? Le soi. Le «soi» moderne n'est plus le paysan d'autrefois à l'avenir bouché. Il (et maintenant elle, ce qui double le marché — sans oublier les enfants) représente un frénétique marché où se négocient options, décisions et préférences. Il en résulte une sorte de «soi» inconnu jusqu'ici sur notre planète: le Soi maximal.

Le soi a son histoire. Nous avons vu que, jusqu'à la Renaissance, le soi était minimal. Dans un tableau de Fra Angelico, aucun des personnages, à part Jésus, ne se distingue des autres. Le soi s'est peu à peu développé avec Pic de la Mirandole et Bacon. Dans les œuvres du Greco et de Rembrandt, les figurants ne ressemblent déjà plus aux membres interchangeables d'une chorale. À l'époque d'Andrew Jackson, le soi, exerçant un certain pouvoir politique, en possession de son libre arbitre et capable d'atteindre à une perfectibilité divine, est devenu quelque chose de plus élaboré.

Nos richesses et notre technologie actuelles ont engendré un «soi» qui, comme jamais auparavant, peut choisir, éprouver des joies et des peines, décider des gestes à poser, optimiser et satisfaire ses besoins et qui peut même se voir distingué par son auto-efficacité et par l'estime, la confiance, le contrôle et la connaissance qu'il a de ou en lui-même. J'appelle ce nouveau soi le «Soi maximal», pour le distinguer de ce qu'il remplace, c'est-à-dire le «Soi minimal», celui de la Bible et de Martin Luther. Le Soi minimal n'a jamais fait bien plus que de se conduire correctement; il ne se préoccupait certainement que fort peu de ses impressions. Il était plus concerné par ses devoirs.

Se faire le champion de l'autoperfectionnement n'aurait eu aucun sens avant l'avènement du Soi maximal. Une société qui considère les ouragans comme voulus par Dieu ne construit pas des abris pour s'en protéger. Et même si elle le fait, les gens n'iront pas s'y abriter et n'écouteront même pas les prévisions météorologiques diffusées à la radio. Une société qui considère l'alcoolisme comme un vice imputable à un caractère dépravé et immuable n'essaiera pas d'encourager les alcooliques à ne plus boire. Une société qui considère que de mauvais gènes et une chimie cérébrale fâcheuse sont à l'origine de la dépression n'essaiera pas d'obtenir que les dépressifs changent leur vision des choses lorsqu'ils subissent un échec. Les notions de psychothérapie, de réhabilitation et d'autoperfectionnement n'ont pas leur place dans une société où règne le Soi minimal, société qui de toute façon ne peut s'intéresser à la psychologie. Le Soi minimal, croyant au dogme de l'implasticité humaine, ne fait rien pour se changer.

Mais quand une société comme la nôtre exalte le soi, celui-ci, ses pensées et leurs conséquences deviennent les objets d'une science attentive, de psychothérapies et d'efforts de perfectionnement. Ce soi perfectible n'est pas une chimère. L'autoperfectionnement et la psychothérapie donnent souvent de bons résultats et c'est la croyance en la plasticité humaine qui est à la base de ces stratégies. Le Soi maximal est persuadé qu'il peut changer et s'améliorer et cette croyance permet justement le changement et le perfectionnement. Le dogme de la plasticité humaine tend à se réaliser par lui-même.

3

Médicaments, microbes et gènes: l'ère de la psychiatrie biologique

L'AUTOPERFECTIONNEMENT et la psychothérapie sont considérés avec scepticisme et même avec dédain par bon nombre de gens. Pourquoi? Parce que nous vivons aussi à l'ère de la psychiatrie biologique qui met de l'avant des conceptions biomédicales des émotions, de la personnalité et des maladies mentales. Trois principes constituent les bases de la psychiatrie biologique:

- la maladie mentale est en réalité une maladie physique;
- les émotions et les humeurs sont déterminées par la chimie cérébrale;
- La personnalité est établie par les gènes.

Ces principes vont à l'encontre de l'idée que nous pouvons nous changer nous-mêmes, avec ou sans l'aide d'un psychothérapeute. La psychiatrie biologique entretient une conception radicalement différente du changement:

- en soignant la maladie physique sous-jacente, on soigne la maladie mentale;
- on peut changer les émotions et les humeurs négatives à l'aide de médicaments;
- notre personnalité est immuable.

C'est là la position extrême. Mais il y a de nombreuses attitudes intermédiaires qui admettent «l'interaction» de la génétique, «l'état de préparation» et les «prédispositions» génétiques. Certaines de ces positions de compromis ne sont que destinées à nous faire croire que le conflit fondamental entre nature et éducation a été en quelque sorte réglé ou que la question ne se pose même plus. Contrairement à ce que laisserait penser le présent chapitre, cet ouvrage est en grande partie consacré aux positions intermédiaires raisonnables. Le chapitre 3 s'étend, en effet, sur la position extrême qui est loin d'être superficielle ou basée sur des idées imaginaires et sans substance. Elle reflète l'opinion fondamentale d'une partie importante du monde biomédical. Trois découvertes capitales l'ont fait naître.

Les véroles italienne, française et anglaise

La pire épidémie de démence rapportée par les historiens débuta quelques années après la découverte du Nouveau Monde par Christophe Colomb. Elle se prolongea jusqu'au début de notre siècle en ne cessant de s'aggraver. Elle affligea les puissants de ce monde, d'Henri VIII à Randolph Churchill, le père fantasque mais brillant de Winston, aussi bien que les plus humbles. Le mal se manifestait d'abord par une faiblesse dans les membres puis par des excentricités, des accès de folie des grandeurs, la paralysie globale, la stupeur et enfin la mort. La maladie fut nommée, d'après ses derniers symptômes: paralysie générale.

Vers 1880, les asiles européens débordaient d'hommes hurlant des obscénités qui avaient atteint la phase terminale de cette maladie. Une controverse s'établit autour des causes du mal. L'opinion majoritaire, partagée par le doyen des psychiatres allemands Wilhelm Griesinger, tenait pour responsables une vie dissolue et plus spécialement l'inhalation de la fumée de mauvais cigares! Une minorité, composée de chercheurs empiristes plutôt que de psychiatres de salon, et parmi eux le jeune Richard von Krafft-Ebing, soutenait que la maladie était due à la syphilis.

Griesinger n'avait cure d'une telle théorie. Comment la syphilis pouvait-elle aboutir à ce mal? Bon nombre de paralysés n'avaient pas eu de relations sexuelles depuis plusieurs années. À peu près tous les malades niaient catégoriquement avoir déjà été atteints de syphilis. Quelques autres disaient avoir peut-être été affligés du mal mais vingt ou trente ans plus tôt: ils avaient eu une simple lésion cutanée sur le pénis disparue au bout de huit jours. Comment la paralysie générale pouvait-elle résulter d'une syphilis?

Les chercheurs ne pouvaient pas, à l'époque, examiner le cerveau de l'un des malades décédés pour voir s'ils y trouveraient le microbe de la syphilis. Les microscopes du temps étaient encore fort primitifs et les colorants histologiques encore plus. Quand vous examiniez un cerveau, vous ne découvriez qu'une bouillie gris pâle. De plus, le micro-organisme syphilitique n'était toujours pas connu: il n'était qu'un microbe hypothétique; personne ne l'avait encore vu. Mais la preuve que la paralysie générale était due à une affection cérébrale faisait néanmoins son chemin. Les pupilles des malades ne se contractaient pas quand on dirigeait vers elles un rayon lumineux et les cerveaux des malades autopsiés étaient tout rétrécis.

Griesinger n'était pas le seul à nier que cette maladie mentale était une affection du corps. Contrairement à nous qui discutons aujourd'hui du caractère mental ou physique de la démence, l'opinion générale au XIXe siècle voulait qu'elle soit une déficience *morale*, la manifestation extérieure d'un mauvais caractère. Aussi étrange que cela puisse paraître, cette opinion marquait un progrès par rapport à celle des siècles précédents qui estimait que les déments étaient possédés par le diable.

Krafft-Ebing a changé tout cela. Grâce à l'une des expériences les plus audacieuses dans les annales de la psychiatrie, il démontra que la syphilis était à l'origine de la paralysie générale. Il le fit sans jamais examiner un cerveau et trente ans avant que quiconque ait eu l'occasion d'entrevoir le *Treponema pallidum*, le spirochète syphilitique, à travers un microscope. Comme tout homme averti des dangers de la rue, il savait que la syphilis, tels les oreillons ou la rougeole, était une maladie qu'on ne pouvait pas attraper deux fois. Si un chancre apparaissait sur votre pénis après une relation sexuelle avec une femme infectée, il s'ensuivait pendant quelques semaines certains inconvénients: urines cuisantes et fièvres. Après cela, vous sembliez hors de danger et pouviez goûter des plaisirs sans fin même avec les putains des quartiers mal famés sans jamais développer de nouveaux chancres.

Krafft-Ebing tenta des expériences sur neuf de ses patients, tous d'âge moyen et atteints de folie des grandeurs et tous affirmant catégoriquement n'avoir jamais été atteints de la «vérole française» (c'est ainsi que les Allemands appelaient la syphilis; les Français la nommaient «vérole italienne» et les Italiens, «vérole anglaise»). Il fit des prélèvements sur des chancres péniens d'hommes venant de contracter la syphilis (nous sommes loin ici d'une science de salon!) et les injecta à ses neuf patients.

Aucun d'eux ne développa un chancre. La controverse avait été réglée une fois pour toutes grâce à une incroyable expérience. Ces neuf malades avaient certainement été atteints de syphilis et le germe de cette infection devait donc être la cause de la paralysie générale, aboutissement d'un long et lent processus.

Des preuves supplémentaires ne tardèrent pas à affluer. Le tréponème pâle fut découvert et retrouvé dans le cerveau de victimes de la paralysie générale. Une simple analyse sanguine fut mise au point pour détecter la syphilis. Le «606» (un produit pharmaceutique ainsi nommé parce que les 605 préparations précédentes n'avaient pas donné les résultats voulus) fut mis à la disposition des médecins; il tuait le tréponème et prévenait ainsi la paralysie générale.

Les travaux de Krafft-Ebing connurent un tel succès que la maladie mentale la plus répandue du XIXe siècle fut quasiment éradiquée en une génération. (À Philadelphie, où j'enseigne à l'Université de Pennsylvanie, quand nous cherchons un malade atteint de paralysie générale pour étudier son cas, il est toujours difficile d'en trouver un.) Mais Krafft-Ebing, ce scientifique courageux et génial, fit bien plus que de découvrir les causes de la paralysie générale. Grâce à sa découverte, il réussit à convaincre le monde médical de la justesse d'une idée beaucoup plus générale voulant que *la maladie mentale n'est qu'une maladie du corps*. Ce principe devint le fondement et le point de ralliement de la psychiatrie biologique naissante, et servit à établir ses programmes d'études. Il s'ensuivit un siècle de recherches sur la schizophrénie, la dépression, la maladie d'Alzheimer et bon nombre d'autres problèmes censés découler d'un trouble cérébral sous-jacent. La schizophrénie est actuellement considérée comme due à un excès d'un certain type de neurotransmetteurs dans le cerveau; la dépression, elle, à une insuffisance d'un autre type de neurotransmetteurs. La maladie d'Alzheimer s'expliquerait par la détérioration de certains centres nerveux et l'excès de poids, par le manque d'activité d'un autre centre nerveux (aucune de ces hypothèses n'a été définitivement prouvée à ce jour).

Il en résulte pour toutes les maladies mentales qu'un réel changement n'est possible à obtenir qu'après avoir éliminé l'affection physique. Tuez, par exemple, les spirochètes et la détérioration mentale disparaît. Guérissez la dépression en élevant le niveau des neurotransmetteurs; guérissez la schizophrénie en abaissant ce niveau. Lobotomisez (excisez les fibres nerveuses appropriées du cerveau) et vous éliminerez les symptômes d'angoisse. Corrigez les excès de poids en réglant le centre nerveux de l'appétit à l'aide de médicaments. Dans cette optique, la psychothérapie au service d'une maladie biologique n'est qu'une absurdité sentimentale. Elle peut, tout au plus, servir d'appoint: le psychothérapeute pourrait aider un malade atteint de paralysie générale à s'adapter à l'aggravation de son état mental et physique; un psychothérapeute pourrait presser un schizophrène de ne pas oublier de prendre ses pilules et de ne pas parler à son patron de ses états psychiques.

Médicaments et émotions

Voici à quoi ressemblent les psychoses manifestes:

Louis pénètre un beau matin dans le magasin de son père accoutré de façon terrifiante. Il est nu, le corps enduit des pieds à la tête d'une peinture d'un brun terne tirant sur le rouge et barbouillé d'une matière visqueuse. Un énorme hameçon muni d'un ardillon acéré lui traverse une joue. «Je suis un ver», bredouille-t-il en rampant sur le sol. La caissière appelle la police qui accourt et emmène Louis. À l'hôpital, Louis manifeste un syndrome clinique complet et typique de la schizophrénie. Des hallucinations lui font entendre des poissons se nourrissant voracement. Il croit être l'objet de leur frénésie. Il s'accroche à cette étrange idée délirante d'être un ver, probablement liée au désespoir causé par la récente rupture avec son amie de cœur («Tu n'es qu'un ver de terre!» lui a-t-elle crié en claquant la porte). Son humeur fluctue de façon spectaculaire entre la terreur, la manie impulsive et la profonde tristesse.

Louis est cinglé comme pas un. Mais ce qui se passe par la suite tient du miracle. Nous sommes à la fin de l'été 1952. Un des internes de l'hôpital vient de rentrer d'un séjour d'un an en France. Avant de quitter l'Europe, il a assisté, au Luxembourg, au congrès des psychiatres et neurologues de France au cours duquel il a entendu une étonnante communication. Le professeur Jean Delay, psychiatre en chef de l'hôpital Sainte-Anne à Paris, annonçait en effet une découverte capitale dans le domaine du traitement des psychoses.

Les psychoses sont les maladies mentales les plus fréquentes. En 1952, les arrière-salles des hôpitaux psychiatriques de New York à Moscou, en passant par Paris, Londres et ailleurs étaient pleines à craquer de malades comme Louis. On appelait ces salles des «fosses aux serpents». Les malades étaient hallucinés et inaccessibles, catatoniques muets, enragés et revêtus de camisoles de force, ou alors ils prononçaient des mots sans suite en riant sottement, ou encore ils étaient simplement brisés, le regard tourné vers le mur. Tout était tenté pour soigner ces schizophrènes: les électrochocs, l'hibernation artificielle, la lobotomie, l'insulinothérapie, des cocktails lytiques. Rien ne marchait. Les psychotiques pouvaient connaître des périodes de rémission, mais leur avenir était généralement considéré comme sans espoir.

Delay annonça un remède. Pierre Deniker et lui avaient testé un nouvel antihistaminique de synthèse, mis au point par les laboratoires pharmaceutiques Rhône-Poulenc deux ans plus tôt, pour combattre le rhume des foins. Leurs patients retrouvaient un calme étonnant: les délires disparaissaient en quelques jours comme la neige fondant lentement du sommet d'un arbre par une matinée d'hiver ensoleillée. Le contact du psychotique avec le monde réel se rétablissait.

Une vive discussion s'engage lors de la consultation médicale sur le cas de Louis. Les psychanalystes recommandent la psychothérapie. Ils pensent que son délire est dû à une angoisse homosexuelle. Ils prétendent que toute schizophrénie est une forme «d'homosexualité latente». Soigner Louis à l'aide de médicaments ne peut servir que de traitement d'appoint mais pourrait l'empêcher d'approfondir l'introspection de son conflit sous-jacent. Mais l'interne récemment débarqué de Paris est obstiné. Il répète les conclusions de Delay et son point de vue l'emporte. Le nouveau médicament, la chlorpromazine, est injecté à Louis. Il se détend immédiatement (le nouveau médicament était défini comme «neuroleptique»). À la fin de la semaine, Louis est atterré par son allure et se lave pour effacer toute trace de peinture. L'idée d'être un ver lui semble aussi démente qu'à nous. Au bout de trois semaines, Louis reprend son travail de magasinier.

Le nouveau médicament se répandit comme une traînée de poudre à travers le monde de la psychiatrie. Tous les principaux établissements hospitaliers utilisèrent la chlorpromazine pour traiter leurs malades psychotiques et, dans la plupart des cas, cela donna de bons résultats. Les patients se portaient mieux en l'espace de quelques semaines. Bon nombre d'entre eux firent même des progrès étonnants. Certains malades qui avaient végété dix ans et plus dans les arrière-salles des hôpitaux sans prononcer un mot guérirent et sortirent des institutions au bout de quelques mois. Les «fosses aux serpents» se vidèrent et des lits devinrent vacants dans les services psychiatriques pour la première fois depuis longtemps.

Ainsi commença en psychiatrie la révolution des produits pharmaceutiques, qu'on a surnommée «la troisième révolution». La première avait été provoquée par Pinel brisant les chaînes des aliénés et la deuxième par l'invention de la psychanalyse par Freud. La troisième reposait sur l'affirmation que *des dérèglements des humeurs et des émotions reflètent une perturbation de la chimie cérébrale. Corrigez la chimie cérébrale à l'aide de médicaments et vous réglerez ainsi les humeurs et les émotions.*

La révolution des produits pharmaceutiques s'étendit rapidement. Donner des médicaments était une action compatible avec la vision vénérable de la maladie. En les prescrivant, les psychiatres se mettaient à l'abri du scepticisme dédaigneux de leurs collègues médecins scientifiquement plus traditionalistes. Les médicaments étaient bon marché et avaient des effets rapides. Les malades constituaient un marché énorme et de puissants lobbies faisaient tout pour promouvoir l'utilisation des médicaments auprès des médecins, des pouvoirs en place, des médias et du public en général.

Et les médicaments obtenaient de bons résultats. Les études de cas étaient innombrables. Des études de résultats des nouveaux neuroleptiques furent entreprises et montrèrent que les médicaments étaient généralement plus efficaces que les placebos administrés aux groupes de contrôle. Environ 60 p. 100 firent des progrès, quoique peu d'entre eux guérirent complètement.

Dépressions, manies et angoisses. L'enthousiasme pour l'utilisation des médicaments dans le traitement des psychotiques allant croissant, de nouveaux produits furent testés sur des patients souffrant d'autres formes de maladies mentales. Le premier antidépresseur fut découvert accidentellement. Un nouveau produit pharmaceutique avait été testé pour soigner la tuberculose. Les malades se portaient mieux. Ils étaient contents. Extrêmement contents. Ils se mirent à danser dans les couloirs, hurlant leur joie. Le médicament, l'iproniazide, était essentiellement un euphorisant. Il soulageait également la dépression. En 1957, l'année de son lancement sur le marché, 400 000 patients furent traités à l'iproniazide. Malheureusement, le produit s'est révélé toxique et même parfois mortel. Les laboratoires pharmaceutiques se sont alors entre-déchirés pour trouver de nouvelles versions légèrement différentes (et donc brevetables) du produit qui fut bientôt détrôné par les antidépresseurs tricycliques, moins violents. Ceux-ci donnèrent également de bons résultats et leurs effets secondaires se révélèrent plus discrets. Soixante cinq pour cent des patients se sentirent moins déprimés. Le Prozac, acclamé en 1990 en page couverture de *Newsweek** comme une découverte capitale dans le traitement de la dépression, donne des pourcentages de rendement identiques à ceux des médicaments précédents, mais ses effets secondaires sont considérés comme plus limités. Le Prozac a depuis lors conquis la part du lion sur le marché.

Les antidépresseurs se sont donc montrés modérément utiles. Par contre, dans le domaine des manies, un véritable «produit miracle» fut découvert: le carbonate de lithium. John Cade, un médecin australien travaillant seul et dans des conditions primitives, constata que l'urine de ses patients maniaques tuait les cochons d'Inde: les rongeurs se mettaient à trembler, se convulsaient violemment, s'effondraient et mouraient. Quand Cade leur faisait des injec-

---

* Hebdomadaire américain de qualité tirant à plus de 600 000 exemplaires *(N. d. T.)*.

tions de lithium, un élément connu pour sa toxicité, les cochons d'Inde se calmaient et devenaient léthargiques, et ils survivaient aux injections d'urine. Cade fit alors l'essai du lithium sur ces êtres humains maniaques à l'urine mortelle. En quelques jours, leur agitation, leurs pensées confuses, leur distraction et leurs états d'excitation euphorique firent place au calme.

En 1970, les psychiatres prescrivaient du lithium aux maniaco-dépressifs quasiment par réflexe. Avant l'utilisation de ce produit, la psychose maniaco-dépressive était une maladie invalidante et sans espoir: 15 p. 100 des malades se suicidaient et la plupart, quoique généralement remplis de talents, étaient incapables de conserver un emploi. Les maniaco-dépressifs étaient si odieux que leurs familles souffraient grandement de leur maladie et que dans 60 p. 100 des cas leur mariage se terminait par un divorce (à l'époque où le divorce n'était pas chose courante). Grâce au lithium, les choses ont bien changé. Il soulage environ 80 p. 100 des maniaco-dépressifs et, dans la plupart des cas, de façon bien marquée.

Ce qui fit le plus sensation fut l'arrivée des produits anxiolytiques. L'angoisse était généralement considérée comme un phénomène inconfortable et dérangeant mais faisant inévitablement partie de nos existences. Freud en faisait l'émotion fondamentale et la première moitié de notre siècle prit le surnom d'ère de l'angoisse. Lorsqu'elle prend des formes extrêmes et qu'elle n'est plus contrôlable, l'angoisse devient néanmoins incontestablement un problème de médecine clinique.

Au milieu des années 50, le méprobamate fut administré pour la première fois à des malades souffrant d'angoisse. Ses effets furent phénoménaux: des patients particulièrement agités se détendirent complètement en quelques minutes, comme liquéfiés, mais restèrent parfaitement conscients. Les problèmes qui, quelques instants auparavant, les submergeaient, semblaient maintenant fort éloignés. Ils pouvaient s'endormir facilement.

Comme on pouvait le prévoir, le méprobamate fut utilisé à tort et à travers. L'industrie pharmaceutique était lancée dans la course. Le chlordiazépoide, vendu sous forme de Librium, remplaça le méprobamate et devint le médicament le plus vendu au monde. Le diazépam, vendu sous le nom de Valium, cinq fois plus puissant que le Librium, le délogea vite. Ces médicaments rivalisent aujourd'hui avec l'alcool en termes de consommation chez les consommateurs américains. Si vos soucis vous angoissent, pour peu que vous trouviez un médecin coopératif, vous vous retrouverez probablement en train d'absorber du Valium quatre fois par jour. Notre ère n'est plus celle de l'angoisse, mais bien celle des tranquillisants.

Le deuxième principe de la psychiatrie biologique semble bien ancré. Les médicaments, selon leurs partisans, ont vaincu les psychoses et les manies et supprimé les humeurs les plus caractéristiques de la dépression et de l'angoisse. Les émotions et les humeurs ne sont que des manifestations de la chimie cérébrale. Si vous n'aimez pas les vôtres, il vous suffit de les changer à l'aide du médicament approprié.

Les effets négatifs des médicaments

J'ai essayé jusqu'ici de présenter les médicaments sous leur jour le plus favorable. J'ai dû me contenir. Les produits pharmaceutiques agissent sur les émotions. Les manies peuvent, grâce à eux, être efficacement contrôlées; les dépressions modérément soulagées; les angoisses presque instantanément dissipées. Les délires psychotiques peuvent être chimiquement éliminés.

Mais il y a un revers à la médaille. Pour quelle raison les produits pharmaceutiques agissent-ils généralement? Peut-être entretenez-vous la naïve illusion que les médicaments foncent sur la maladie envahissante et la tuent, à l'image d'un faucon s'abattant sur un lapin. J'ai une tout autre optique sur la façon d'agir de nombreux produits pharmaceutiques. Elle est peut-être discutable, mais elle vous aidera à comprendre les effets négatifs de ceux-ci. Dans mon optique, les médicaments sont eux-mêmes des envahisseurs, tout comme les maladies qu'ils attaquent. Votre organisme perçoit le produit pharmaceutique comme une toxine et son système de défense est mobilisé pour la combattre. Il arrive, par effet secondaire, que le système immunitaire ainsi mobilisé détruise la maladie elle-même. L'effet vraiment secondaire d'un médicament est donc de juguler le mal. Son effet principal est de causer des maux, non recherchés mais moins graves, que l'on surnomme euphémiquement «effets secondaires».

C'est cette même tactique qui permit de maîtriser pour la première fois la paralysie générale. En 1917, Julius Wagner von Jauregg, un psychiatre autrichien, inocula intentionnellement la malaria à des patients souffrant de paralysie générale. Il calculait que la malaria, maladie «mineure» provoquant de fortes fièvres et mobilisant d'autres défenses, pourrait éliminer la paralysie générale «majeure». C'est ce qui arriva et Wagner von Jauregg reçut le prix Nobel en 1927, devenant ainsi le seul psychiatre à jamais avoir été honoré d'une telle manière. À mon humble avis, la démarche de Wagner von Jauregg n'était pas vraiment médicale. Les médicaments agissent de la même façon: ils provoquent une maladie mineure pour guérir une maladie plus grave.

Les psychoses. Quoique les études de résultats valables soient étonnamment rares, les neuroleptiques sembleraient «efficaces» dans 60 p. 100 des cas. Une minorité importante de patients ne profitent pas du traitement, même si les médicaments s'avèrent *efficaces* (le terme «profiter» ne convient pas vraiment; les neuroleptiques *atténuent* les symptômes mais les malades ne guérissent pas totalement). Les schizophrènes deviennent plus maniables, plus tranquilles, plus dociles, moins bizarres, mais ils n'en demeurent pas moins schizophrènes. Cela facilite la tâche du personnel hospitalier et peut aisément être confondu avec une guérison.

64

Louis a encore des idées bizarres, mais elles sont moins contraignantes qu'auparavant. Il a aussi appris à ne pas dire qu'il est un ver, quoiqu'il soit encore souvent persuadé d'en être un.

C'est regrettable, mais Louis, à nouveau harcelé par ses délires, a dû être réhospitalisé six fois depuis 1952.

Les produits pharmaceutiques ont mis fin à l'encombrement des arrière-salles des hôpitaux psychiatriques, mais ils les ont remplacées par une «porte tournante». Beaucoup de gens que nous voyons couchés dans les rues de nos grandes villes y ont abouti après avoir reçu maintes et maintes fois leur congé d'un hôpital psychiatrique à la suite d'un traitement aux neuroleptiques. Dans la rue, leur état se détériore à nouveau, parfois parce qu'ils arrêtent de prendre leurs médicaments, parfois parce que ceux-ci n'ont plus d'effet. Et la police a tôt fait de les ramener à l'hôpital.

Les psychotiques ne cessent pas de prendre leurs médicaments par confusion mentale ou par distraction seulement. En tant que «pseudo-patient», je me suis fait un jour admettre à l'hôpital d'État de Norristown, en Pennsylvanie, où l'on m'interna dans la salle «bouclée» réservé aux hommes. Ayant remarqué une ruée des malades vers les toilettes, après chaque distribution de médicaments, je suivis le mouvement. Je trouvai là une longue queue de patients qui avaient caché leurs pilules sous leur langue et qui allaient, les uns après les autres, les cracher dans la cuvette des cabinets.

Les neuroleptiques ont des effets secondaires pénibles. Les plus courants sont l'arythmie cardiaque, la chute de tension, une nervosité et une fébrilité incontrôlables, une immobilité faciale empêchant de sourire, des tremblements et un pas traînant. Quelques patients en meurent. Un effet secondaire dévastateur et particulièrement repoussant est la dyskinésie tardive, qui survient quand les neuroleptiques détruisent des cellules (encore inconnues) des centres moteurs du cerveau. Ses victimes se sucent frénétiquement les lèvres et les font claquer.

Ses proches font semblant de ne rien remarquer, mais Louis ressemble souvent à une grenouille attrapant des mouches.

Entre le quart et le tiers des patients traités à l'aide de neuroleptiques développent cette infirmité. Plus le traitement dure longtemps, plus les dyskinésies tardives ont des risques de se manifester. Et ce phénomène est, malheureusement, tout à fait irréversible.

La dépression. Les antidépresseurs agissent dans 65 p. 100 des cas. Comme les neuroleptiques, ce ne sont que des médicaments d'appoint. Si vous cessez de les prendre, vous avez autant de risques qu'auparavant de rechuter ou d'être terrassé par une nouvelle crise de dépression. Ils ne corrigent pas le profond pessimisme et l'incapacité à s'en sortir qui sont caractéristiques des états dépressifs. Quand vous vous rétablissez d'une dépression après vous être soigné à l'aide de médicaments, vous n'avez acquis aucune nouvelle idée sur la manière de réagir aux fréquentes contrariétés de l'existence. Vous attribuez votre rétablissement à un médicament ou à un médecin bienveillant, jamais à vous-même.

Les antidépresseurs, tout comme les neuroleptiques, ont des effets secondaires pénibles. Les inhibiteurs de la monoamine-oxydase (IMAO), jadis un type d'antidépresseur répandu, peuvent être mortels. Les antidépresseurs tricycliques sont plus légers mais ils peuvent occasionner des problèmes cardiaques, des manies, de la confusion mentale, des pertes de mémoire et une extrême fatigue. Une importante minorité de patients ne les tolèrent pas. Le dernier-né de ces produits, le Prozac, provoque moins de somnolences, d'assèchements de la bouche et de sueurs que ses prédécesseurs mais il est la cause de plus de nausées, de nervosité et d'insomnies. Le laboratoire Eli Lilly, qui le fabrique, pourrait bien regretter maintenant les louanges tapageuses mais prématurées des médias. On se préoccupe beaucoup, en effet, du nombre sans précédent de suicides attribués, à tort ou à raison, à l'absorption de Prozac. Aucune étude officielle n'a été entreprise à ce jour.

Les angoisses. Les anxiolytiques soulagent les angoisses. Ils vous détendent de façon spectaculaire et vous font voir la vie en rose. Mais comme les antidépresseurs et les neuroleptiques, ce sont des produits pharmaceutiques d'appoint. Si vous cessez de les prendre, vos angoisses reviennent en force. Pire encore, si vos angoisses découlent d'un problème réel, vous vous rendez compte que vous n'avez rien fait entretemps pour le résoudre. Dans la mesure où vos angoisses vous transmettent le message de corriger un élément de votre vie, les anxiolytiques vous empêchent de le recevoir. Ces médicaments sont, de plus, utilisés à l'excès dans le traitement des angoisses; ils sont probablement inutiles pour les accès de panique et les troubles d'anxiété généralisée.

Les anxiolytiques n'ont pas d'effets secondaires pénibles comme les antidépresseurs et les neuroleptiques. Ils ne vous tueront probablement pas, même si vous en absorbez des doses énormes. Mais contrairement aux autres produits, ils perdent de leur efficacité avec le temps. Ils entraînent, semblet-il, une accoutumance.

Les manies. Le lithium est efficace dans le traitement des manies. Le problème est que de nombreux maniaques le refusent, car ils veulent demeurer maniaques. Par le passé, le lithium était couramment utilisé comme médicament mais, comme il provoquait des crises cardiaques, son utilisation fut peu à peu abandonnée. Il fut ressuscité quand John Cade, le chercheur australien, découvrit ses propriétés dans le traitement des maniaques. Contrairement à tous les autres produits pharmaceutiques mentionnés plus haut, le lithium, de ce fait, ne donna pas lieu à des surprises désagréables. Le corps médical était prévenu et, dès sa réutilisation thérapeutique, les patients qui en absorbaient pour soulager leur psychose maniaco-dépressive furent soumis à une étroite surveillance médicale.

Vos gènes et votre personnalité

Le dernier principe de la psychiatrie biologique suppose que la personnalité soit d'ordre génétique. Cela est si opposé à la sensibilité politique de l'heure que la redécouverte du principe a produit un véritable choc. Comment la psychiatrie biologique en était-elle arrivée à croire en une idée aussi «rétrograde»? Pensez à l'explication en vogue des mauvais traitements infligés aux enfants.

> *André est un enfant difficile. Chaque fois qu'il pique une colère, son père, Stéphane, le bat. Cela ne se limite pas à une fessée et se termine par des yeux au beurre noir et des doigts cassés. Quand il commence, Stéphane ne peut plus s'arrêter. Les cris d'André poussent son père à continuer et il ne cesse que lorsque l'enfant se met à geindre faiblement. Tout cela fut découvert le jour où la mère d'André l'emmena à l'urgence à la suite d'une «chute». On arrêta Stéphane.*

> *Durant toute son enfance, Stéphane avait été battu sans pitié par son propre père et il se souvient de celui-ci racontant avoir été lui-même battu par son père lorsqu'il était encore enfant.*

Les spécialistes des sciences humaines nous expliquent que ce cycle de mauvais traitements infligés aux enfants est le résultat d'un apprentissage. Stéphane a appris à battre André parce que son père le battait, l'ayant, lui, appris de la même façon. Il est tout à fait possible que les enfants maltraités battent plus souvent leur progéniture que ceux qui ont été bien traités. Mais cette explication est tout aussi compatible avec une autre théorie, tellement démodée qu'elle a été omise comme possibilité par les spécialistes en sciences humaines ayant découvert la transmission de génération en génération des mauvais traitements infligés aux enfants.

Sur quoi agit l'évolution. L'autre explication est qu'on hérite de l'agressivité de ses parents et que les personnes plus agressives ont des «gènes plus agressifs». Cette théorie suggère que les gens qui battent les petits enfants sont saturés de ces gènes. Si ces enfants sont les enfants biologiques du parent violent, ils deviendront à leur tour agressifs. Et ce, non pas parce qu'ils auraient «appris» quelque chose en étant battus, mais bien parce qu'ils ont hérité des tendances agressives de leurs géniteurs.

Stéphane bat-il André parce qu'il a hérité d'une disposition à l'agressivité (qu'il a d'ailleurs transmise à son fils, doublement infortuné)? Ou alors a-t-il appris à battre les enfants en étant lui-même battu? Comment répondre à ces interrogations?

L'idée de gènes déterminant de simples caractéristiques, comme la couleur des yeux, nous est familière. Mais des choses complexes comme les traits de caractère, l'agressivité par exemple, peuvent-elles être transmises par héritage? Il serait utile, pour répondre, de repenser à la théorie de l'évolution. Sur quoi agit l'évolution et comment se fait la sélection?

Je pense personnellement que les gènes, particulièrement les chaînes moléculaires de l'ADN, et de simples traits, comme la couleur des yeux, ne sont sélectionnés *qu'indirectement*. Ils le sont parce que leur possesseur est plus apte à se reproduire et à survivre que les possesseurs de chaînes différentes d'ADN. Ce qui est *directement* sélectionné sont les caractéristiques qui font que ceux qui les détiennent dépassent leurs compétiteurs en pouvoirs de reproduction et de survie. Les caractères complexes, «non moléculaires» comme la beauté, l'intelligence et l'agressivité sont la matière première de la sélection naturelle, elle qui ne se préoccupe que de «modules», les traits qui entraînent directement le succès de la reproductibilité. Cela signifie que la sélection des caractères complexes constitue le mécanisme normal de l'évolution.

La biologie moléculaire pense différemment. Cette discipline ne s'intéresse qu'aux traits simples et aux constituants moléculaires (les chaînes d'ADN) que l'on peut mesurer. C'est une science quantitative tout à fait remarquable. Mais cela ne signifie pas pour autant que la nature soit intéressée par les traits simples ou leurs constituants moléculaires ou que l'héritage de ces traits fasse la lumière sur celui des traits complexes, plus fondamentaux.

Prenons, par exemple, le trait complexe de «beauté» sur lequel l'évolution a certainement agi. Il a été transmis de génération en génération, tout comme la propension à être attiré par elle. La sélection naturelle voit à ce que, en matière de reproductibilité, les personnes attirantes aient le dessus sur celles qui le sont moins. La beauté est, à son tour, constituée de traits comme la couleur des yeux et celle-ci a également ses constituants, telle une chaîne particulière d'ADN. Mais la beauté, comme les automobiles, existe en de nombreux modèles différents et ses critères changent selon l'époque et la culture. Il y a bon nombre de façons d'être attirant, tant de combinaisons possibles entre la couleur des yeux, la chevelure, la dentition. Mais il y a encore plus de combinaisons inesthétiques qui seront donc rejetées du pool génétique. S'il y a d'innombrables sortes de beauté, il y aura d'innombrables combinaisons moléculaires pour les produire et toutes seront sélectionnées.

Il en résulte qu'une biologie moléculaire de la beauté est du domaine de l'improbable. Il ne se trouvera pas de «gènes de beauté» ou bien il y aura tellement de combinaisons de gènes sous-jacentes à la beauté que cela ne serait plus valable scientifiquement. Mais la beauté continuera de faire l'objet d'une sélection naturelle et d'être transmise aux enfants. Il en sera de même de l'intelligence, de l'agressivité et de tous les autres traits complexes. La notion de «gènes agressifs» n'est donc pas raisonnable tandis que celle de l'agressivité dont on peut hériter a du bon sens et est scientifiquement valable.

Comment étudie-t-on l'héritage de la personnalité? La beauté, l'agressivité, la nervosité, la dépression, l'intelligence ou l'habileté à rédiger des acrostiches se retrouvent chez les membres d'une même famille. Mais si nous ne sommes pas capables de trouver les gènes sous-jacents à un trait de caractère, comment pourrions-nous savoir si ce dernier est hérité plutôt qu'appris? Il y a une réponse incroyablement simple à cette question fondamentale: étudiez des jumeaux et des enfants adoptés.

70

Des jumeaux univitellins, ou «vrais jumeaux», sont génétiquement identiques. Ils ont toujours, par exemple, des yeux de la même couleur. Les jumeaux bivitellins, ou «faux jumeaux», n'ont, en moyenne, qu'une moitié de leurs gènes en commun. L'un peut avoir des yeux verts et l'autre des yeux bleus. Ils sont aussi génétiquement différents entre eux que des frères ou des sœurs d'âges différents.

Dans l'étude d'un trait physique ou de caractère, lorsqu'on constate que de vrais jumeaux se ressemblent plus que de faux jumeaux, on dit que ce trait est *héréditaire*.

Cela est vrai pour la couleur des yeux, mais qu'en est-il pour les caractéristiques plus complexes comme l'habileté à rédiger des acrostiches? Même si de vrais jumeaux ont le même talent pour composer de tels poèmes (ou en sont dépourvus), et que de faux jumeaux n'ont pas, eux, la même ressemblance, le talent en question pourrait toujours être attribué à l'éducation durant l'enfance. Nous savons tous que de vrais jumeaux sont élevés de façon fort semblable: les parents les habillent de manière identique, ils partagent généralement la même chambre, sont dans les mêmes classes, etc. De vrais jumeaux élevés séparément ont les mêmes gènes, mais grandissent dans des environnements très différents. S'ils ont des traits de personnalité semblables, on suppose donc que ceux-ci sont innés et non appris. L'étude de vrais jumeaux élevés séparément représente le meilleur moyen de distinguer les effets de l'éducation des effets attribuables aux gènes.

Si vous désirez mesurer un degré d'hérédité, il suffit que vous considériez le coefficient de la corrélation entre vrais jumeaux élevés séparément. Quand ce coefficient est égal à 1,00, le trait est entièrement attribuable aux gènes; quand il est moins élevé, mettons à 0,50, cela signifie que le trait n'est qu'à moitié d'origine génétique.

DE VRAIS JUMEAUX ÉLEVÉS SÉPARÉMENT

Antoine et Roger avaient été adoptés dès leur naissance. Antoine avait grandi dans un chaleureux foyer ouvrier du quartier italien de Philadelphie. Roger avait été élevé en Floride, par des parents juifs qui avaient obtenu un diplôme universitaire et vivaient de façon austère. Antoine, dans la vingtaine, travaillait comme commis voyageur. Attablé un beau jour dans un restaurant du New Jersey, il fut accosté par une femme qui le pressa de questions. «Roger qu'es-tu devenu? Tu ne m'as pas rappelée...» Antoine eut toutes les peines du monde à la convaincre qu'il n'était pas Roger et qu'il ne connaissait même pas le personnage. Il se posa cependant des questions et retraça Roger. Quand ils comparèrent leurs dates de naissances, ils se découvrirent jumeaux.

Leur ressemblance était hallucinante. Ils se ressemblaient bien sûr physiquement, mais en plus leurs QI étaient absolument identiques. Ils utilisaient le même dentifrice. Ils étaient devenus tous deux athées dès l'école primaire. Leurs résultats scolaires étaient semblables. Ils fumaient la même marque de cigarettes et utilisaient la même lotion après-rasage. Ils avaient les mêmes opinions politiques. Ils pratiquaient des métiers semblables et étaient attirés par le même genre de femmes. À leur anniversaire, ils s'adressèrent chacun un colis postal surprise: un ensemble de chemise et cravate identique.

Depuis plus de douze ans, une équipe de psychologues de l'Université du Minnesota dirigée par Tom Bouchard, David Lykken et Auke Tellegen s'est attelée à l'étude du profil psychologique de jumeaux. L'équipe a commencé avec les jumeaux «Jacques» (les deux avaient été baptisés du même prénom) qui ont fait la manchette des journaux dans les années 70. Le projet fit boule de neige. Des gens qui savaient être les frères ou sœurs de jumeaux perdus de vue depuis longtemps s'adressèrent à l'Université du Minnesota pour les retracer. L'équipe de chercheurs a ainsi pu étudier à ce jour 110 paires de vrais jumeaux et 27 de faux élevés séparément. Bon nombre d'entre eux se sont retrouvés pour la première fois dans le laboratoire de psychologie. Les histoires de similitudes ahurissantes n'ont cessé de se répéter (deux vrais jumeaux ayant divorcé chacun d'une Louise pour se remarier ensuite avec une Brigitte; deux autres frères ayant appelé leurs fils du même prénom, etc.). Ne serait-ce là que coïncidences? C'est peu probable, car on n'en retrouve pas de semblables dans l'existence des faux jumeaux élevés séparément.

Pour les scientifiques, le degré d'hérédité et la gamme des traits qui sont innés sont bien plus impressionnants que de simples anecdotes. Tous les traits suivants sont fort semblables chez les vrais jumeaux observés et beaucoup moins chez les «faux»:

- QI
- Rapidité d'esprit
- Rapidité et précision de la perception
- Religiosité
- Traditionalisme
- Alcoolisme et toxicomanie
- Criminalité et conduite

- Satisfaction au travail
- Choix de l'emploi
- Entrain (affectivité positive)
- Attrait du risque
- Autoritarisme
- Extraversion
- Heures passées à regarder la télévision

- Bien-être
- Auto-approbation
- Contrôle de soi
- Dominance

Ces observations ont été confirmées par une étude approfondie menée en Suède sur 500 paires de vrais et de faux jumeaux d'âge moyen élevés ensemble ou séparément. Les résultats sont semblables à la liste ci-dessus, mais on peut y ajouter les similitudes suivantes:

- Optimisme
- Pessimisme
- Hostilité
- Cynisme

Les enfants adoptés. En plus d'étudier de vrais jumeaux élevés séparément, il existe une autre méthode pour distinguer les effets des gènes des effets de l'éducation. Il s'agit de comparer les enfants adoptés à leurs parents biologiques et à leurs parents adoptifs. Des centaines d'études de cas d'adoption ont été menées. Le Danemark conserve les dossiers complets de toutes les adoptions (ainsi que de toutes les infractions, délits et crimes commis). Les registres de la population danoise ont de ce fait une valeur inestimable pour faire ce genre de distinction entre effets biologiques et effets éducatifs. Les dossiers judiciaires des pères tant biologiques qu'adoptifs des enfants adoptés nés à Copenhague en 1953 et ceux de ces enfants une fois devenus adultes ont été minutieusement examinés.

Quand ni les pères naturels ni les pères adoptifs n'avaient de casier judiciaire, 10,5 p. 100 des fils en avaient un. Si les pères adoptifs étaient délinquants, mais non les pères naturels, 11,5 p. 100 des fils l'étaient aussi; une différence insignifiante. On voit donc que le fait pour un enfant d'être élevé par un délinquant n'augmente pas les risques de le voir à son tour devenir un criminel.

Si les pères naturels (que leurs enfants n'avaient pas revus depuis l'âge de six mois au plus) étaient des délinquants et que les pères adoptifs ne l'étaient pas, 22 p. 100 des fils avaient eu affaire avec la justice. Les «gènes criminels» ont ainsi fait doubler le pourcentage. Enfin, si les pères adoptifs comme les pères naturels étaient délinquants, le pourcentage de délinquance chez leurs fils grimpait à 36,2 p. 100, plus du triple du pourcentage chez les enfants de pères honnêtes.

Cela signifie qu'il existe une prédisposition biologique à la délinquance (et au fait de se faire prendre!). Si vous avez hérité d'une telle prédisposition et que vous êtes élevé par un père délinquant, vous courez des risques graves. Si vous êtes élevé par un tel père mais n'êtes pas prédisposé, les risques ne sont pas accrus.

La criminalité est donc, pour étonnant que cela paraisse, héréditaire. D'autres enquêtes similaires sur les cas d'adoption ont sérieusement confirmé les conclusions des études faites sur les jumeaux. La plupart des traits de personnalité de l'être humain ont une forte composante génétique.

L'autre conclusion d'importance issue des études sur les enfants adoptés est que deux sujets élevés dans une même famille sont pratiquement aussi différents l'un de l'autre que deux autres enfants pris au hasard, tant sur le plan de la personnalité que sur celui de l'intelligence. Il n'y a aucune similitude entre deux enfants adoptés vivant dans une même famille. Quiconque a élevé de tels enfants le sait bien, mais d'autres, qui ont pour seule référence leurs idées arrêtées, surévaluent grandement l'importance du milieu familial. Cette conclusion révolutionnaire, qui suggère que bon nombre de nos travaux sur l'éducation des enfants sont tout simplement hors de propos, sera analysée par la suite.

Le degré de transmission héréditaire de chacun des traits qui nous occupent ici est bien en dessous de 1,00. Il oscille autour de 0,50. Ce qui signifie que notre personnalité n'est pas déterminée uniquement par nos gènes, loin de là, mais aussi qu'une bonne partie de ce que nous sommes *est* attribuable à nos gènes.

Conclusion et évaluation. Le dernier principe de la psychiatrie biologique est donc bien établi: de volumineuses recherches ont, depuis dix ans, démontré que la personnalité est héréditaire. Ajoutez cela aux principes voulant que les maladies mentales soient physiques et que les produits pharmaceutiques peuvent modifier nos émotions et nos humeurs et vous aboutissez à une solide conception de la nature humaine.

La psychiatrie biologique, en tant que philosophie de la maladie mentale, doit être prise très au sérieux. J'ai cependant un avertissement à émettre à propos de chacun de ces trois principes.

Premièrement: le fait que la maladie mentale soit une maladie physique n'a été démontré que dans un seul cas, celui de la paralysie générale. Il est possible que ce soit vrai aussi pour la schizophrénie, la maladie d'Alzheimer et la psychose maniaco-dépressive mais ce n'est pas prouvé, aucune cause biochimique n'ayant encore été décelée. En ce qui concerne la dépression, l'angoisse, les problèmes sexuels, l'excès de poids et les troubles dus au stress post-traumatique, des recherches sont en cours avec fort peu d'éléments de preuves à l'appui.

Deuxièmement: l'affirmation qu'humeurs et émotions ne relèvent que de la chimie cérébrale et que, pour les modifier, il suffit d'utiliser le médicament approprié doit être considérée avec un certain scepticisme. Les découvertes pharmaceutiques fondamentales ne justifient qu'un enthousiasme mitigé. Il existe en effet des médicaments qui modifient les humeurs de certaines personnes, mais pas de toutes. Tous ces produits ne servent que de traitement d'appoint et produisent des effets secondaires inutiles et souvent fort pénibles.

Troisièmement: des éléments de preuve solides soutiennent la thèse de l'hérédité de la personnalité. Mais celle-ci n'est que partiellement génétique. Le degré d'hérédité de tous les traits de personnalité oscille autour de 0,50 (sauf pour le QI, où il peut atteindre 0,75). D'après les estimations les plus rigoureuses, au moins la moitié des éléments de la personnalité ne sont pas héréditaires. Ce qui signifie que moins de la moitié de ces éléments sont fixes. L'autre moitié dérive de ce que vous faites et de ce qui vous arrive et cela permet d'envisager la psychothérapie et l'autoperfectionnement comme des moyens de transformation.

La suite du livre va nous révéler les éléments de notre personnalité que nous pouvons modifier et ceux qui ne sont pas sujets à changement.

Deuxième partie

Comment modifier votre vie émotionnelle: l'angoisse, la dépression et la colère

L'esprit est une ville comme Londres,
Enfumée et surpeuplée; c'est une capitale
Comme Rome, en ruine mais éternelle,
Semée de monuments que personne ne
Reconnaît plus. Car l'esprit, comme Rome, contient
Des catacombes, des aqueducs, des amphithéâtres,
des palais,
Des églises et des statues équestres, renversés, brisés
ou souillés.
L'esprit contient toutes les ruines
De toutes les célébrations de générations hantées et
rejetées.

The Mind Is an Ancient and Famous Capital,
de DELAMORE SCHWARTZ, 1959
(interprétation libre du traducteur)

4

L'angoisse quotidienne

NOUS ÉPROUVONS TOUS LES JOURS, à certains moments, trois émotions désagréables: l'angoisse, la dépression et la colère. Ce sont les trois manifestations de la dysphorie, le sentiment de malaise. Ces trois émotions courantes, quand elles échappent à notre contrôle, provoquent la plupart des «maladies mentales». Quand nous en ressentons une, nous voulons nous en défaire au plus tôt. Or, c'est justement leur raison d'être. Dans ce chapitre, je vais expliquer ce que vous pouvez ou ne pouvez pas faire envers vos angoisses. Dans les chapitres suivants de cette deuxième partie, j'aborderai les sujets de la dépression et de la colère. Mais avant de voir comment exorciser ces émotions, demandons-nous d'abord ce qu'elles viennent faire dans nos vies.

Il est question ici de deux sortes de «distinction judicieuse». L'une concerne ce qui peut ou ne peut pas être changé à propos de la dysphorie — le thème central de ce livre. L'autre vient cependant en premier.

Quand faut-il *renoncer à changer* quelque chose? Quand faut-il écouter le message transmis par vos émotions négatives, quelque désagréable qu'il soit, et modifier les éléments de votre vie extérieure plutôt que ceux de votre vie émotionnelle?

Les orages intérieurs. Les gens, en général, sont curieusement attirés par le côté catastrophique des choses. Pas seulement les «névrosés», les dépressifs, les phobiques, ou les personnes au tempérament explosif, mais bien la plupart d'entre nous et ce, la plupart du temps.

Goethe a affirmé n'avoir connu qu'un jour ou deux de bonheur complet au cours de son existence. Je suis étonné de constater que quand tout semble bien aller autour de moi, mon travail, mes amours, mes loisirs — ce qui, entre parenthèses, n'est pas courant —, je commence à me tracasser à la moindre contrariété. Quoi, le four à micro-ondes est encore en panne? Ce désastre est suivi d'appels téléphoniques répétés et furieux au service à la clientèle du fabricant; éveillé à 4 h du matin, je me ronge les ongles; ça sonne occupé, je jure, j'accuse. J'éprouve une aussi totale dysphorie à propos de ce banal incident que lorsque les choses importantes, toutes les choses importantes, tournent mal. J'appelle cette réaction irrationnelle courante la *dysphorie prolongée*.

Pourquoi la dysphorie est-elle si répandue? Pourquoi se prolonge-t-elle? Pourquoi l'angoisse, la colère et la tristesse envahissent-elles nos vies, alors que l'existence des Occidentaux privilégiés est caractérisée par tant de réussites, de richesses et d'absence de besoins biologiques? Blyuma Zeigarnik, psychologue russe du début du siècle, a constaté que nous nous souvenons beaucoup mieux des problèmes non résolus, des frustrations, des échecs et des rejets que de nos succès et de nos accomplissements.

Pourquoi souffrons-nous si souvent en dedans? Tentons une explication évolutionniste: durant le miocène, avant-dernière période de l'ère tertiaire, la terre était redevenue un vrai paradis, couverte de savanes et d'arbres ployant sous leurs fruits, dans un superbe climat tropical. La tranquillité d'esprit, la satisfaction et l'optimisme, reflets du beau temps extérieur, et le pouvoir d'adaptation au milieu furent «sélectionnés» et s'épanouirent durant ces vingt millions d'années paradisiaques. Les cent mille années suivantes, à l'époque du pléistocène, virent le temps se gâter: glaces, inondations, sécheresse, famine, réchauffement, glaces à nouveau, cyclones, reglaciation; une succession de catastrophes. Qui peut survivre à de telles épreuves? Quel genre de vie émotionnelle les désastres climatiques sélectionnent-ils? Peut-être celle qui broie du noir, qui se fait du souci, qui est «orientée vers l'avenir» (cet euphémisme cache le fait que l'orientation en question n'est pas une contemplation du futur telle que l'auraient pratiquée les lotophages, mais bien un état d'esprit chargé d'angoisse). Une personne ayant une telle mentalité considérait toujours le côté catastrophique des choses et pouvait sans cesse voir le nuage noir qui se cache à l'horizon; elle se réveillait même, à 4 h du matin, pour s'assurer qu'elle n'avait pas négligé un quelconque présage subtil et néfaste. Le cerveau de ce pessimiste s'est formé tout au long du pléistocène, car il avait raison, les désastres *étaient* partout cachés dans l'ombre. Ce névrosé prudent a transmis ses gènes. Ses frères et sœurs insouciants, au cerveau formé à l'optimisme du miocène, ont été emportés par des crues fulgurantes, ont gelé sous les cocotiers ou ont été piétinés par des mastodontes.

Voici maintenant une thèse plus radicale: l'*homo dysphorus,* espèce à laquelle nous appartenons, s'est développé dès le pléistocène à partir de l'*homo sapiens,* notre prédécesseur. Il est fascinant de constater que le cerveau «développé» (logé dans un crâne d'une capacité de 1200 à 1500 cm^3) est apparu voilà 600 000 ans environ. Mais l'*homo sapiens* parcourait sa savane, n'écrivait pas de livres, ne plantait pas de maïs, parlait peu et ne construisait pas de cathédrales. Ce n'est que récemment, depuis quelque 10 000 ans, que le progrès, l'agriculture, la civilisation, l'accumulation du savoir, ont vu le jour. Pourquoi a-t-il fallu attendre si longtemps? Peut-être qu'un cerveau développé, que la sapience, ne suffisent pas. Les dysphories, les orages intérieurs, sont nécessaires pour forcer l'intelligence à entrer en action. Le mécontentement, les soucis, la dépression, une optique pessimiste de l'avenir (mais, comme nous le verrons, empreinte de la croyance du miocène en un dénouement heureux) sont nécessaires à l'agriculture, à la culture, à la civilisation.

Chacune des trois émotions de la dysphorie nous transmet, ou plutôt *est* un message insistant, inconfortable, pénible qui nous pousse à changer notre façon de vivre. Notre dysphorie quotidienne nous rapproche de cet état qui a rendu la civilisation possible, qui a transformé la cueillette des baies en agriculture, les peintures rupestres en *Guernica*, l'observation ahurie des éclipses en astronomie et, hélas! les manches de hache en bombardiers furtifs. Chaque émotion a une teneur précise et incite à une action particulière.

- L'angoisse nous prévient qu'un danger nous menace. Elle nous pousse à planifier et à replanifier, à trouver des portes de sortie, à faire des répétitions de l'action défensive.
- La dépression marque la perte d'une chose à laquelle nous sommes très attachés. Elle nous pousse à nous dépouiller, à cesser d'aimer, à porter le deuil et, en fin de compte, à nous résigner à l'absence.
- La colère, fort «dogmatique», nous prévient d'une intrusion hostile. Elle nous incite à nous débarrasser de la «chose», à contre-attaquer.

À la lumière de ces spéculations, comment devons-nous considérer nos propres dysphories quotidiennes?

Votre langue mentale. Que fait votre langue — à l'instant? La mienne est en train de fouiller la base de mes molaires inférieures droites. Elle vient de découvrir un fragment infime de croustille (un souvenir de la soirée télé d'hier). Comme un chien déterrant un os, elle fouille et tente de décoincer la miette. Maintenant que j'ai porté mon attention sur ce maudit fragment de croustille, j'ai de la difficulté à me remettre à écrire.

Que fait votre main, celle qui ne tient pas ce livre? Ma main gauche s'attaque à l'instant à une démangeaison qu'elle vient de découvrir sous le lobe de mon oreille gauche.

Votre langue et vos mains ont, la plupart du temps, une vie qui leur est propre. Vous pouvez néanmoins les soumettre à votre volonté en les soustrayant consciemment à leur mode d'activité «par défaut» et leur faire exécuter vos ordres: «décroche le téléphone» ou «arrête de gratter ce bouton». Mais la plupart du temps, elles sont laissées à elles-mêmes. Elles sont à la recherche de petites imperfections. Elles fouillent tout l'intérieur de votre bouche et toute la surface de votre peau, cherchant à découvrir le moindre défaut. Elles sont de merveilleux moyens permanents d'entretien personnel. Ce sont elles, et non le système immunitaire actuellement en vogue, qui forment la première ligne de défense contre les envahisseurs. Vous estimez que votre brosse à dents électrique est parfaite? C'est un outil de l'âge de pierre si l'on compare ses services à ceux d'entretien préventif, de nettoyage, de détection des rebuts et d'enlèvement des déchets que votre langue offre si souvent à vos dents et à vos gencives.

L'angoisse est votre langue mentale. Son mode d'activité par défaut consiste à découvrir ce qui pourrait aller de travers. Sans que vous vous en rendiez compte, elle explore continuellement votre vie même pendant votre sommeil, dans vos rêves et vos cauchemars. Elle passe en revue votre travail, vos amours et vos loisirs, jusqu'à ce qu'elle découvre une faille. Quand elle en trouve une, elle s'y attaque. Elle tâche d'arracher le défaut du rocher qui le cache. Elle s'acharne. Si l'imperfection est tenace et menaçante, l'angoisse attirera votre attention sur elle en provoquant en vous un sentiment d'inconfort. Si vous n'agissez pas, elle se mettra à hurler avec insistance, vous privant de sommeil et d'appétit.

Depuis que j'ai attiré votre attention sur l'activité débordante de votre langue, ne trouvez-vous pas ses mouvements énervants? Trouvez-vous maintenant irritant de vous tortiller une mèche de cheveux en lisant? Des techniques comportementales existent pour réduire ce genre d'activités; on trouve même un certain médicament qui élimine de tels «tics».

Il existe aussi certaines choses que vous pouvez faire pour réduire vos légères angoisses de tous les jours. Vous pouvez les engourdir à l'aide d'alcool, de Valium ou de marijuana. Vous pouvez les émousser en pratiquant la méditation ou la relaxation progressive. Vous pouvez les éliminer en devenant plus conscient que l'angoisse déclenche souvent automatiquement en vous l'idée que vous courez un danger et en contestant ensuite efficacement ces dernières.

Mais n'ignorez surtout pas ce que vos angoisses essaient de faire pour vous. Bien sûr, elles vous imposent de l'inconfort, mais elles vous préviennent des épreuves bien plus pénibles en vous faisant prendre conscience de leur éventualité et en vous incitant à vous préparer à les affronter. Elles pourraient même vous aider à les éviter pour de bon. Représentez-vous vos angoisses sous la forme du voyant lumineux du tableau de bord de votre auto indiquant un manque d'huile. Débranchez le contact du voyant lumineux et vous serez moins distrait et conduirez un certain temps plus à l'aise. Or, ce faisant, vous prenez un risque de griller votre moteur. Nous devrions parfois être plus tolérants et plus attentifs envers nos dysphories; nous devrions même les entretenir.

Directives pour savoir *quand* essayer d'éliminer l'angoisse. Voilà assez de compliments adressés aux angoisses. Une bonne partie d'entre elles ne servent à rien et doivent être soulagées. Peu de scientifiques ont cherché à savoir quand nous devrions essayer de modifier le niveau de nos angoisses plutôt que d'être attentifs à leurs messages. Ce qui distingue la plupart des conseils que vous trouverez dans ce livre de ceux que l'on peut généralement lire dans les guides pratiques est le fait que les miens découlent de la combinaison d'abondantes recherches sérieuses et d'une bonne dose de connaissances cliniques. Mais dans ce cas-ci, mon avis, pour une fois, n'est fondé que sur quelques usages cliniques et un rien de bon sens.

Une partie de nos angoisses, de nos dépressions et de nos colères quotidiennes excèdent leurs fonctions utiles. La plupart des traits adaptatifs se distribuent selon une très large gamme, et la prédisposition de chacun à connaître des orages intérieurs à certains moments signifie donc que certains d'entre nous subiront des tempêtes intérieures en permanence. Quand le malaise est vain et fréquent, quand l'angoisse, par exemple, insiste pour que nous établissions des plans et qu'aucun d'eux ne donne de résultats, il est temps de prendre des mesures pour soulager le mal. Il y a trois signes indiquant que l'angoisse est devenue un fardeau qui demande à être soulagé.

D'abord, est-elle *irrationnelle*?

Nous devons équilibrer nos orages intérieurs par rapport à la météo extérieure. Ce qui vous angoisse est-il proportionnel à la réalité du danger? Chez certaines personnes vivant sous la menace d'une maladie mortelle, de la violence, du chômage ou de la pauvreté, l'angoisse est souvent fondée. Mais chez la plupart d'entre nous, l'anxiété de tous les jours pourrait n'être qu'un vestige d'une époque géologique dans laquelle nous ne vivons plus depuis longtemps.

Votre angoisse est-elle hors de proportion avec la réalité du danger que vous redoutez? Voici quelques exemples qui vous aideront à répondre à la question. Ceux qui suivent ne *sont pas* du type irrationnel:

- Un pompier travaillant à éteindre un puits de pétrole en feu au Koweït est réveillé tous les jours à 4 h du matin par des cauchemars où il se voit entouré de flammes.
- Une mère de trois enfants renifle un parfum suspect sur les chemises de son mari et, torturée par la jalousie, rumine l'infidélité de son conjoint en passant sans cesse en revue une liste de maîtresses possibles.
- Une mère célibataire n'a que son travail comme source de revenu. Ses collègues commencent à recevoir des avis de cessation d'emploi. Elle fait une crise de panique.
- Un étudiant a subi deux échecs à la première session d'examens. À l'approche de la seconde session, il n'arrive plus à dormir. Il souffre presque en permanence de diarrhée.

La seule chose positive que l'on puisse dire de ces peurs, c'est qu'elles sont fondées.

Les suivantes, par contre, sont irrationnelles, hors de proportion avec le danger:

- Un homme âgé ayant été impliqué dans un simple accrochage est obsédé à l'idée de devoir se déplacer; il refuse de voyager en voiture, en train ou en avion.
- Un enfant de huit ans dont les parents ont divorcé dans des conditions difficiles fait pipi au lit. Il est hanté par la vision du plafond de sa chambre à coucher s'abattant sur lui.
- Une étudiante de premier cycle renonce à se présenter aux examens, craignant que le professeur ne l'observe à l'écrit et que sa main ne se mette alors à trembler de manière incontrôlable.
- Une mère de famille diplômée en administration des affaires et ayant acquis une expérience certaine durant dix ans comme vice-présidente d'une importante société avant la naissance de ses jumeaux est persuadée qu'il est vain de chercher un nouvel emploi. Elle retarde de plus d'un mois la rédaction de son curriculum vitæ.

Le deuxième signe indiquant que l'angoisse est hors de contrôle est la *paralysie*. L'angoisse commande l'action: planifier, répéter, dénicher les dangers cachés, changer de vie. Quand l'angoisse est démesurée, elle devient improductive; on ne résout plus les problèmes. Quand l'angoisse atteint son paroxysme, elle devient paralysante. Votre angoisse a-t-elle atteint ce point? Voici quelques exemples:

- Une femme reste enfermée chez elle; elle a peur, si elle sort, de se faire mordre par un chat.
- Consumé par la crainte que sa petite amie lui soit infidèle, un jeune séducteur renonce à la revoir.
- Un représentant de commerce est obsédé à l'idée que son prochain client ne lui referme la porte au nez. Il renonce à faire des démarches prospectives.
- Un écolier de quatrième année est souvent sélectionné en dernier dans les équipes sportives. Il refuse de retourner en classe parce que «tout le monde le déteste».

• Un écrivain, de peur que son manuscrit soit une fois de plus refusé, renonce à écrire.

Le troisième et dernier signe est *l'intensité*. Votre vie est-elle dominée par l'angoisse? Le Dr Charles Spielberger, un ex-président de l'APA (l'Association américaine de psychologie), est un des principaux spécialistes mondiaux des émotions. Il a mis au point des échelles précises pour mesurer l'intensité de l'angoisse et de la colère. Il fait en outre la distinction entre deux formes de chacune de ces émotions, selon qu'elles se présentent sous forme d'*état* («Comment vous sentez-vous en ce moment?») ou de *trait* («Comment vous sentez-vous généralement?»). Comme nous nous intéressons plus particulièrement aux changements à apporter à la personnalité, j'utiliserai, avec son aimable permission, le questionnaire du Dr Spielberger relatif à l'angoisse sous forme de trait.

QUESTIONNAIRE D'AUTO-ANALYSE

Lisez chaque déclaration et soulignez le chiffre correspondant à ce que *vous ressentez généralement*. Il n'y a pas de bonne ou de moins bonne réponse. Ne consacrez pas trop de temps à réfléchir à l'une ou l'autre des situations et pointez ce qui vous semble répondre le mieux à ce que vous ressentez *généralement*.

1. Je suis une personne sérieuse.

Presque jamais	Parfois	Souvent	Presque toujours
4	3	2	1

2. Je suis content(e) de moi.

Presque jamais	Parfois	Souvent	Presque toujours
4	3	2	1

3. Je me sens nerveux(se) et agité(e).

Presque jamais	Parfois	Souvent	Presque toujours
1	2	3	4

4. Je voudrais être aussi heureux(se) que les autres semblent l'être.

Presque jamais	Parfois	Souvent	Presque toujours
1	2	3	4

5. Je me sens raté(e).

Presque jamais	Parfois	Souvent	Presque toujours
1	2	3	4

6. Quand je pense à mes responsabilités et préoccupations récentes, je deviens tendu(e) et bouleversé(e).

Presque jamais	Parfois	Souvent	Presque toujours
1	2	3	4

7. Je me sens en sécurité.

Presque jamais	Parfois	Souvent	Presque toujours
4	3	2	1

8. J'ai confiance en moi.

Presque jamais	Parfois	Souvent	Presque toujours
4	3	2	1

9. Je me sens mal adapté(e).

Presque jamais	Parfois	Souvent	Presque toujours
1	2	3	4

10. Je me fais trop de soucis à propos de choses qui n'en valent pas la peine.

Presque jamais	Parfois	Souvent	Presque toujours
1	2	3	4

Votre note. Additionnez simplement les chiffres sous vos réponses aux 10 questions. Notez bien que certaines suites de chiffres vont en croissant, d'autres en décroissant. Plus votre total est élevé, plus vos angoisses dominent votre existence. Les hommes et les femmes adultes ont en moyenne des notes légèrement différentes, les femmes étant généralement un peu plus facilement angoissées.

Si votre note est de 10 ou 11, vous faites partie des 10 p. 100 de gens dont le niveau d'angoisse est le plus bas.

Si votre note est de 13 ou 14, vous faites partie du quart de la population dont le niveau d'angoisse est le moins élevé.

Si votre note est de 16 ou 17, le niveau de vos angoisses est dans la moyenne.

Si votre note est de 19 ou 20, le niveau de vos angoisses se situe autour de 75 p. 100.

Si votre note est de 22 à 24 et que vous êtes du sexe féminin, le niveau de vos angoisses se situe autour de 90 p. 100.

Si votre note est de 25 et que vous êtes du sexe masculin, le niveau de vos angoisses se situe autour de 95 p. 100.

Si votre note est de 27 et que vous êtes du sexe féminin, le niveau de vos angoisses se situe autour de 95 p. 100.

LE BUT de ces lignes est de vous aider à décider s'il vous serait utile de changer le niveau de vos angoisses. Il n'y a pas de règle absolue, mais pour prendre une telle décision, il faut que vous teniez compte des trois signes d'excès d'angoisse: l'irrationalité, la paralysie et l'intensité. Voici ma façon de voir:

• Si votre note situe le niveau de vos angoisses à 90 p. 100 ou plus, vous arriverez probablement à améliorer votre qualité de vie en abaissant ce niveau — sans vous préoccuper de paralysie et d'irrationalité.
• Si votre note situe le niveau de vos angoisses à 75 p. 100 ou plus, et que vous avez le sentiment qu'elles vous paralysent

ou qu'elles sont non fondées, vous devriez probablement essayer d'abaisser leur niveau.

- Si votre note est de 18 ou plus, et que vous avez l'impression que vos angoisses vous paralysent et qu'elles sont non fondées, vous devriez probablement essayer d'abaisser leur niveau.

Comment calmer vos angoisses de tous les jours

Le niveau des angoisses quotidiennes n'est pas un sujet qui a retenu beaucoup l'attention des psychologues. La plus grande partie des travaux et des recherches sur les émotions ont porté sur les «désordres» et ont cherché à aider les gens «anormaux» à mener une vie émotionnelle «normale». La mission d'aider les gens «normaux» à réduire leur niveau d'angoisse a été laissée «par défaut» aux prêcheurs, profiteurs, chroniqueurs de courriers du cœur et autres bonimenteurs charismatiques de la télévision populaire. C'est une grossière erreur; j'estime que c'est un des devoirs des psychologues qualifiés d'aider les gens en général à prendre des décisions rationnelles sur les changements à apporter à leur vie émotionnelle. Cependant, des recherches me permettent de recommander deux techniques sûres pour abaisser le niveau des angoisses quotidiennes. Les deux techniques sont concourantes et se complètent. Elles vous demanderont de 20 à 40 minutes par jour de votre précieux temps.

La première technique est ce que l'on appelle la *relaxation progressive,* que l'on devrait pratiquer une fois, ou de préférence deux fois, par jour pendant 10 minutes au moins. Vous devez contracter et ensuite relâcher chacun de vos groupes musculaires jusqu'à ce que vos chairs aient atteint une complète flaccidité. Il vous sera difficile de vous sentir angoissé si votre corps a la consistance d'une gelée. Plus sérieusement, la relaxation détermine une réaction qui contrarie l'éveil de l'angoisse. Si cette technique vous attire, je vous recommande de lire l'ouvrage du Dr Herbert Benson: *The Relaxation Response.*

La seconde technique est la simple *méditation*. La méditation transcendantale (MT) en est une version utile et largement répandue. Il vous est loisible d'ignorer les enseignements «cosmologiques» qui l'accompagnent et de ne la considérer que comme une technique bénéfique, ce qu'elle est. Deux fois par jour, pendant 20 minutes, dans un endroit tranquille, vous fermez les yeux et vous répétez un *mantra* (une syllabe «dont les propriétés sonores sont connues»). La méditation empêche le développement des idées qui produisent l'angoisse. Elle sert de complément à la relaxation sans influer sur les idées. Pratiquée régulièrement, la méditation entraîne généralement un apaisement durable de l'état d'esprit. Les angoisses des autres moments de la journée tendent à disparaître et l'hyperexcitation provoquée par des incidents désagréables s'atténue. Pratiquée scrupuleusement, la MT donne sans doute des résultats meilleurs que la seule relaxation.

Il existe aussi des remèdes rapides. Les tranquillisants mineurs comme le Valium, le Dalmane, le Librium et leurs semblables soulagent l'angoisse de tous les jours. L'alcool aussi. L'avantage de tous ces remèdes est la rapidité de leur action et le fait que leur utilisation ne nécessite pas une discipline particulière. Mais leurs inconvénients dépassent de loin cet avantage. Les tranquillisants, en agissant, vous rendent quelque peu confus et désorganisé (l'accident de voiture est l'un de leurs effets secondaires assez fréquents). Ils perdent rapidement de leur efficacité si on les utilise régulièrement et l'on en prend facilement l'habitude. Tout cela se vérifie aussi avec l'alcool, surtout en ce qui concerne l'accoutumance. Il provoque de plus de sérieux désordres cognitifs et moteurs. Consommé régulièrement et sur de longues périodes, il entraîne des lésions hépatiques et cérébrales souvent mortelles.

Ce n'est pas par pharisaïsme que je vous déconseille l'usage des produits pharmaceutiques et des remèdes rapides, car je suis le contraire d'un puritain en la matière. Si vous recherchez un soulagement rapide et temporaire à de vives angoisses, l'alcool ou des tranquillisants mineurs, pris en quantité raisonnable et occasionnellement, feront l'affaire.

Mais ils ne sont que de médiocres succédanés de la relaxation progressive et de la méditation. Ces deux dernières valent la peine d'être essayées avant de vous en remettre à la psychothérapie, même en continuant de pratiquer la relaxation et la méditation. Contrairement aux tranquillisants et à l'alcool, aucune de ces techniques ne peut vous faire de mal.

LE TRAITEMENT ADÉQUAT
TABLEAU RELATIF À L'ANGOISSE*

	Méditation	Relaxation	Tranquillisants
MIEUX-ÊTRE	▲ ▲ ▲	▲ ▲	▲ ▲ ▲
RECHUTES	▲ ▲ ▲	▲ ▲	▲
EFFETS SECONDAIRES	▼	▼	▼ ▼
COÛT	bon marché	bon marché	bon marché
PÉRIODE	semaines/mois	semaines	minutes
GLOBALEMENT	▲ ▲ ▲	▲ ▲	▲

* Tout au long de ce livre, je vais résumer mes évaluations comparatives de la psychothérapie et des médicaments sous forme de tableaux conçus pour chacun des problèmes. J'utilise un système de pointage vers le haut et vers le bas, ▲ ▲ ▲ ▲ étant ce qu'il y a de mieux et ▼ ▼ ▼ ▼ de pire.

MIEUX-ÊTRE
▲ ▲ ▲ ▲ = de 80 à 100 p. 100 de mieux-être évident ou disparition des symptômes
▲ ▲ ▲ = de 60 à 80 p. 100 de mieux-être
▲ ▲ = au moins 50 p. 100 de mieux-être
▲ = mieux sans doute que par effet placebo
o = sans doute inutile

RECHUTES (après abandon du traitement)
▲ ▲ ▲ ▲ = 10 p. 100 ou moins de rechutes
▲ ▲ ▲ = de 10 à 20 p. 100 de rechutes
▲ ▲ = taux de rechutes moyen
▲ = taux de rechutes élevé

EFFETS SECONDAIRES
▼ ▼ ▼ ▼ = sévères
▼ ▼ ▼ = modérés
▼ ▼ = minimes
▼ = aucun

Je vous suggère fortement de mesurer vos angoisses quotidiennes. Si elles ne sont pas vraiment majeures, si elles sont modérées et non irrationnelles ou paralysantes, acceptez-les comme telles. Suivez leurs directives et changez votre vie externe plutôt que votre vie émotionnelle. Si elles sont intenses, ou si elles sont modérées mais irrationnelles ou paralysantes, agissez dès maintenant afin de les contrôler. Malgré leurs origines remontant à l'évolution des espèces, les angoisses intenses et régulières peuvent souvent être maîtrisées. Vous pourrez y arriver en pratiquant régulièrement la méditation et la relaxation progressive.

L'angoisse, quand elle devient extrême et opiniâtre, peut signaler une *affection* qui réclame, plutôt que d'être simplement diagnostiquée, d'être carrément exorcisée. Les trois chapitres suivants traitent des affections que nous connaissons le mieux: la panique, les phobies et les obsessions. Nous verrons ce que nous pouvons ou non y changer.

5

La pensée catastrophique: la peur panique

S. J. RACHMAN, spécialiste mondialement connu pour ses recherches cliniques et l'un des fondateurs de la thérapie comportementale, était au bout du fil. Il me proposait d'être un «intervenant» à une conférence sur les troubles de la panique, organisée par le NIMH (l'Institut américain pour la santé mentale). La réunion avait pour but de tenir un débat entre les bonzes de la psychiatrie biologique bien établis et les jeunes turcs de la thérapie cognitive.

— Cela en vaut-il la peine, Jack? lui demandai-je. Tout le monde sait que la panique est une maladie biologique et que les produits pharmaceutiques sont le seul remède qu'on puisse leur donner.

— Ne refuse pas si vite, Marty. Il y a une découverte capitale dont tu n'as pas encore entendu parler.

Découverte capitale était une expression que je n'avais jamais encore entendu Jack prononcer. Très «British», il avait récemment immigré au Canada de l'Angleterre où il avait dirigé la première clinique européenne pour le traitement de l'angoisse, à l'hôpital Maudsley de l'Université de Londres. Jack se caractérisait par sa modestie et la distinction de son langage.

— Quelle est donc cette découverte? demandai-je.

— Si tu viens, tu le sauras.

Et c'est ainsi que j'y allai.

JE M'INTÉRESSAIS aux malades souffrant de panique depuis bon nombre d'années. Je n'avais pas cessé de me documenter avec un intérêt croissant tout au long des années 80. Je savais combien la panique était un état pathologique effrayant qui se manifestait par des crises répétées, chacune plus aiguë que la précédente. Sans avertissement quelconque, le malade se sent subitement sur le point de mourir. Voici la description d'un cas typique:

La première fois que Céline a fait une crise de panique, elle travaillait dans un McDonald. Ça se passait deux jours avant son vingtième anniversaire. C'est en servant un «Big Mac» à un client qu'elle vécut cette expérience terrifiante, la pire qu'elle ait connue jusqu'alors. La terre sembla s'ouvrir sous elle. Son cœur se mit à battre la chamade; elle se sentit étouffer et se mit à transpirer abondamment. Elle était persuadée qu'elle allait faire une crise cardiaque et mourir sur place. La panique se calma au bout d'une vingtaine de minutes d'épouvante. Tremblante, elle rentra au plus vite à la maison au volant de sa voiture, et ne sortit pratiquement plus de chez elle pendant trois mois.

Depuis ce jour, Céline fait environ trois crises par mois. Elle ne sait jamais quand elles vont se déclencher. Pendant les crises, elle ressent de terribles et fulgurantes douleurs de poitrine et des vertiges, elle étouffe et se met à trembler. Elle pense parfois qu'elle devient folle, que tout cela n'est pas réel. Elle croit toujours être sur le point de mourir.

96

Les crises de panique n'ont rien de subtil et vous n'avez pas à vous poser beaucoup de questions pour savoir si vous ou un être cher en êtes frappés. Aux États-Unis, près de 5 p. 100 des adultes en souffrent probablement. Les manifestations caractéristiques du mal sont claires: de terrifiantes crises périodiques complètement inattendues, qui durent quelques minutes et puis se calment. Les crises sont marquées de douleurs de poitrine, de sueurs, de nausées, de vertiges, d'étouffements ou de tremblements. Elles sont accompagnées de sentiments de terreur insurmontable et de la sensation de mourir, de faire une crise cardiaque, de perdre le contrôle de soi ou de devenir fou.

La biologie de la panique

Quatre questions se posent pour savoir si un problème mental est d'ordre «biologique» ou «psychologique».

- Le problème peut-il être provoqué biologiquement?
- Est-il génétiquement héréditaire?
- Des fonctions cérébrales particulières interviennent-elles?
- Un médicament le soulage-t-il?

Provoquer la panique. Les crises de panique peuvent être déclenchées par un agent biologique. Des patients souffrant de telles crises sont reliés à un cathéter intraveineux. Du lactate de sodium, un produit chimique qui provoque normalement une accélération de la respiration et des palpitations cardiaques, leur est lentement injecté dans le sang. En quelques minutes, de 60 à 90 p. 100 de ces patients vont faire une crise de panique. Or, quand on injecte le lactate à des sujets ne souffrant pas de panique, ils ne feront que rarement une crise.

La génétique de la panique. La panique pourrait bien être en partie héréditaire. Si un vrai jumeau ou une vraie jumelle souffre de crises de panique, son frère ou sa sœur en souffrira aussi dans 31 p. 100 des cas. Mais s'il s'agit de faux jumeaux, le frère ou la sœur n'en souffrira pas. En outre, plus de la moitié des malades atteints de panique ont un proche parent qui souffre d'angoisse ou d'alcoolisme.

La panique et le cerveau. Lorsqu'on l'examine minutieusement, le cerveau des gens faisant des crises de panique paraît différent. Sa neurochimie présente des anomalies au niveau du système qui déclenche et atténue ensuite les peurs. De plus, la scanographie TEP (tomographie par émission de positons), une technique qui permet d'évaluer la quantité de sang et d'oxygène utilisée par les différentes parties du cerveau, montre que celui des patients qui paniquent à la suite d'une injection de lactate a un flux sanguin plus élevé et utilise plus d'oxygène que celui des autres patients.

Les médicaments. Il y a deux sortes de produits pharmaceutiques qui soulagent la panique: les antidépresseurs tricycliques et le Xanax, un anxiolytique. Ils donnent de meilleurs résultats que les placebos. Les crises de panique sont atténuées et parfois même supprimées grâce à leur utilisation. Les angoisses et la dépression diminuent également d'intensité.

Comme la réponse aux quatre questions ci-dessus était affirmative, je pensais le problème réglé une fois pour toutes quand Jack m'a téléphoné. La panique était tout simplement un mal biologique, une maladie corporelle, que seuls les médicaments pouvaient soulager.

Quelques mois plus tard, j'étais à Bethesda, au Maryland, où j'entendais pour la énième fois répétés les quatre mêmes énoncés de preuve biologique. Un personnage passant inaperçu, vêtu d'un complet brun, avait pris place à la table de conférence. À la première pause, Jack me le présenta comme étant David Clark, un jeune psychologue d'Oxford. Quelques minutes plus tard, Clark commença son exposé.

«Prenez en compte, s'il vous plaît, une théorie de rechange, une théorie cognitive.» Il nous rappela que presque toutes les personnes qui paniquent pensent mourir durant leurs crises. Elles sont plus généralement persuadées qu'elles font une crise cardiaque. Peut-être, nous dit Clark, s'agit-il de quelque chose de plus qu'un simple symptôme. Peut-être s'agit-il de la cause première. La panique pourrait n'être qu'une *interprétation erronée et catastrophique de sensations corporelles.*

Par exemple, quand vous paniquez, votre cœur se met à battre la chamade. Vous le remarquez et vous l'interprétez comme une possible crise cardiaque. Cela vous angoisse énormément et votre cœur bat encore plus fort. Vous ne pouvez pas ne pas le remarquer et cela vous confirme dans l'idée qu'une crise cardiaque est imminente. Vous êtes maintenant terrifié, vous vous mettez à transpirer abondamment, vous avez des nausées et êtes à court de souffle, bref vous connaissez tous les symptômes de la terreur, mais à vos yeux, c'est la confirmation d'une crise cardiaque. Une crise de panique d'intensité maximale est sur le point de vous terrasser et à son origine, il y a votre interprétation erronée des symptômes de l'angoisse que vous prenez pour ceux d'une mort prochaine.

Cette théorie psychologique s'adapte bien aux observations biologiques.

- Le lactate de sodium provoque la panique, car il fait palpiter votre cœur. Il déclenche les sensations corporelles initiales auxquelles vous donnez une interprétation catastrophique erronée.
- La panique n'est que partiellement héréditaire, car les sensations corporelles particulièrement flagrantes, comme les palpitations cardiaques, sont des phénomènes héréditaires mais la panique en soi ne l'est pas directement.
- Les zones cérébrales qui empêchent l'apaisement des angoisses agissent ainsi parce que cette activité est un symptôme évident de panique.
- Les médicaments soulagent la panique parce qu'ils calment les sensations corporelles que l'on interprète comme annonciatrices d'une crise cardiaque.

J'étais de plus en plus attentif alors que Clark expliquait qu'un signe évident d'affection, facilement négligé en tant que simple symptôme, était en fait l'affection elle-même. Ce genre d'argument n'a été défendu que deux fois auparavant dans toute l'histoire scientifique et a, chaque fois, révolutionné la psychiatrie.

Au début des années 50, Joseph Wolpe, un jeune psychiatre sud-africain, a stupéfié le monde de la psychothérapie et mis ses collègues en furie en découvrant un remède fort simple aux phobies. L'opinion scientifique établie voulait que la phobie — une peur intense et irrationnelle de certaines choses, comme les chats, par exemple — ne soit qu'une manifestation superficielle d'une affection sous-jacente et plus sérieuse. Les psychanalystes prétendaient qu'une phobie était la peur refoulée d'être castré par votre père se vengeant du désir que vous éprouviez pour votre mère. Les psychiatres biologiques prétendaient, par contre, que la phobie était due à un problème de chimie cérébrale non encore éclairci. Les deux clans avaient en commun la conviction que les symptômes cachaient une affection plus profondément ancrée. Ne soigner le patient que pour sa peur des chats ne serait pas plus utile que de dissimuler les papules de la rougeole sous du rouge à joues.

Wolpe soutint néanmoins que la peur irrationnelle n'était pas qu'un simple symptôme; elle était la phobie dans son intégralité. Si la peur pouvait être éliminée (et elle pouvait l'être), cela supprimerait la phobie. Elle ne réapparaîtrait pas sous une autre forme, comme le prétendaient les théoriciens de la psychanalyse et de la recherche biomédicale. Wolpe et ses disciples guérissaient couramment les phobies en l'espace d'un mois ou deux et les peurs ne réapparaissaient plus sous quelque forme que ce fût. L'impertinence de Wolpe, qui osait insinuer que cette affection psychiatrique n'avait pas de racines profondes, lui valut d'être rejeté par ses pairs.

La naissance de la psychothérapie cognitive est l'autre précédent aux assertions de David Clark. En 1967, Aaron Beck, un psychiatre de l'Université de Pennsylvanie, rédigea son premier ouvrage sur la dépression. Les dépressifs, notait-il, se font des idées épouvantables sur leur propre personne et leur avenir. Beck se demandait si la dépression ne se limitait pas à cela. Peut-être que ce qui semble n'être qu'un symptôme de la dépression, les idées noires, en est la cause. L'état dépressif n'est, disait-il, ni le résultat d'une chimie cérébrale néfaste ni d'une colère rentrée (selon Freud), mais bien celui d'un dérèglement de la pensée consciente. Le fait d'éclaircir la noirceur des idées conscientes devrait suffire à guérir la dépression. Cette théorie des plus simples a transformé le domaine de la dépression et a créé une nouvelle forme efficace de psychothérapie.

David Clark, âgé de 32 ans seulement et sans prétention aucune, faisait maintenant le même raisonnement audacieux concernant la panique. La tête me tournait. S'il avait raison, nous vivions un moment historique. Mais tout ce qu'avait fait Clark jusqu'ici ne consistait qu'à démontrer que les quatre propositions de preuve de la nature biologique de la panique pouvaient s'appliquer également à l'optique de l'interprétation erronée. Clark nous parla bientôt d'une série d'expériences que son collègue Paul Salkovskis et lui avaient réalisées à Oxford.

Ils avaient commencé par comparer des patients souffrant de panique à des malades atteints d'autres formes d'angoisse et à des gens normaux. Tous les sujets devaient lire à haute voix des phrases dont les caractères des derniers mots étaient flous. Par exemple:

Si j'avais des palpitations, cela pourrait vouloir dire que je suis	*mourant.*
	excité.
Si j'étais à bout de souffle, cela pourrait vouloir dire que	*j'étouffe.*
	je ne suis pas en forme.

Quand les phrases avaient un rapport avec des sensations corporelles, seuls les patients souffrant de panique découvraient rapidement les aboutissements «catastrophiques». Cela démontrait que ces malades entretenaient les habitudes de pensée posées comme postulat par Clark.

Clark et ses collègues se demandèrent ensuite si le fait d'activer ces habitudes à l'aide de certains mots pourrait déclencher la panique. Tous les sujets devaient, cette fois, lire à haute voix des séries de deux mots ou locutions. Quand les patients souffrant de panique en arrivaient aux paires «à bout de souffle — suffocation» et «palpitations — mort», 75 p. 100 d'entre eux faisaient une crise aiguë de panique en plein laboratoire. Aucun des sujets normaux, ni aucun des patients guéris (je vous en dirai plus, ci-dessous, sur leur rétablissement) ne firent de crise; 17 p. 100 seulement des patients atteints d'autres formes d'angoisse en eurent.

La dernière chose dont nous parla Clark était cette «découverte capitale» mentionnée par Rachman.

«Nous avons développé et expérimenté une psychothérapie plutôt originale pour le traitement de la panique», poursuivit Clark, à sa manière modeste et désarmante. Il expliqua que si une interprétation erronée et catastrophique des sensations corporelles était la cause des crises de panique, le fait de modifier la tendance à une mauvaise interprétation devrait guérir la maladie. Il décrivit sa nouvelle psychothérapie comme étant tout ce qu'il y a de plus simple et rapide:

On explique aux patients que la panique est le résultat de leur interprétation erronée des symptômes normaux d'une angoisse croissante qu'ils prennent pour les signes avant-coureurs d'une crise cardiaque, de la démence ou de la mort. L'angoisse à elle seule, leur dit-on, provoque une perte de souffle, des douleurs de poitrine et des sueurs. Dès qu'ils prennent ces sensations corporelles pour les signes annonciateurs d'une crise cardiaque, leurs symptômes deviennent encore plus marqués, leur interprétation erronée changeant leur angoisse en terreur. Un cercle vicieux qui aboutit au paroxysme de la crise de panique.

On apprend aux patients à réinterpréter les symptômes de manière réaliste et à les prendre pour ce qu'ils sont: de simples manifestations d'angoisse. Ils s'entraînent, dans le cabinet même du psychothérapeute, en respirant rapidement dans un sac en papier. Cela produit une accumulation de gaz carbonique et des difficultés respiratoires, phénomènes qui ressemblent aux sensations que produit une crise de panique. Le psychothérapeute souligne aux patients que les sensations qu'ils éprouvent, palpitations et essoufflements, sont sans danger, et ne sont que le résultat d'un excès respiratoire et non les signes d'une crise cardiaque. Les patients apprennent ainsi à interpréter correctement les symptômes.

Un patient, éprouvant des étourdissements, était sur le point de tomber en crise. Il eut peur de s'évanouir vraiment et interpréta son angoisse comme un nouveau signe avant-coureur d'évanouissement.

Le dialogue suivant s'engagea alors entre Clark et son patient:

— Comment avez-vous réussi à ne jamais vous évanouir vraiment?

— Je suis toujours parvenu à éviter de m'affaisser en me retenant juste à temps, à une chose ou l'autre.

— C'est une raison possible. Mais une autre explication valable est que la sensation de faiblesse que vous éprouvez lors d'une crise de panique n'aboutira jamais à un évanouissement, même si vous ne contrôlez pas le phénomène. Pour savoir laquelle des deux explications est la bonne, il faut que nous sachions ce qui doit se produire dans votre organisme pour que vous vous évanouissiez pour de bon. Le savez-vous?

— Non.

— Il faut que votre pression sanguine chute. Savez-vous ce qui arrive à votre pression sanguine pendant une crise de panique?

— Eh bien! mon pouls accélère. J'imagine que ma pression sanguine doit grimper.

— Exactement! Quand vous êtes angoissé, votre rythme cardiaque et votre pression sanguine vont de pair, en augmentant. Vous avez donc moins de risques de vous évanouir quand vous êtes angoissé que quand vous ne l'êtes pas.

— Mais pourquoi, alors, suis-je étourdi?

— Votre sensation d'étourdissement montre que votre organisme réagit normalement lorsqu'il perçoit un danger. Ce genre de perception fait affluer le sang vers les muscles plutôt qu'au cerveau qui en reçoit donc moins que d'habitude. C'est pourquoi vous vous sentez étourdi. Cette sensation est cependant trompeuse, car vous ne vous évanouirez pas puisque votre pression sanguine est à la hausse, non à la baisse.

— Cela est limpide. La prochaine fois que je me sentirai étourdi, je prendrai mon pouls pour vérifier si je vais ou non m'évanouir. S'il bat normalement ou plus vite que d'habitude, je saurai que je ne risque rien.

«Cette psychothérapie fort simple se confirme être une cure», nous déclara Clark. De 90 à 100 p. 100 des patients ne souffraient plus de panique à la fin de la psychothérapie. Un an plus tard, une seule personne avait eu une nouvelle crise.

C'est alors qu'Aaron Beck, le père de la psychothérapie cognitive, prit la parole. «Les résultats obtenus par Clark ne sont pas dus au hasard. Nous avons entrepris la même étude à Philadelphie, en appliquant la même psychothérapie. Nous avons également constaté une guérison complète, avec pratiquement aucune rechute en un an.»

C'était vraiment une découverte capitale: une psychothérapie simple et rapide, sans effets secondaires, avec un taux de guérison de plus de 90 p. 100 d'une maladie qui, dix ans auparavant, était considérée comme incurable. Dans une étude contrôlée de 64 patients, Clark et ses collègues ont comparé les résultats obtenus par la psychothérapie cognitive, par les médicaments, par la relaxation et en l'absence de traitement. Ils ont constaté que la psychothérapie cognitive était meilleure que la médication et la relaxation et que ces deux dernières valaient mieux que rien. Un tel taux de guérison est sans précédent. Je ne me souviens d'aucun autre exemple dans les annales de la psychothérapie ou de la pharmacothérapie où un traitement amène la guérison de la quasi-totalité des malades sans presque aucune rechute. Le traitement de la psychose maniaco-dépressive au lithium (qui entraîne des effets secondaires dangereux), avec son taux d'efficacité de 80 p. 100, est celui qui se rapproche le plus du résultat que nous venons de voir.

LE TRAITEMENT ADÉQUAT
TABLEAU RELATIF À LA PANIQUE

	Psychothérapie cognitive	*Médicaments*
MIEUX-ÊTRE	▲ ▲ ▲ ▲	▲ ▲ ▲
RECHUTES	▲ ▲ ▲ ▲	▲ ▲
EFFETS SECONDAIRES	▼	▼ ▼ ▼
COÛT	bon marché	bon marché
PÉRIODE	semaines	jours/semaines
GLOBALEMENT	▲ ▲ ▲ ▲	▲ ▲

MIEUX-ÊTRE

▲ ▲ ▲ ▲	= de 80 à 100 p. 100 de mieux-être évident ou disparition des symptômes
▲ ▲ ▲	= de 60 à 80 p. 100 de mieux-être
▲ ▲	= au moins 50 p. 100 de mieux-être
▲	= mieux sans doute que par effet placebo
o	= sans doute inutile

RECHUTES (après abandon du traitement)   EFFETS SECONDAIRES

▲ ▲ ▲ ▲	= 10 p. 100 ou moins de rechutes	▲ ▲ ▲ ▲	= sévères
▲ ▲ ▲	= de 10 à 20 p. 100 de rechutes	▲ ▲ ▲	= modérés
▲ ▲	= taux de rechutes moyen	▲ ▲	= minimes
▲	= taux de rechutes élevé	▲	= aucun

GLOBALEMENT

▲ ▲ ▲ ▲	= excellent, la thérapie la plus adéquate
▲ ▲ ▲	= très bon
▲ ▲	= utile
▲	= accessoire, secondaire
o	= sans doute inutile

Comment la psychothérapie cognitive se compare-t-elle aux médicaments dans le traitement de la panique? Elle est plus efficace et moins dangereuse. Les antidépresseurs et le Xanax réduisent considérablement la panique chez la plupart des patients, mais ces médicaments doivent être pris en permanence: si les patients cessent de les prendre, la panique se rétablit comme avant la pharmacothérapie chez la moitié d'entre eux. Les médicaments ont aussi des effets secondaires sérieux comme la somnolence, la léthargie, les complications de grossesse et l'accoutumance.

Après cette bombe, mon «intervention» dans le débat à dû paraître insignifiante. Je fis cependant une remarque que Clark prit à cœur. «Le fait de découvrir une psychothérapie cognitive qui donne des résultats, même aussi remarquables que ceux que vous venez de décrire, n'est pas suffisant pour prouver que la *cause* de la panique est cognitive.» Je coupais les cheveux en quatre. «La théorie biologique ne nie pas le fait qu'un autre genre de psychothérapie puisse avoir des effets salutaires sur la panique. Elle maintient simplement que la panique est due, à l'origine, à un problème d'ordre biochimique. La théorie de l'interprétation erronée-catastrophique pose-t-elle un quelconque diagnostic différentiel que la théorie biologique se doive de nier?»

J'eus ma réponse deux ans plus tard. Clark réalisa une expérience cruciale pour éprouver la théorie biologique par rapport à la théorie cognitive. Les crises de panique provoquées par des injections de lactate sont les principaux soutiens de la théorie biochimique. Le gaz carbonique, la yohimbine (un produit pharmaceutique qui stimule le système cérébral de la peur) et les excès respiratoires provoquent également tous la panique. On ne connaît pas de voie de transmission neurochimique commune à tous ces agents. Par contre, la théorie cognitive leur trouve un élément commun: ils produisent tous des sensations corporelles qui sont interprétées erronément comme catastrophiques.

La théorie cognitive prévoit que la personne est capable de bloquer les crises de panique provoquées par le lactate en corrigeant simplement l'erreur d'interprétation. La théorie biologique veut, au contraire, que le lactate suffise à provoquer les crises. Clark injecta la dose habituelle de lactate à dix patients souffrant de panique et neuf d'entre eux tombèrent en crise. Il fit de même avec dix autres patients en ayant soin cette fois d'accompagner l'injection de commentaires destinés à modérer les erreurs d'interprétation des sensations. Il expliqua simplement à ses patients que «le lactate est une substance naturelle qui provoque des sensations similaires à celles que produisent l'exercice ou l'alcool. Il est normal que vous éprouviez de fortes sensations au cours de l'injection, mais elles ne sont pas le signe de réactions fâcheuses.» Trois seulement des dix patients firent une crise de panique; une confirmation cruciale du bien-fondé de la théorie. La psychothérapie conçue par Clark donne d'excellents résultats. Voyons ce qui s'est passé avec Céline:

L'histoire de Céline a une fin heureuse. Elle commença par se soigner à l'aide du Xanax, qui réduisait l'intensité et la fréquence de ses crises de panique. Mais elle se sentait trop étourdie pour travailler et elle continuait de tomber en crise toutes les six semaines environ. Elle fut alors référée à Andrée, une psychothérapeute cognitive. Celle-ci lui expliqua qu'elle interprétait erronément ses accélérations de rythme cardiaque et ses essoufflements, les prenant à tort pour des symptômes de crise cardiaque alors qu'ils n'étaient que de simples signes d'angoisse latente, rien de plus. Andrée apprit à Céline les techniques de la relaxation progressive et lui démontra ensuite l'innocuité de ses symptômes en la faisant respirer rapidement dans un sac en papier. Elle fit remarquer à Céline que son cœur battait la chamade et qu'elle se sentait suffoquer, symptômes normaux d'excès respiratoires. Céline se détendit peu à peu en présence de ces manifestations désagréables et constata qu'elles disparaissaient graduellement. Après quelques séances supplémentaires, la psychothérapie prit fin. Deux ans plus tard, Céline n'avait toujours pas eu de nouvelles crises de panique.

6

Les phobies

AVANT DE PARLER DES PHOBIES, il faut que j'esquisse le rôle de l'évolution dans les changements que nous pouvons faire en nous-mêmes. Une partie de ce qui résiste au changement a des origines fort lointaines comme les traits d'adaptation de nos ancêtres retenus par la sélection naturelle. Les phobies et bon nombre d'autres phénomènes de nos vies émotionnelles sont de cet ordre.

Le phénomène de la sauce béarnaise. La sauce béarnaise a longtemps été ma sauce préférée jusqu'à ce délicieux dîner, en 1966, où elle accompagnait un savoureux filet mignon. Vers minuit, ce soir-là, je devins subitement malade, rendant tripes et boyaux. Depuis lors, je trouve le goût de la sauce béarnaise épouvantable; rien que d'y penser, j'en ai la nausée.

J'étais à l'époque un théoricien novice de l'apprentissage. J'étais bien sûr familier avec les théories pavloviennes du conditionnement, et mon dégoût me semblait en être un bon exemple. Les théories de Pavlov, évidemment, nous font comprendre comment nous apprenons à déchiffrer les signaux. Une enfant entend grogner un chien et ne s'en inquiète pas. Puis, l'animal la mord. Elle a, par la suite, toujours peur quand elle aperçoit un chien, quel qu'il soit. Elle a appris, par le conditionnement pavlovien, que les signaux de grognements sont suivis de douleur et elle a peur des chiens. Comment expliquer tout cela?

Vous vous souvenez sûrement des chiens de Pavlov soumis au départ au stimulus conditionnel (SC) de la vue de Pavlov associé à la réaction inconditionnelle (RI) de salivation pour le stimulus inconditionnel (SI) de la nourriture. Après une demi-douzaine d'associations semblables, les bêtes se mettaient à saliver rien qu'à la vue de Pavlov. Cette salivation était la réaction conditionnelle (RC), aussi appelée «réflexe conditionné». Ce conditionnement fonctionnait parce que les chiens associaient le fait de voir Pavlov à la réaction de salivation à la nourriture.

Certaines choses nous plaisent ou nous déplaisent la toute première fois que nous en faisons l'expérience: le tonnerre nous effraie la première fois que nous l'entendons; une caresse aux parties génitales nous excite la première fois qu'elle survient. D'autres choses doivent acquérir une signification émotionnelle. Celle du visage de notre mère ou des mots «la bourse ou la vie» doit être apprise. Tout ce qui n'est pas inné dans notre vie émotionnelle pourrait bien n'être que des réflexes conditionnés. C'est pourquoi au milieu des années 60, le conditionnement pavlovien était devenu l'un des domaines les plus passionnants de toute la psychologie.

Mon aversion pour la sauce béarnaise semblait bien cadrer. Son goût était le SC et mes vomissements la RI. Leur association rendait écœurant tout contact futur avec la sauce. Ce fut du moins le sujet de mes réflexions durant les quelques semaines qui suivirent.

Un mois après l'incident, la publication d'une étude remarquable fit converger toutes ces méditations. John Garcia, un jeune chercheur dans le domaine des radiations, publia le résultat d'une expérience dont les conclusions étaient tellement hors normes qu'une fois acceptées, elles révolutionnèrent la théorie de l'apprentissage. Ces conclusions étaient si difficiles à accepter pour les théoriciens de l'apprentissage que le principal auteur d'études en ce domaine déclarait, à l'époque, qu'il y avait autant de chances pour elles d'être vérifiées que pour vous de «trouver de la fiente d'oiseau dans une horloge à coucou»!

Garcia était un obscur chercheur étudiant, dans un laboratoire d'État, les maladies dues aux radiations. Il avait remarqué que quand ses rats devenaient malades, ils délaissaient leur nourriture. Une fois guéris, ils refusaient encore leur pitance habituelle. À part cela, ils semblaient en forme et aucunement perturbés. C'était déconcertant mais cela ressemblait aussi à un conditionnement pavlovien, le goût de la nourriture étant le SC, la maladie la RI et le fait de prendre leur pitance en horreur la RC. Mais si les rats étaient conditionnés en devenant malades, pourquoi ne développaient-ils une aversion que pour un certain goût? Pourquoi leur aversion ne s'étendait-elle pas au personnel du laboratoire, à l'extinction des lumières, à l'ouverture des portes, à tout ce qui les environnait pendant leur maladie? Garcia était déconcerté pour les mêmes raisons que moi au sujet de la sauce béarnaise.

Garcia se livra alors à une expérience classique que je considère comme la plus significative de toutes celles menées durant ma carrière de psychologue de l'apprentissage.

Chaque fois que les rats s'abreuvaient, ils avalaient de la saccharine; ils déclenchaient en même temps un jet de lumière et un bruit particulier. C'est ce que l'on appelle un SC *composé*; dans ce cas-ci une eau sucrée lumineuse et bruyante! C'est alors que les rats étaient soumis à un éclat de rayon X qui, quelques heures plus tard, provoquait des troubles de digestion. Les rats étant rétablis, Garcia expérimenta séparément les éléments du SC composé, pour voir ce qu'ils avaient appris à craindre. C'était la saccharine qu'ils détestaient et ils se moquaient éperdument de la lumière et du bruit. Quand les pauvres bêtes se sentirent malades, elles en rendirent responsable le goût sucré de leur eau et elles ignorèrent tout le reste.

Peut-être n'avaient-elles tout simplement pas remarqué la lumière et le bruit durant leur conditionnement? Aussi Garcia vérifia-t-il l'expérience en la modifiant. D'autres rats furent soumis à la même association saccharine-lumière-bruit mais couplée cette fois à un choc électrique dans les pattes plutôt qu'à un dérangement gastrique. Qu'apprirent les rats? Ils manifestaient maintenant un mouvement de recul face à la «lumière bruyante» mais continuaient à déguster avec plaisir leur eau saccharinée. Ils rendaient le bruit et la lumière responsables de la douleur dans leurs pattes et ne se préoccupaient pas du goût de leur breuvage.

Le bruit, la lumière et la saccharine étaient donc perçus, mais le goût seul devenait repoussant quand les rats avaient la nausée et la «lumière bruyante» seule devenait alarmante quand ils avaient mal aux pattes. Comment expliquer un tel phénomène? Les deux observations de Garcia et mon aversion pour la sauce béarnaise semblaient bien être des réflexes conditionnés. Mais elles ne cadraient pas avec les lois du conditionnement. Il y avait cinq contradictions.

D'abord, le conditionnement pavlovien n'est pas sélectif: tout SC présent quand se manifeste un quelconque RI devrait faire l'objet d'un conditionnement. Pavlov était présent quand ses chiens étaient nourris et il devenait ainsi un excitant (comme d'ailleurs sans doute sa voix, sa lotion après rasage et sa blouse blanche). Mais cela ne se passait pas ainsi avec les rats de Garcia. Seule la saccharine devenait repoussante quand les estomacs avaient été dérangés, et seule la «lumière bruyante» le devenait quand les rats avaient eu mal aux pattes.

Il en est de même avec la sauce béarnaise; elle avait absorbé sélectivement tout le mal de l'incident, au «détriment» d'un autre SC potentiel. La sauce béarnaise, seule, était devenue nauséeuse, rien d'autre. De nombreux autres

112

stimuli étaient présents et auraient dû être conditionnés puisque le conditionnement se produit par contiguïté d'éléments coexistants. Or aucun autre stimulus ne devint repoussant. J'aimais toujours le bœuf. J'aimais toujours ma femme qui ne m'avait pas quitté de toute la soirée. Les assiettes en porcelaine blanche qui contenaient la sauce et les couverts en acier inoxydable de style danois ne me rebutaient pas, quoiqu'ils aient tous été associés à mon malaise. De même, la cuvette des W.-C. dans laquelle j'avais tant vomi ne m'a jamais paru nocive par la suite.

La deuxième anomalie était relative à la loi du conditionnement pavlovien voulant que ce dernier se réalise en un laps de temps fort court. Si vous entendez retentir un bruit et que vous ressentez un choc électrique dans la seconde qui suit, le bruit va prendre une signification dangereuse. Si le choc ne se produit qu'une minute plus tard, le bruit ne vous semblera jamais hostile. Un délai d'une minute entre le SC et le SI est déjà trop prolongé pour que le conditionnement se produise. Or, le délai entre l'ingestion de la boisson saccharinée et le malaise gastrique provoqué par les radiations était beaucoup plus long, de même que le délai entre la dégustation de la sauce béarnaise et mes vomissements qui ne se comptait pas en secondes mais en heures, des centaines de fois plus que le maximum admis pour établir un conditionnement réussi.

Le troisième problème résidait dans le fait que les rats de Garcia s'étaient mis à détester la saccharine après une seule exposition aux rayons X et que moi-même j'avais pris la sauce béarnaise en horreur après une seule indigestion. Or Pavlov avait dû nourrir ses chiens à plusieurs reprises avant qu'ils ne se mettent à saliver en sa présence. Il faut environ cinq appariements entre bruit et choc électrique avant qu'un sujet ne se mette à transpirer en entendant le bruit en question. Cela se vérifie même si le choc est très douloureux.

Le quatrième problème était dû au fait que le conditionnement pavlovien est rationnel: ses lois suivent les fluctuations croissantes et décroissantes des attentes conscientes.

Les chiens de Pavlov ont appris à prévoir l'arrivée de nourriture quand Pavlov apparaissait, et c'est pourquoi ils salivaient. Quand Pavlov a cessé de les nourrir, ils ont cessé de saliver en le voyant — ce phénomène est celui de l'*extinction*. La sauce béarnaise n'a cependant pas agi de la sorte. Le lendemain de mon indigestion, j'ai appelé mon plus proche collaborateur pour lui expliquer mon absence du laboratoire. Il me demanda aussitôt si j'étais une nouvelle victime de la grippe intestinale qui décimait le personnel du département. Je «savais» donc, dès lors, que la sauce était innocente; la grippe intestinale était seule coupable. Je ne pensais pas devoir me mettre à vomir la prochaine fois que je goûterais de la sauce béarnaise. Mais mon «savoir» ne me vint pas en aide; la béarnaise continua de me donner la nausée.

La même irrationalité caractérise les phénomènes observés par Garcia. La conscience, ce mécanisme élaboré qui prend une place si importante dans nos vies, ne joue aucun rôle dans l'apprentissage d'une aversion. Lors d'une expérience de contrôle, des rats ont goûté de la saccharine et ont ensuite été anesthésiés. On provoqua alors, pendant leur sommeil, un bref dérèglement gastrique. Quand les rats se réveillèrent, ils détestaient la saccharine.

Le cinquième et dernier problème résidait dans le fait que le réflexe conditionné disparaît facilement, ce qui est un effet secondaire de sa nature d'attente consciente. Il suffisait à Pavlov d'apparaître à quelques reprises sans nourrir ses chiens pour que ceux-ci cessent de saliver en le voyant. Mais mon dégoût de la sauce béarnaise a duré plus de dix ans. Il a persisté lors d'une douzaine de dîners au cours desquels des psychologues sceptiques me forçaient à goûter la délicieuse préparation. Je peux enfin m'en régaler, vingt-cinq ans plus tard, mais j'ai tout de même dû changer de recette.

Le message de Garcia. Tous ces problèmes *peuvent* se concilier avec le conditionnement pavlovien, car l'évolution est en jeu. Pendant des millions d'années, nos ancêtres ont constamment connu, entre autres malheurs, des maux

114

d'estomac. Les plantes et les animaux qu'ils dévoraient contenaient parfois des poisons, leur nourriture se gâtait à l'occasion, les cours d'eau qui les désaltéraient contenaient souvent des bactéries. Chacune de ces situations aurait pu les tuer, mais s'ils tombaient malades et survivaient, ils devaient apprendre à éviter la toxine à l'avenir.

Une question se pose: éviter quoi? Les toxines répandues dans la nature ne peuvent être évitées que parce qu'elles ont des goûts distincts, comme les aliments qui les contiennent d'ailleurs. Ceux de nos ancêtres qui, après des dérangements gastriques, ont rapidement et utilement appris à détester les goûts les plus caractéristiques qui accompagnaient leurs crampes, ont transmis leurs gènes. Les autres, ceux qui n'ont pas appris, se sont éteints.

Notre histoire évolutionniste nous a *préparés* à apprendre certaines choses. Nous apprenons, comme je l'ai fait, que la sauce béarnaise s'apparente à un malaise, et cela à la suite d'une seule expérience malheureuse dont les conséquences se feront sentir fort longtemps. Cet apprentissage s'ancre profondément et solidement en nous, il est moins faillible que la raison, il est d'ailleurs irrationnel. Il m'a fallu des années avant d'apprécier à nouveau la sauce béarnaise.

Nous ne «savons» aucune de ces choses en naissant — elles ne sont pas «instinctives». Les rats de Garcia ont adoré la saccharine et moi la sauce béarnaise la première fois que je l'ai goûtée. Mais il suffit d'une seule mauvaise expérience pour que nous associions le malheur à un élément, sentiment que nous ne laisserons que très difficilement s'estomper. L'évolution a façonné notre système sensoriel ainsi que nos mécanismes réactionnels. Un sens aigu du goût et la réaction de vomissement sont des produits de la sélection naturelle. Nous savons cela depuis Darwin. Ce que Garcia nous a révélé de nouveau est le rôle de la sélection naturelle dans nos apprentissages; c'est elle qui déterminera si nous «apprendrons» vite, lentement ou pas du tout. La capacité d'apprentissage est elle-même façonnée par l'évolution.

Une longue et pénible querelle se déclencha dans les revues spécialisées au lendemain des révélations de Garcia; ce fut sans doute la dispute la plus âpre de toute l'histoire de la psychologie de l'apprentissage. Elle dure toujours. La plupart des psychologues acceptent maintenant l'idée de nos gènes soumettant nos apprentissages à des contraintes. Un petit noyau de «durs à cuire» considèrent néanmoins cela comme une hérésie pour deux raisons. La première est une affaire d'association, la seconde est plus fondamentale.

En 1965, la confrérie des comportementalistes était au pied du mur. Nous faisions des expériences sur des pigeons qui picoraient des disques pour trouver des graines, sur des rats qui activaient des manettes pour recevoir des boulettes de «moulée», sur des rats qu'effrayaient certains sons, mais sur très peu d'autres choses. Nous qualifiions, avec prétention, nos conclusions de «lois de l'apprentissage» ou «lois des rats en apprentissage». Nous prétendions que nos lois étaient aussi universelles que la gravité de Newton. Garcia, qui était loin de faire partie de la confrérie, nous apprenait que le genre de stimulus (le goût) et sa relation évolutionniste avec la réaction (troubles gastriques) avaient une grande importance. Il soutenait que ce principe était en contradiction flagrante avec nos lois: un apprentissage éprouvé sur de longues périodes. Cela signifiait que toutes les années que B. F. Skinner, Clark Hull, Ivan Pavlov et leurs disciples avaient consacrées à l'étude des rats, des pigeons et des chiens n'avaient peut-être produit que de simples curiosités de laboratoire et non des lois générales. Tous les travaux effectués par la confrérie étaient peut-être sans aucune importance.

La véritable raison qui engluait le reste des psychologues dans cette controverse était plus fondamentale. La psychologie américaine est, dans son ensemble, farouchement environnementaliste; or, Garcia avait défié ce principe. Les fondements de l'environnementalisme américain sont très profondément ancrés, tant intellectuellement que politiquement.

John Locke, David Hume et les empiristes britanniques ont lancé cette tradition en affirmant que la connaissance s'acquiert grâce aux sens. Ces sensations sont reliées entre elles par des associations, elles se sont affirmées et c'est ainsi que tout ce que nous savons, tout ce qui fait l'être humain n'est qu'une simple accumulation d'associations. Si vous voulez comprendre quelqu'un, il vous suffit de savoir en détail comment il a été élevé. Le comportementalisme ou béhaviorisme, en général, et le conditionnement pavlovien, en particulier, ont captivé l'imagination des psychologues américains parce qu'ils représentaient une version vérifiable de l'environnementalisme de Locke. Cette théorie n'est pas seulement au cœur du comportementalisme, elle est le noyau du dogme de la plasticité humaine.

Et ne vous méprenez surtout pas sur l'aspect politique de la question. Il ne s'agit nullement d'une coïncidence si Locke a émis, à la fois, l'idée que toute connaissance est affaire d'associations et l'idée que tous les êtres humains naissent égaux. Les comportementalistes, y compris les disciples scientifiques de Locke, ont dominé les milieux universitaires de la psychologie de la fin de la Première Guerre mondiale jusqu'à l'époque de la guerre du Viêt-nam. John Watson a inauguré le mouvement béhavioriste à l'ère glorieuse du creuset américain, le «melting-pot». Sa popularité était en partie due à son message indirect: les nouveaux immigrants n'étaient pas des êtres inférieurs aux habitants des États-Unis d'Amérique; ils pouvaient être fondus dans le même moule qui produisait des citoyens de haute qualité, genre WASP (les Anglo-Saxons protestants de race blanche). La défaite de l'hitlérisme amena de l'eau au moulin de l'environnementalisme américain: le génocide, les camps de concentration et autres horreurs ont convaincu ma génération de ne plus jamais admettre d'explications génétiques en psychologie humaine.

Nous pouvions bien travailler sur des rats et des pigeons mais, ce faisant, nous tâchions de démontrer que les êtres humains étaient le produit de leur éducation et de leur culture, et non de leur race. Le mouvement des droits de la personne, le féminisme, les manifestations contre la guerre au

Viêt-nam (des blancs tuant des jaunes), tout contribuait à alimenter ce principe sacré et sous-entendu de la psychologie américaine.

L'environnementalisme militant permettait au comportementalisme de dominer la psychologie universitaire américaine. Garcia, lui, niait son principe le plus fondamental voulant que nous soyons entièrement le produit de notre environnement et non celui de nos gènes. Avec le recul du temps, le message de Garcia ne semble pas si révolutionnaire. Il n'affirmait pas que nous étions uniquement le produit de nos gènes et que notre éducation ne jouait aucun rôle. Il avançait l'idée d'une *prédisposition* génétique. Il prétendait que nos gènes *limitaient* le champ de nos apprentissages. Mais cela entrouvrait, ne fût-ce que d'un cran, cette porte que les environnementalistes voulaient voir fermée à jamais. La porte est restée entrouverte et cela a permis de jeter un nouveau regard sur les nombreux sujets d'apprentissage, comme le chant des oiseaux, l'agression, le langage, le choix de l'objet sexuel, les empreintes, sans oublier les phobies.

Phobies et peurs

Une phobie est la peur intense d'une chose, hors de proportion avec le danger que représente cette chose. Dans ses formes bénignes, la phobie est un malaise courant qui affecte 10 p. 100 des adultes. Dans ses formes extrêmes, si intense qu'elle force ses victimes à rester enfermées chez elles, elle est plus rare et loin d'atteindre 1 p. 100 de la population adulte. Les formes les plus répandues du mal sont l'agoraphobie (littéralement «peur de la place du marché») qui est la peur des foules, des grands espaces et des voyages; la phobie sociale, la peur d'être humilié et embarrassé sous le regard d'autres personnes; la nosophobie, la peur d'une maladie particulière comme le SIDA ou le cancer du sein. Les phobies attachées à un objet ou à une chose, comme la peur de certains animaux, des insectes, des hauteurs, des avions, des espaces clos et des intempéries, sont également courantes. Il y a aussi de rares phobies, comme celle du nombre treize (la triskaïdeka-phobie) ou de la neige (la chionophobie). J'ai même pu observer un patient qui souffrait d'une phobie à l'égard des tuyaux d'échappement!

Près de la moitié des cas de phobie ont pour origine un incident traumatisant remontant généralement à l'enfance. La peur considérable qu'éprouve Suzanne à l'égard des chats en est un exemple.

«Ne laisse pas entrer Pupuce!» Suzanne, une gamine de quatre ans, lança ce cri à sa mère en désignant de la main la porte de la cuisine. Derrière celle-ci trônait fièrement le chat de la famille, couvert de sang et rongeant les restes d'un Jeannot lapin. Suzanne sanglota hystériquement une heure durant. Elle ne voulut plus jamais, par la suite, se retrouver en présence de Pupuce ou de tout autre félin.

En grandissant, son horreur des chats s'intensifia. Cet automne, l'aversion de Suzanne, maintenant âgée de 31 ans, a atteint un point culminant. Elle ne peut plus quitter sa maison. La propriété voisine était inoccupée pour l'été et Suzanne avait cru apercevoir un chat sur la pelouse non tondue. Elle a peur de se faire attaquer et lacérer par un chat si elle sort de chez elle. Quand elle se réveille le matin, ses premières pensées vont aux chats qu'elle pourrait bien croiser dans la journée. Le moindre bruit ou le moindre mouvement dans la maison la fait sursauter — ce pourrait être un chat. Sa dernière pensée en s'endormant le soir, épuisée, va à la terreur que lui inspireront les chats qui peupleront ses cauchemars.

Une psychothérapie efficace. Il est normal que des enfants de quatre à cinq ans aient vraiment peur de certaines choses et particulièrement d'animaux. Quatre-vingt-quinze pour cent de ces peurs disparaissent au fur et à mesure que les enfants grandissent. Quelques-unes, comme celle de Suzanne, persistent et ne diminuent pas sans aide. Or, il existe un genre de thérapie particulièrement efficace pour soigner les phobies: la psychothérapie comportementale. Voici comment elle fonctionne.

Une phobie est un exemple de conditionnement normal avec une RI (réaction inconditionnelle) particulièrement traumatisante. Un objet neutre, un chat par exemple, se trouve là au moment où un traumatisme se produit, comme la terreur de Suzanne apercevant un Jeannot lapin mutilé. Le chat est le SC (stimulus conditionnel) et le traumatisme de Suzanne est la RI. En raison de cet appariement, le SC devient terrifiant.

Si les phobies ne sont que de simples conditionnements pavloviens, il devrait être facile de les faire disparaître. La thérapie consisterait à réaliser une extinction pavlovienne, c'est-à-dire à mettre le patient en présence du SC en s'arrangeant pour qu'aucune RI n'intervienne. Jusqu'à l'entrée en scène de Joseph Wolpe, dans les années 50, personne n'avait encore tenté une expérience aussi simple. La psychothérapie était dominée, à l'époque, par la psychanalyse, dont les praticiens essayaient sans succès de faire faire aux phobiques une introspection de leurs conflits sexuels et agressifs, causes possibles de leurs phobies. Au milieu des années 60, les psychanalystes s'étaient néanmoins rendu compte que la psychothérapie introspective des phobies n'était «jamais facile».

Deux psychothérapies comportementales, toutes deux des formes d'extinction, sont dorénavant utilisées avec succès dans le traitement des phobies.

La première, appelée *désensibilisation systématique,* est la technique originale de Wolpe. Le patient apprend d'abord la relaxation progressive. On lui demande ensuite d'établir une gradation de ses peurs, en plaçant au sommet celle qui lui paraît la pire, la situation phobique par excellence, et au bas de l'échelle, la situation qui ne lui fait ressentir qu'un minimum de crainte. Suzanne, par exemple, a placé à l'échelon inférieur le fait de rencontrer quelqu'un nommé Lechat, à l'échelon suivant d'être invitée à danser un cha-cha-cha. Tout en haut de son échelle, Suzanne plaçait la pire des situations imaginables, voir un vrai chat s'installer sur ses genoux.

On demande ensuite au patient de se placer en état de relaxation comme on le lui a enseigné et d'imaginer qu'il se trouve dans la situation classée au bas de l'échelle de ses peurs. Suzanne se retrouva donc mollement étendue, s'imaginant qu'on lui présentait un certain Antoine Lechat. Elle répéta l'expérience jusqu'à ce qu'elle n'éprouve plus aucune peur. Lors de la séance suivante, le patient pratique à nouveau la relaxation et imagine la scène qu'il a placée au deuxième degré de ses craintes phobiques. Dans le cas de Suzanne, l'invitation à danser le cha-cha-cha. Elle visualisa la scène tout en se relaxant, jusqu'à ce qu'elle n'éprouve plus aucune peur. En une douzaine de séances, le patient aura atteint le sommet de sa gradation imaginaire sans avoir ressenti de craintes. Quand ce stade est atteint, la plupart des phobiques ayant, par exemple, peur des chats, pourront en imaginer sans crainte et même en affronter de vrais.

Ce qui s'est passé est un phénomène d'extinction pavlovien. Suzanne a imaginé à maintes reprises le SC redouté en l'absence de la RI (l'état corporel de relaxation dissipe la peur). Ce processus a interrompu l'association chats-peurs.

La seconde psychothérapie, appelée «submersion» fait appel au même principe d'extinction. La submersion est plus spectaculaire et plus rapide que la désensibilisation. Le phobique est plongé dans la situation la plus apeurante à ses yeux. Un claustrophobe acceptera de se faire enfermer dans un réduit; un patient ayant la phobie des chats se tiendra dans une pièce remplie de ces félins; l'agoraphobe atterrira, en compagnie de son psychothérapeute, dans un centre commercial. Dans chaque cas, le patient attendra un certain temps, défini au préalable, avant de quitter l'endroit de son supplice. Ce délai pourra lui sembler une éternité mais ne dépassera généralement pas quatre heures. Au début, le patient est terrifié mais, après une heure environ, la peur diminue inévitablement quand il constate qu'aucun mal ne lui est fait. Au bout de quatre heures, le patient n'est plus tenaillé par la peur. Il est en présence du SC, mais il n'a aucune RI. Il est épuisé et vidé mais sa phobie s'est évanouie.

Le contraire de la relaxation s'utilise avec un certain succès pour le traitement des phobies du sang. Les personnes souffrant de cette phobie courante (environ 3 p. 100 de la population en est atteinte) voient leur rythme cardiaque et leur pression sanguine chuter, et elles peuvent même s'évanouir à la vue du sang. On leur enseigne la *tension appliquée*. Elles apprennent à tendre les muscles des bras, des jambes et de la poitrine jusqu'à ce qu'une sensation de chaleur leur monte au visage. Cela contrebalance les effets de la chute de tension et des vertiges, tout comme la relaxation le fait pour l'angoisse.

Ces psychothérapies sont efficaces dans 70 p. 100 des cas. Après 10 séances de traitement environ, les patients peuvent généralement faire face à l'objet de leur phobie. La tension appliquée donne des résultats encore meilleurs avec les phobies du sang: la rémission est durable. Les phobiques guéris, sans toutefois en venir à l'apprécier vraiment, n'ont plus peur de l'objet de leurs terreurs passées.

Une psychothérapie inefficace. Après une psychothérapie d'extinction, les symptômes ne se manifestent plus, même sous d'autres formes. Cette absence de substitution de symptômes est importante, car la psychanalyse comme la biomédecine prétendent que l'élimination directe des phobies n'est que pur traitement accessoire. Cette école de pensée veut que le conflit ou le problème biochimique sous-jacents existent toujours intacts et que les symptômes doivent nécessairement réapparaître. Or, ils ne le font pas.

La psychanalyse n'est d'aucune utilité dans le traitement des phobies. La thérapie cognitive qui voit ses patients considérer l'irrationalité de leurs phobies («Quelles sont les probabilités de l'écrasement de cet avion?» ou «Voyons, il n'est encore jamais arrivé qu'un adulte se fasse lacérer par un chat, dans une rue de Lyon») et apprendre à mettre en doute leurs idées déraisonnables ne semble pas efficace dans le traitement de certaines phobies particulières. La thérapie cognitive de la panique peut cependant s'avérer utile pour soigner l'agoraphobie, quand la panique en est le problème majeur.

Les médicaments ne sont pas très efficaces avec les phobies objectives. Les anxiolytiques ramènent le calme quand ils sont pris à haute dose au moment de la crise, mais ce calme s'accompagne de somnolence et de léthargie. Pour un phobique de l'avion qui doit se déplacer d'urgence, un tranquillisant léger sera utile mais n'aura que des effets temporaires. Le calme n'est qu'accessoire; quand les effets du médicament s'estompent, on retrouve la phobie intacte.

L'association de médicaments à une psychothérapie d'extinction pour traiter des phobies objectives n'est probablement pas, non plus, efficace. Pour que l'extinction se produise, il semblerait nécessaire d'être d'abord soumis à l'angoisse et qu'ensuite, celle-ci se dissipe. Or, les anxiolytiques bloquent les sensations d'angoisse et bloquent aussi de ce fait son extinction. La phobie demeure intacte.

Les médicaments ne semblent pas très efficaces non plus avec les phobies sociales. Les inhibiteurs de la mono-amine-oxydase, les IMAO (antidépresseurs puissants), ont donné quelques résultats. Soixante pour cent des patients traités à l'aide de ces produits ont fait des progrès. Mais ces résultats positifs sont temporaires et le taux de rechute est élevé dès qu'on cesse de prendre le médicament. Il faut aussi se souvenir que les IMAO ont des effets secondaires dangereux (voir le chapitre 3). Les anxiolytiques puissants, comme le Xanax et les bêtabloquants, soulagent aussi mais dans une moindre mesure (50 p. 100 environ). Mais le taux de rechute est, une fois de plus, très élevé et les médicaments ont de sérieux effets secondaires. Les rechutes nombreuses à l'arrêt de la médication semblent indiquer que celle-ci n'a que des effets accessoires sur l'angoisse phobique.

Les antidépresseurs ont, par contre, des effets vraiment salutaires, et non accessoires cette fois, sur l'agoraphobie. Ces médicaments semblent donner d'aussi bons résultats que les psychothérapies d'extinction et sont particulièrement efficaces quand on les utilise en association avec elles. Cela s'explique par le fait que l'agoraphobie, contrairement à la plupart des autres phobies, se caractérise notamment par des crises de panique. Ces dernières sont généralement des agents de déclenchement de l'agoraphobie. Les antidépresseurs suppriment les crises de panique sans mettre les patients sous sédation.

Ces effets enchantent les pavloviens. La théorie pavlovienne affirme que l'agoraphobie commence quand le SC, le fait d'être sur «l'agora», coïncide avec la RI de la crise de panique. Cela fait en sorte d'associer l'agora à la terreur. Quand un patient reçoit une médication associée à une psychothérapie d'extinction, il peut s'aventurer au-dehors sans être assailli par une nouvelle crise de panique parce qu'il est sous l'effet des médicaments. Il est exposé au SC de l'agora mais en l'absence de la RI de la panique; l'extinction pavlovienne peut ainsi se réaliser.

LE TRAITEMENT ADÉQUAT
TABLEAU RELATIF AUX PHOBIES

PHOBIES OBJECTIVES

	Psychothérapie d'extinction	Médicaments
MIEUX-ÊTRE	▲ ▲ ▲	▲
RECHUTES	▲ ▲ ▲ ▲	▲
EFFETS SECONDAIRES	▼	▼ ▼ ▼
COÛT	économique	économique
PÉRIODE	semaines/mois	jours/semaines
GLOBALEMENT	▲ ▲ ▲ ▲	▲

PHOBIES SOCIALES

	Psychothérapie d'extinction	Médicaments tricycliques
MIEUX-ÊTRE	▲ ▲ ▲	▲ ▲ ▲
RECHUTES	▲ ▲ ▲	▲
EFFETS SECONDAIRES	▼	▼ ▼ ▼
COÛT	économique	économique
PÉRIODE	semaines/mois	jours/semaines
GLOBALEMENT	▲ ▲ ▲	▲ ▲

AGORAPHOBIE

	Psychothérapie d'extinction	Médicaments	Combinaisons
MIEUX-ÊTRE	▲ ▲	▲ ▲	▲ ▲ ▲
RECHUTES	▲ ▲ ▲	▲	▲ ▲ ▲
EFFETS SECONDAIRES	▼	▼ ▼ ▼	▼ ▼ ▼
COÛT	économique	économique	économique
PÉRIODE	semaines/mois	semaines	semaines/mois
GLOBALEMENT	▲ ▲	▲ ◢	▲ ▲ ▲

MIEUX-ÊTRE

▲ ▲ ▲ ▲ = de 80 à 100 p. 100 de mieux-être évident ou disparition des symptômes
▲ ▲ ▲ = de 60 à 80 p. 100 de mieux-être
▲ ▲ = au moins 50 p. 100 de mieux-être
▲ = mieux sans doute que par effet placebo
o = sans doute inutile

RECHUTES (après abandon du traitement)   EFFETS SECONDAIRES

▲ ▲ ▲ ▲ = 10 p. 100 ou moins de rechutes   ▼ ▼ ▼ ▼ = sévères
▲ ▲ ▲ = de 10 à 20 p. 100 de rechutes   ▼ ▼ ▼ = modérés
▲ ▲ = taux de rechutes moyen   ▼ ▼ = minimes
▲ = taux de rechutes élevé   ▼ = aucun

GLOBALEMENT

▲ ▲ ▲ ▲ = excellent, la thérapie la plus adéquate
▲ ▲ ▲ = très bon
▲ ▲ = utile
▲ = accessoire, secondaire
o = sans doute inutile

La théorie pavlovienne relative aux phobies semble donc bien établie: un objet quelconque, associé à un traumatisme terrifiant, devient à son tour apeurant. Et comme prévu, la psychothérapie d'extinction donne de très bons résultats.

Phobies et évolution. Il y a cependant trop de questions laissées en suspens et plus précisément trois doutes principaux. Chacun d'entre eux fait ressembler les phobies à des phénomènes du genre «sauce béarnaise» et à des aversions de goût plutôt qu'à des conditionnements pavloviens.

D'abord, le conditionnement pavlovien normal n'est pas sélectif. Tout SC qui coïncide avec un traumatisme devient conditionné. Or les phobies sont, justement, fortement sélectives:

> *Lors d'un pique-nique, une fillette de sept ans aperçoit un serpent rampant dans l'herbe. Elle s'y intéresse et ne manifeste aucune inquiétude. Une heure plus tard, elle retourne vers l'auto familiale et se fait écraser les doigts dans la portière. Elle a développé une phobie durable, non pour les portières d'auto, mais bien pour les serpents!*

En fait, il n'y a que deux douzaines de phobies objectives et plus particulièrement celles des espaces libres, des foules, des animaux, des insectes, des espaces clos, des hauteurs, des maladies et des orages. Or, toutes ces choses se sont révélées plus ou moins dangereuses à nos «ancêtres» au cours de l'évolution des espèces. Même les exceptions, comme la phobie des avions, peuvent généralement être rapportées à des peurs objectives «plus primitives», comme celle de tomber, celle de suffoquer ou d'être immobilisé.

Arne Ohman, un éminent psychologue suédois, a voulu savoir si les phobies étaient plus proches des aversions de goût que du conditionnement pavlovien. Il a reproduit l'expérience de Garcia sur des étudiants volontaires en les conditionnant à la peur à l'aide de chocs électriques servant de stimulus inconditionnel (SI). Le stimulus conditionnel (SC) était soit un objet *prévu*: l'image d'une araignée, soit un objet *non prévu*: l'image d'une maison. Un objet phobique *prévu* est un objet qui s'est révélé dangereux pour l'humanité au cours de l'évolution de l'espèce. Les étudiants n'étaient généralement pas perturbés par les arachnides mais après

126

une seule association araignée-choc, ils se mirent à transpirer à la seule vue de l'insecte. L'image de la maison ne fit peur, et encore faiblement, qu'après de nombreuses associations. Contrairement au conditionnement ordinaire, le conditionnement phobique en laboratoire, le phénomène de la «sauce béarnaise» et les phobies humaines en milieu naturel sont donc tous sélectifs.

Le deuxième doute s'opposant au point de vue pavlovien concerne la nécessité d'une association formelle et établie en un délai réduit entre SC et SI pour qu'un conditionnement soit réussi. Ce n'est pas le cas avec les phobies. Une heure s'était écoulée entre la vue du serpent et la main écrasée dans la portière; la phobie a cependant établi le rapprochement. Plus révélateur encore: alors que 60 p. 100 des phobiques évoquent l'association formelle d'un objet avec un traumatisme pour expliquer l'origine de leur phobie, 40 p. 100 ne le font pas. Ces phobiques racontent plutôt une histoire beaucoup plus vague et de caractère social pour remonter aux origines de leurs tourments. Ils sont, par exemple, terrifiés par les chiens depuis le jour où ils ont appris qu'un de leurs amis avait été mordu par un cabot.

Les Suédois ont encore une fois fait le lien. Ohman projeta une diapositive montrant l'objet prévu, un scorpion. Les étudiants le contemplèrent sans manifester la moindre crainte. Aucun traumatisme formel, aucun choc électrique ne suivit. Un des étudiants, un complice, bondit alors hors de la pièce en criant: «Je ne peux pas le supporter!» Les étudiants se mirent dès lors à transpirer quand ils voyaient la diapo du scorpion.

Ohman reprit le scénario avec un autre groupe d'étudiants, mais la diapositive projetée était cette fois celle d'un objet non prévu, une fleur. Un étudiant s'élança hors de la pièce en hurlant de peur mais les étudiants ne témoignèrent aucune crainte pour autant à la vue de la fleur. Les objets prévus dans l'évolution, et non les autres, deviennent effrayants sans être associés à un traumatisme. Le simple fait de savoir que quelqu'un a été traumatisé suffit à vous apeurer.

Le principal doute soulevé par le conditionnement pavlovien normal est dû au fait qu'il est rationnel. On s'attend que le SC soit suivi par le SI. Or, les phobies sont résolument irrationnelles. Expliquer à un phobique que ses craintes sont irrationnelles («L'avion est le moyen de transport le plus sûr») n'entame en rien sa phobie. Ses parents et ses relations lui ont répété la même chose depuis des années et il connaît mieux que quiconque toutes les statistiques. Il sait que ses craintes sont injustifiées. La psychothérapie cognitive, comme on pouvait s'y attendre, ne guérit pas les phobies, car elles sont ancrées plus profondément que la raison; elles sont profondément enracinées dans l'inconscient. Comme mon aversion pour la sauce béarnaise, elles sont inébranlables malgré le fait que je sache la sauce innocente et la grippe coupable. Les phobies peuvent être vaincues, mais pas par la parole.

Les phobies, contrairement aux manifestations de panique, sont comme saint Thomas. Leur extinction exige la présentation de l'objet phobique en l'absence de la RI de terreur, une preuve d'innocuité — submersion et désensibilisation.

J'ai participé en Suède à une des expériences déterminantes d'Ohman, celle démontrant que le conditionnement normal était rationnel contrairement au conditionnement prévu. Ohman attacha une électrode à une de mes mains et me projeta l'image d'une fleur. Vingt secondes plus tard, je ressentis une brève décharge électrique. Il répéta cinq fois l'expérience. Quand la fleur réapparut une nouvelle fois, je demeurai calme mais commençai à me crisper au bout d'une dizaine de secondes. Mon inconfort ne fit qu'augmenter, ce qui fait qu'à la dix-neuvième seconde, j'étais en nage. Je m'attendais à recevoir une décharge au bout de vingt secondes et ma peur avait calculé le moment. Je témoignai d'un conditionnement pavlovien classique. C'était très rationnel de ma part!

Ohman me montra ensuite l'image d'un python. Je trouvai la bête assez repoussante, mais je n'éprouvai aucune crainte. Au bout de vingt secondes, je reçus la même décharge électrique dans la main. Il n'y eut que cette unique association choc-serpent. Quelques minutes plus tard, Ohman me reprojeta la diapo du python et je faillis m'arracher de mon siège.

C'est donc grâce à John Garcia et à Arne Ohman que nous avons une vision juste de ce que sont et de ce que ne sont pas les phobies. Elles ne sont pas des exemples de conditionnement pavlovien normal mais bien de conditionnement pavlovien prévu. Elles ne sont pas générées par un objet quelconque qui se trouverait là, par hasard, au moment même où nous sommes victimes d'un traumatisme. Les phobies sont générées par certains objets prévus dans l'évolution et plus ou moins assimilables à un danger. Elles n'ont pas d'origine culturelle: les objets dangereux fabriqués par l'homme et qui ne sont pas intervenus dans l'évolution des espèces, les armes blanches ou à feu par exemple, conditionnent comme les maisons et les fleurs et non comme les objets dangereux de l'histoire du monde, les serpents, les araignées et les scorpions. Et tout comme elles sélectionnent leurs objets, les phobies choisissent aussi leurs victimes. Certains d'entre nous sont plus facilement sujets aux phobies que d'autres; les membres de la famille de gens souffrant d'angoisses, par exemple, sont plus susceptibles d'être atteints de phobies. Celles-ci mijotent en chacun de nous. Elles sont des réminiscences de sombres peurs primordiales.

Tout ce qui précède est porteur d'un message profond et universel. Une partie de ce qui fait ce que nous sommes, nos sombres peurs par exemple, tire ses origines de la nuit des temps, au début de l'évolution de notre espèce. Nous constatons souvent que des éléments de notre personnalité résistent au changement même si tout ce qui est rationnel en nous nous pousse à changer. Quand cela se produit, il faut chercher la source de la résistance dans notre héritage évolutionniste. Car nous ne sommes pas uniquement des produits de notre éducation et de notre culture.

Une partie de ce qui s'avère difficile à changer nous relie aux combats, à la vie, à la mort de nos lointains ancêtres. Et nos peurs ne sont pas seules à être prévues. Les objets sexuels que nous recherchons tout au long de nos vies, l'agressivité et la compétition que nous avons tant de difficulté à éliminer, nos préjugés envers ceux qui diffèrent de nous, nos caractères masculins ou féminins et toutes ces obsessions périodiques dont nous n'arrivons pas à débarrasser nos esprits, constituent tous des exemples de chaînons psychologiques qui nous relient à notre passé biologique.

Le fait d'être prévu par l'évolution ne justifie rien. Une part de ce qu'exige de nous notre évolution n'est formée que de vestiges de contraintes disparues. Certaines sont moralement inacceptables. Mais fermer les yeux sur le côté biologique de notre nature est tout à fait inutile. Et quand nous combattons l'héritage de notre passé évolutif, il faut absolument que nous en soyons conscients. Il faut que nous sachions que les changements ne sont jamais aisés en ce domaine. Ils sont même, comme nous le verrons, parfois impossibles et nous devons donc apprendre à vivre avec des côtés de nous-mêmes qui nous déplaisent. Quand les changements sont possibles, la raison seule ne suffira généralement pas à les réaliser. Nous pourrons cependant y arriver parfois en utilisant des techniques qui agissent à des niveaux plus fondamentaux que celui de la raison. Deux exemples viennent de nous le prouver. Nous en verrons d'autres en étudiant les obsessions, la dépression, la colère et le stress post-traumatique.

7

Les obsessions

Savez-vous planter des choux,
À la mode, à la mode,
Savez-vous planter des choux,
à la mode de chez nous...

CETTE RENGAINE me trotte dans la tête depuis plus de deux heures. Cela a commencé quand j'ai chanté ce couplet de mon enfance à Lara, ma petite fille de deux ans, ce matin, en cueillant des tomates dans notre potager.

Le canal à refrains. Nous avons tous en nous un canal à refrains. Chez certains, il émet des chansonnettes, mais tous les canaux ne sont pas musicaux. Il y a ceux qui répètent sans cesse une même phrase. Celles-ci riment souvent, sont parfois rythmées et toujours simplistes, du genre «La peinture à l'huile, c'est bien difficile, mais c'est bien plus beau que la peinture à l'eau». Chez d'autres, moins attirés par les jeux de mots, le canal n'émet plus qu'en vidéo: les mêmes images se succèdent inlassablement comme celles du Prince Charmant réveillant Blanche Neige par un baiser ou de Jack Ruby exécutant Lee Harvey Oswald. Certaines personnes perçoivent un mélange de mots, de chansons et d'images. Si on l'ignore, l'émission diminue lentement d'intensité, mais une instigation externe, comme celle de votre colocataire fredonnant un air, peut lui redonner force et vigueur.

Votre canal à refrains n'est pas tout à fait conscient mais dès que vous en découvrez l'existence, il vous est facile de vous mettre à son écoute. Chez certains, le volume est plus fort que chez d'autres. Il est parfois possible de vous rappeler l'origine du refrain du moment: une publicité à la radio, une remarque de votre patron, un clip vidéo.

Dès que vous serez à son écoute, vous constaterez que votre canal à refrains a une existence propre. Il est très difficile d'en changer volontairement le registre. Quand il vous gêne et que vous n'arrivez pas à l'éteindre, cela devient tracassant à l'extrême. Mark Twain l'a constaté, voilà plus d'un siècle, lorsqu'il entendit cette chansonnette sur les conducteurs de tramways et qu'elle l'obséda des jours durant:

> *Un ticket bleu pour un trajet à huit sous.*
> *Un ticket beige pour un trajet à six sous.*
> *Un ticket rose pour un trajet à trois sous.*
> *Poinçonnez en présence du passageou.*
>
> *Poinçonnez mes frères! Poinçonnez d'un coup!*
> *Poinçonnez en présence du passageou*.*

La civilisation a souvent profité du canal. Avant l'invasion des médias contemporains, la poésie (et en particulier la

---

* Interprétation libre du traducteur.

poésie épique), le catéchisme et la Bible étaient probablement au programme. J'aime à croire que le registre mental de
l'époque avait plus de style. Curieusement, les chercheurs en
psychologie ne se sont jamais intéressés à ce canal. Ses émissions sont diffusées par une partie inconnue et non encore
sondée du cerveau.

Le canal cauchemardesque. Une part importante de la
vie émotionnelle est retransmise sur le canal à refrains. Pour
de nombreuses personnes, ces refrains sont loin d'être plai-
sants et enrichissants. Leurs paroles évoquent parfois des pertes
et des désespoirs. «Elle m'a quitté, elle est partie, elle m'a
abandonné et elle ne reviendra jamais» ou «Je suis né perdant» sont le genre de rengaines qui nous envahissent lorsque notre moral est bas. Quand elles deviennent dominantes
et qu'elles se répètent, nous qualifions leurs auditeurs de
dépressifs et leurs pensées sont désignées sous les termes de
ruminations ou d'*idées automatiques*. Chez d'autres, le canal à
refrains devient cauchemardesque, diffusant des films d'horreur tirés de romans de Stephen King mettant en scène des
animaux féroces et des insectes venimeux ou des scènes
d'humiliation. Les victimes sont appelées respectivement
phobiques spécifiques ou *phobiques sociaux*. Chez d'autres
encore, le canal diffuse des idées de crises cardiaques, d'accès
de démence ou de pertes de contrôle: le problème de ces gens
est qualifié d'*état de panique*.

D'autres, se branchant sur leur canal à refrains, entendent des choses étranges, répugnantes, effrayantes et déprimantes. Pire encore, le volume de ce canal est puissant et il
se met en action fréquemment, sans y être invité, au travail
comme pendant les loisirs. Les sujets les plus courants sont
la saleté, la contagion, les dangers environnants et les
doutes. Ces personnes sont atteintes de *troubles obsessionnels
compulsifs* (TOC) qui tirent leur nom des deux éléments qui
les constituent. L'obsession de ces victimes est une idée ou
une image persistante et leur compulsion est l'acte rituel
accompli pour neutraliser l'idée. Quand des pensées de saleté

dominent le canal à refrains, la personne qui le perçoit se lavera les mains durant des heures, nettoiera à fond, trois fois par jour, la chambre de son bébé ou n'ouvrira les portes qu'en les poussant du pied pour éviter que les microbes couvrant les poignées ne contaminent ses mains.

Howard Hughes était un brillant homme d'affaires. Il avait, vers la fin de sa vie, une telle obsession des microbes qu'il menait une vie de reclus. Il expédiait continuellement des notes aux membres de son personnel au sujet des contaminations possibles, leur expliquant comment éviter de lui transmettre des microbes «par ricochet». Hughes était suffisamment riche et puissant pour se payer un personnel spécialisé pour satisfaire ses compulsions de propreté. Dans une note de trois pages, il expliquait à ses gens comment ouvrir une boîte de fruits en conserve en évitant une «retombée» de microbes.

«Le responsable ouvre alors le robinet de la baignoire. Il le fait à mains nues. Il règle la température de l'eau afin qu'elle ne soit ni trop chaude ni trop froide. Il prend ensuite une des brosses et, avec une savonnette, produit une mousse épaisse avec laquelle il frotte la boîte à partir d'une ligne située à cinq centimètres du haut. Il aura au préalable fait tremper la boîte pour en retirer l'étiquette. Il brosse ensuite énergiquement le cylindre métallique jusqu'à ce que toutes les particules de poussière, les morceaux d'étiquette et toutes les sources possibles de contamination soient éliminées.»

Les rituels de propreté et d'hygiène peuvent occuper une bonne partie de vos journées si vous devez, contrairement à Hughes, les effectuer sans aide! J'ai connu une adolescente de 14 ans qui devait se lever tous les jours à 4 h du matin afin de se laver, de s'apprêter et de faire son lit pour que tout soit en parfait état avant qu'elle quitte la maison, à 8 h, pour se rendre à l'école. Elle était couverte de gerçures et d'érythème comme ceux qui apparaissent lorsqu'on se lave exagérément les mains.

Les «vérificateurs» se réveillent plusieurs fois par nuit pour s'assurer que le gaz est bien éteint dans la cuisine ou que toutes les portes et fenêtres sont verrouillées. Un homme, durant des mois, se rendait plusieurs fois par jour à un carrefour près de chez lui pour vérifier que ne s'y trouvait pas le corps d'une personne qu'il aurait écrasée, sans s'en rendre compte, lors de son précédent passage. Une femme scrutait soigneusement la cuvette des W.-C. pour s'assurer qu'aucun bébé ne s'y trouvait en danger d'être emporté par la chasse d'eau. Les W.-C. sont, entre parenthèses, un sujet courant sur le canal à refrains des TOC. Un dentiste réputé et, par ailleurs, en excellente santé, éprouvait le besoin de tirer la chasse d'eau par multiples de trois — 9, 27, 81 ou 243 fois — avant de quitter les toilettes. Il valait mieux ne pas aller prendre un verre en sa compagnie!

Avez-vous, vous ou l'un de vos proches, des tendances aux troubles obsessionnels compulsifs? Comment pourriez-vous savoir si ce que vous transmet votre canal à refrains est normal ou demande à être ajusté? L'autodiagnostic est toujours risqué et le présent ouvrage n'est pas un manuel consacré au diagnostic. Mon intention est plutôt d'attirer votre attention sur une série de problèmes. S'ils semblent s'appliquer à vous, je voudrais vous indiquer le chemin à suivre pour vous en soulager. Certains problèmes ne requièrent pas un savoir particulier pour vous permettre de les déceler: les crises de panique et les phobies, par exemple. Le diagnostic d'autres problèmes, comme les obsessions, exige une expertise professionnelle. Trois constatations devraient vous alerter et vous pousser à réclamer de l'aide:

- Vos idées sont-elles malvenues et repoussantes, sont-elles envahissantes?
- Naissent-elles au fond de vous, sans stimulus externe?
- Vous paraît-il très difficile de ne pas tenir compte de vos idées ou de les rejeter?

En plus de ces critères, vous trouverez ci-après un test éprouvé.

LE RELEVÉ DES TROUBLES OBSESSIONNELS COMPULSIFS DE MAUDSLEY

Jack Rackman et Ray Hodgson, deux des experts les plus connus sur le plan international en matière d'obsessions, ont établi un questionnaire qui permet de savoir si vous avez un problème dont vous devriez vous débarrasser. Je le reproduis ici avec leur généreuse permission.

Répondez aux questions en encerclant la réponse «VRAI» ou «FAUX». Il n'y a pas de bonnes ou de moins bonnes réponses, ni d'attrapes. Répondez vite, sans trop réfléchir au sens exact des questions.

1. J'évite d'utiliser les téléphones publics à cause des dangers possibles de contamination.　　　　　　　　　　　VRAI　　　FAUX

2. J'ai souvent de mauvaises pensées et j'ai de la difficulté à m'en défaire.　　　　VRAI　　　FAUX

3. Je me préoccupe plus que d'autres des questions d'honnêteté.　　　　　　　VRAI　　　FAUX

4. Je suis souvent en retard; il semble que je n'arrive pas à terminer à temps ce que j'ai à faire.　　　　　　　　　VRAI　　　FAUX

5. Je m'inquiète inconsidérément de la contamination quand je touche un animal.　　　　　　　　VRAI　　　FAUX

6. Je dois fréquemment vérifier des choses à plusieurs reprises (comme les robinets d'eau ou de gaz ou la fermeture des portes).　VRAI　　　FAUX

7. J'ai une morale très stricte.　　　　　VRAI　　　FAUX

8. Je suis dérangé(e) pratiquement chaque jour par des idées déplaisantes qui me viennent à l'esprit contre ma volonté.　　VRAI　　　FAUX

9. Je m'en fais outre mesure quand il m'arrive de bousculer quelqu'un accidentellement.　VRAI　　　FAUX

10. J'éprouve généralement de sérieux
doutes sur les moindres choses que
j'ai à accomplir chaque jour. VRAI FAUX

11. Mon père ou ma mère ont été très
sévères avec moi durant mon enfance. VRAI FAUX

12. J'ai tendance à être en retard dans
mon travail parce que je recommence
sans arrêt ce que je fais. VRAI FAUX

13. J'utilise plus de savon qu'il n'est
nécessaire. VRAI FAUX

14. Certains nombres sont extrêmement
malchanceux. VRAI FAUX

15. Je relis mes lettres maintes et maintes
fois avant de les expédier. VRAI FAUX

16. Il me faut beaucoup de temps
pour m'habiller le matin. VRAI FAUX

17. J'attache une importance énorme
à la propreté. VRAI FAUX

18. Un de mes problèmes les plus sérieux
est d'attacher trop d'importance
aux détails. VRAI FAUX

19. Je n'utilise qu'avec précaution des
toilettes bien entretenues. VRAI FAUX

20. Mon problème majeur est de vérifier
sans arrêt les mêmes choses. VRAI FAUX

21. Les microbes et les maladies me
préoccupent plus que de raison. VRAI FAUX

22. J'ai tendance à vérifier plus d'une
fois la même chose. VRAI FAUX

23. Je suis un plan bien précis quand
j'accomplis des choses même banales. VRAI FAUX

24. J'ai l'impression d'avoir les mains
sales après avoir touché de l'argent. VRAI FAUX

25. Habituellement, je compte mentalement
lorsque j'accomplis un travail répétitif.　　VRAI　　　　FAUX

26. Il me faut beaucoup de temps
pour me laver le matin.　　　　　　　　VRAI　　　　FAUX

27. J'utilise énormément d'antiseptiques.　　VRAI　　　FAUX

28. Je dépense beaucoup de temps chaque jour
à revérifier plusieurs fois certaines choses.　VRAI　　FAUX

29. Il me faut beaucoup de temps le soir
pour plier et ranger mes vêtements.　　　VRAI　　FAUX

30. Même quand je fais quelque chose
avec le plus grand soin, j'ai souvent
l'impression que ce n'est pas parfait.　　VRAI　　FAUX

Chaque réponse VRAI compte pour un point. Le score total le plus élevé est de 30. Il y a un score concernant les obsessions de vérification dont le maximum est de 9 (questions 2, 6, 8, 14, 15, 20, 22, 26 et 28). Un autre concerne les obsessions relatives à la saleté et aux contaminations (questions 1, 4, 5, 9, 13, 17, 19, 21, 24, 26 et 27) avec un maximum de 11. Si votre score est supérieur à 10, un diagnostic clinique confirmerait des troubles obsessionnels compulsifs. Si votre score concernant la saleté et les contaminations est égal ou supérieur à 2 ou que celui concernant les vérifications est égal ou supérieur à 4, vous êtes aussi cliniquement atteint. Des scores aussi élevés signifient qu'il vous faut des soins professionnels. J'expliquerai, à la fin du chapitre, le genre de soins qui conviennent le mieux et les changements que l'on peut espérer en retirer.

Les TOC peuvent être valablement traités de deux façons, selon l'approche biologique ou selon l'approche comportementale. Ces approches ont chacune leurs théorie et méthode distinctes qui ont donné des résultats. Elles ont toutes deux engendré des psychothérapies qui soulagent une majorité de gens souffrant de TOC. Mais aucune des deux n'est entièrement satisfaisante.

Le point de vue biologique

Les psychiatres de l'école biologique affirment que les TOC sont une maladie du cerveau.

Leur premier élément de preuve réside dans le fait que les TOC se développent de temps à autre après un traumatisme cérébral.

> *Jacques, un gamin de huit ans, joue au football dans la cour de récréation de son école. Dans le feu de l'action, il tombe soudain dans le coma, victime d'une hémorragie cérébrale. Après une chirurgie crânienne réussie, il se réveille atteint d'une obsession numérale. Il répète tous ses gestes et toutes ses actions sept fois. Il avale en sept fois, il réclame sept fois les mêmes choses, etc.*

Les TOC se développent parfois aussi à partir de l'épilepsie. Après la grave épidémie européenne de maladie du sommeil* (une infection virale du cerveau) de 1916 à 1918, on a constaté aussi une augmentation du nombre de patients atteints de TOC. L'affection serait, semble-t-il, congénitale: 30 p. 100 des adolescents souffrant de TOC ont un parent direct atteint de la même affection.

Un deuxième élément de preuve biologique est fourni par les études de gamma-encéphalogrammes de patients atteints de TOC. Deux zones du cerveau de ces patients sont plus actives que la normale; ce sont celles que l'on associe au filtrage des informations inutiles et des persévérances comportementales. L'activité dans ces zones diminue quand les patients sont soulagés à l'aide de médicaments ou de psychothérapie comportementale.

Un troisième élément de preuve concerne le contenu particulier du canal à refrains des patients souffrant de TOC. Ce qui se passe là n'a rien d'arbitraire. Comme avec les phobies, où il est surtout question d'objets qui furent jadis dangereux pour l'espèce humaine, le canal à refrains, en cas d'obsessions et de

---

* Appelée aussi «grippe espagnole» *(N. d. T.)*.

rituels compulsifs, a un contenu fort limité et sélectif. La grande majorité des victimes de TOC sont obsédées par les microbes ou les accidents graves et, par réaction, elles se lavent ou «vérifient» sans cesse. Pourquoi se limitent-elles à ces deux domaines spécifiques? Pourquoi leurs obsessions n'ont-elles pas pour objet des formes particulières, comme des triangles, ou une socialisation limitée à des personnes de la même taille qu'elles? Pourquoi n'y a-t-il pas de compulsions pour les tractions ou pour les pompes gymniques, pour les applaudissements, ou pour les mots croisés? Pourquoi seulement les microbes et la violence; pourquoi seulement le nettoyage et les vérifications?

Au cours de l'évolution de notre espèce, le nettoyage et les vérifications ont eu une importance primordiale. L'entretien et la sécurité physique de sa personne et de sa progéniture ont toujours été une préoccupation constante chez les primates. Peut-être que les cellules cérébrales qui commandaient à nos ancêtres de s'occuper de leur hygiène et d'être toujours vigilants se sont-elles mises à se dérégler chez les personnes atteintes de TOC? Peut-être les pensées et les rituels répétitifs des TOC sont-ils des vestiges de solides habitudes ancestrales se redéchaînant. Cela voudrait dire, comme pour les phobies, qu'il serait fort difficile de se débarrasser des TOC, qu'il nous serait impossible de convaincre les victimes d'obsessions et de compulsions de s'en défaire. Or, c'est bien le cas: ni la psychanalyse ni la psychothérapie cognitive ne semblent avoir d'effets sur les TOC.

Une thérapie efficace est le dernier élément de preuve de la théorie biologique. L'Anfranil (de la clomipramine) est un médicament qui a été utilisé avec succès sur des milliers de patients souffrant de TOC au cours d'une bonne douzaine d'études contrôlées. L'Anfranil est un puissant antidépresseur, un inhibiteur de recaptage de la sérotonine. Quand les victimes de TOC prennent de l'Anfranil, leurs obsessions s'estompent et les compulsions peuvent être plus facilement contrôlées.

Ce n'est pas une médication parfaite. Elle ne parvient pas à guérir une grande partie des malades (pratiquement la moitié). D'autres sont découragés de poursuivre leur traitement par les effets secondaires du produit (somnolences, constipation et inappétence sexuelle). Les patients qui sont soulagés sont rarement guéris; leurs symptômes sont atténués mais leurs idées obsessionnelles existent toujours à l'état latent et leurs désirs de ritualiser persistent. Quand les patients que le produit soulage mettent fin au traitement, bon nombre d'entre eux, sinon la plupart, rechutent de plus belle. Il n'en reste pas moins qu'un traitement à l'Anfranil est préférable à aucun traitement.

Le point de vue comportemental

Les pensées et les images horribles ont quelque chose de fascinant et de magnétisant (la popularité des films d'horreur en est une preuve). Certains d'entre nous ont plus de facilité que d'autres à chasser ces pensées ou à se détacher d'elles. Quand nous sommes déprimés ou angoissés (comme le sont la plupart des personnes enclines aux TOC), ce genre d'idées est encore plus difficile à éloigner. Quand on projette des documentaires sur des accidents de travail particulièrement cruels, par exemple, les spectateurs les plus bouleversés sont ceux qui ont le plus de difficulté à oublier les images. Les psychothérapeutes béhavioristes prétendent que les gens qui n'arrivent pas facilement à se distraire ou à rejeter certaines pensées sont les plus prédisposés aux TOC. L'idée horrifiante une fois perçue devient bouleversante si vous ne pouvez vous en défaire. Et plus vous êtes bouleversé, plus il devient difficile de la chasser. Vous devenez d'autant plus angoissé, et c'est ainsi que s'établit un cercle vicieux. Si vous n'arrivez pas à vous défaire d'une pensée par des moyens ordinaires, vous pouvez accomplir un rituel, une *compulsion,* qui soulage l'angoisse. Ainsi, si vous développez des idées horrifiantes à propos de microbes, par exemple, vous pouvez vous laver soigneusement les mains; si ce sont les cambrioleurs qui vous obsèdent, vous pouvez vérifier les serrures de vos portes. Ces gestes soulageront temporairement vos angoisses mais, quand vos pensées se reformeront, la tentation de reproduire le rituel sera d'autant plus forte qu'elle aura été renforcée par la réduction de l'angoisse. Cette théorie s'accorde fort bien à l'expérience subjective des TOC.

Une psychothérapie en découle directement: celle de l'exposition de la prévention et des réactions. Si vous exposez le patient à la situation redoutée et l'empêchez ensuite d'accomplir son rituel, il commencera par se sentir fort angoissé. S'il continue de se retenir et découvre que le mal prévu ne l'atteint pas (qu'il n'est pas infecté par des microbes, qu'une fuite de gaz n'est pas suivie d'une explosion), ses idées noires vont finir par disparaître et le rituel perdra sa raison d'être. Cette psychothérapie a soulagé des milliers de personnes atteintes de TOC. En voici un exemple spectaculaire:

> *Jacqueline était obsédée à l'idée que du verre brisé puisse lui lacérer le vagin. Elle rangeait ses slips dans un tiroir fermé à clef. Elle scrutait minutieusement les sièges avant de s'asseoir. Elle refusait d'utiliser les toilettes publiques et elle n'aurait jamais porté de jupes évasées. L'idée d'introduire un tampon hygiénique dans son vagin lui était insupportable.*

> *Elle entama une psychothérapie comportementale et accepta de suivre un traitement basé sur la prévention des réactions. Avec l'aide de son psychothérapeute, elle s'asseyait sur des sièges inconnus sans les vérifier. Elle utilisait des toilettes publiques. Étant arrivée à faire ces choses sans trop d'efforts, elle finit par accepter de s'asseoir à même le sol au milieu de bouteilles cassées. Toujours encouragée par son psychothérapeute, elle fut enfin capable d'utiliser des tampons hygiéniques. Ses obsessions et ses compulsions disparurent et ne réapparurent jamais.*

De 50 à 66 p. 100 des patients font des progrès remarquables grâce à la méthode des expositions et de la prévention des réactions et, chez la plupart d'entre eux, le soulagement est durable. À la fin de la psychothérapie, le patient n'est cependant pas dans un état parfaitement normal; ses idées maladives sont toujours latentes. On ne peut se cacher le fait qu'une minorité de malades ne font aucun progrès. Les personnes atteintes de TOC qui sont déprimées, qui éprouvent des désillusions ou qui se livrent encore secrètement à leurs rituels ne guériront probablement jamais.

LE TRAITEMENT ADÉQUAT
TABLEAU RELATIF AUX TROUBLES OBSESSIONNELS COMPULSIFS

PHOBIES OBJECTIVES

	Psychothérapie comportementale	Anfranil
MIEUX-ÊTRE	▲ ▲ ◢	▲ ▲ ◢
RECHUTES	▲ ▲ ▲	▲ ◢
EFFETS SECONDAIRES	▼	▼ ▼ ▼
COÛT	bon marché	bon marché
PÉRIODE	semaines/mois	semaines/mois
GLOBALEMENT	▲ ▲ ◢	▲ ▲

MIEUX-ÊTRE

▲ ▲ ▲ ▲ = de 80 à 100 p. 100 de mieux-être évident ou disparition des symptômes
▲ ▲ ▲ = de 60 à 80 p. 100 de mieux-être
▲ ▲ = au moins 50 p. 100 de mieux-être
▲ = mieux sans doute que par effet placebo
o = sans doute inutile

RECHUTES (après abandon du traitement)

▲ ▲ ▲ ▲ = 10 p. 100 ou moins de rechutes
▲ ▲ ▲ = de 10 à 20 p. 100 de rechutes
▲ ▲ = taux de rechutes moyen
▲ = taux de rechutes élevé

EFFETS SECONDAIRES

▼ ▼ ▼ ▼ = sévères
▼ ▼ ▼ = modérés
▼ ▼ = minimes
▼ = aucun

GLOBALEMENT

▲ ▲ ▲ ▲ = excellent, la thérapie la plus adéquate
▲ ▲ ▲ = très bon
▲ ▲ = utile
▲ = accessoire, secondaire
o = sans doute inutile

Il n'y a pas de preuves suffisantes à l'effet qu'un traitement à base d'Anfranil (clomipramine) *combiné* à une psychothérapie comportementale donne des résultats meilleurs que chacun de ces traitements pris séparément. Voir I. Marks, P. Leliott, M. Basoglu *et al.* «Clomipramine, Self-Exposure, and Therapist-Aided Exposure for Obsessive-Compulsive Rituals», *British Journal of Psychiatry* 152 (1988), pp. 522-534.

Soucis et dépressions sont les éléments des principales émotions retransmises par le canal à refrains des personnes atteintes de TOC. Les sentiments diffusés par les canaux à refrains des gens souffrant de troubles émotionnels différents sont d'une autre nature. Les personnes atteintes, par exemple, de phobies spécifiques sont terrorisées par des scènes horrifiantes de rencontre avec l'objet redouté. Celles souffrant de crises de panique se voient régulièrement victimes de crises cardiaques, de congestions cérébrales, ou carrément mourantes. Celles atteintes d'agoraphobie sont paniquées et terrorisées en s'imaginant à l'extérieur de chez elles, tombant malades et abandonnées sans défense.

Que nous soyons pourvus d'un canal à refrains est un fait auquel personne ne peut rien changer. C'est un aspect tellement essentiel de notre vie mentale que l'évolution veut s'assurer que le canal ne cesse jamais d'émettre. Son importance est telle qu'il est impensable qu'il puisse être ouvert ou fermé par une décision consciente. On peut cependant en changer la programmation et certainement le volume. Et ces changements de contenu et de volume peuvent nous soulager d'une partie de nos problèmes émotionnels. La psychothérapie cognitive appliquée à la panique permet probablement d'éliminer les visions de crises cardiaques et de mort émises par le canal à refrains. La psychothérapie d'extinction appliquée à toutes les formes de phobie et un traitement aux antidépresseurs de l'agoraphobie font considérablement baisser le volume de l'émission relative aux rencontres redoutées. L'Anfranil et la prévention des réactions font passer le volume de très fort à modéré chez les personnes souffrant de TOC. Bien que ce ne soit pas une chose facile à réaliser, l'abaissement du volume du canal à refrains peut dorénavant se révéler efficace pour tous ces problèmes. Je crains cependant qu'après un traitement efficace et réussi des TOC, et probablement aussi des phobies, les vieux refrains soient toujours présents à l'état latent, même s'ils sont peut-être moins «audibles» et moins insistants.

144

8

La dépression

Nous vivons à l'ère de la dépression nerveuse. Elle est actuellement dix fois plus répandue qu'à l'époque de nos grands-parents et le nombre de cas relevés ne cesse d'augmenter. Cette dépression saisit maintenant des individus plus jeunes d'une dizaine d'année en moyenne qu'auparavant et atteint même des préadolescents. Elle est devenue le «rhume banal» des maladies mentales.

Chaque époque est caractérisée par un trouble émotionnel dominant. La première moitié de notre siècle le fut par l'angoisse et sa tonalité affective a été établie par Sigmund Freud. Cet homme a vécu l'agonie de l'empire des Habsbourg, les horreurs de la Première Guerre mondiale et ses séquelles chaotiques. Freud a été le témoin de l'effondrement d'un ordre mondial séculaire et des vagissements d'un nouvel âge. Quand des valeurs anciennes disparaissent et que le futur est imprévisible, l'angoisse s'empare des âmes. C'est elle que Freud a décelée chez ses patients et elle devint le thème dominant de la littérature, du cinéma, de la peinture de l'époque. Il n'est pas surprenant que Freud ait conclu que toutes les névroses et la plupart des comportements humains dérivaient de l'angoisse. Toutes les autres manifestations émotives, comme la dépression, la peur, la colère, la confusion, la honte et la culpabilité, n'étaient dès lors que des éléments de référence accessoires.

Notre époque, par contre, en est une de déréglementation et d'impuissance. Nos valeurs sont stables, mais la lutte des individus et des groupes jamais encore affranchis pour se soustraire à leur impuissance et accéder au pouvoir domine nos politiques, notre littérature, ce qui est aujourd'hui considéré comme les sciences humaines et ce qu'observent, en milieu clinique, les psychothérapeutes. La dépression est la manifestation émotive résultant de l'impuissance, de l'échec individuel et des tentatives déçues d'accession au pouvoir. À notre époque, ce sont la dépression et la tristesse qui sont les émotions dominantes; l'angoisse, quoique étant plus qu'un élément de référence accessoire, n'occupe plus le devant de la scène.

ÉVALUEZ VOTRE DÉPRESSION

Utilisez le test suivant pour déterminer la gravité de votre dépression, si vous en souffrez. Il a été mis au point par Lenore Radloff au centre d'études épidémiologiques des National Institutes for Mental Health (Instituts américains d'hygiène mentale). Soulignez la réponse qui décrit le mieux ce que vous avez ressenti *au cours des sept derniers jours.*

1. Des choses qui ne me dérangent généralement pas m'ont contrarié(e).

    0   Jamais ou rarement (moins d'une journée)

    1   Peu souvent (1 jour ou 2)

    2   Occasionnellement (de 3 à 4 jours)

    3   La plupart du temps (de 5 à 7 jours)

2. Je n'avais pas le goût de manger; je n'avais pas d'appétit.

    0   Jamais ou rarement (moins d'une journée)

    1   Peu souvent (1 jour ou 2)

    2   Occasionnellement (de 3 à 4 jours)

    3   La plupart du temps (de 5 à 7 jours)

3. Je me sentais incapable de me débarrasser de mon cafard même avec l'aide de ma famille et de mes amis.

    0   Jamais ou rarement (moins d'une journée)

    1   Peu souvent (1 jour ou 2)

    2   Occasionnellement (de 3 à 4 jours)

    3   La plupart du temps (de 5 à 7 jours)

4. Je me sentais inférieur(e) aux autres.

    0   Jamais ou rarement (moins d'une journée)

    1   Peu souvent (1 jour ou 2)

    2   Occasionnellement (de 3 à 4 jours)

    3   La plupart du temps (de 5 à 7 jours)

5. J'avais du mal à me concentrer sur ce que je faisais.

    0   Jamais ou rarement (moins d'une journée)

    1   Peu souvent (1 jour ou 2)

    2   Occasionnellement (de 3 à 4 jours)

    3   La plupart du temps (de 5 à 7 jours)

6. Je me sentais déprimé(e).

    0   Jamais ou rarement (moins d'une journée)

    1   Peu souvent (1 jour ou 2)

    2   Occasionnellement (de 3 à 4 jours)

    3   La plupart du temps (de 5 à 7 jours)

7. Tout ce que je faisais me demandait un effort.

    0   Jamais ou rarement (moins d'une journée)
    1   Peu souvent (1 jour ou 2)
    2   Occasionnellement (de 3 à 4 jours)
    3   La plupart du temps (de 5 à 7 jours)

8. Je me sentais sans espoir en l'avenir.

    0   Jamais ou rarement (moins d'une journée)
    1   Peu souvent (1 jour ou 2)
    2   Occasionnellement (de 3 à 4 jours)
    3   La plupart du temps (de 5 à 7 jours)

9. Je considérais ma vie comme un échec.

    0   Jamais ou rarement (moins d'une journée)
    1   Peu souvent (1 jour ou 2)
    2   Occasionnellement (de 3 à 4 jours)
    3   La plupart du temps (de 5 à 7 jours)

10. Tout me paraissait effrayant.

    0   Jamais ou rarement (moins d'une journée)
    1   Peu souvent (1 jour ou 2)
    2   Occasionnellement (de 3 à 4 jours)
    3   La plupart du temps (de 5 à 7 jours)

11. J'étais insomniaque.

    0   Jamais ou rarement (moins d'une journée)
    1   Peu souvent (1 jour ou 2)
    2   Occasionnellement (de 3 à 4 jours)
    3   La plupart du temps (de 5 à 7 jours)

12. J'étais malheureux(se).

    0   Jamais ou rarement (moins d'une journée)
    1   Peu souvent (1 jour ou 2)
    2   Occasionnellement (de 3 à 4 jours)
    3   La plupart du temps (de 5 à 7 jours)

13. Je parlais moins que d'habitude.

    0   Jamais ou rarement (moins d'une journée)
    1   Peu souvent (1 jour ou 2)
    2   Occasionnellement (de 3 à 4 jours)
    3   La plupart du temps (de 5 à 7 jours)

14. Je me sentais seul(e).

    0   Jamais ou rarement (moins d'une journée)
    1   Peu souvent (1 jour ou 2)
    2   Occasionnellement (de 3 à 4 jours)
    3   La plupart du temps (de 5 à 7 jours)

15. Les gens me paraissaient hostiles.

    0   Jamais ou rarement (moins d'une journée)
    1   Peu souvent (1 jour ou 2)
    2   Occasionnellement (de 3 à 4 jours)
    3   La plupart du temps (de 5 à 7 jours)

16. La vie me paraissait vide de sens.

    0   Jamais ou rarement (moins d'une journée)
    1   Peu souvent (1 jour ou 2)
    2   Occasionnellement (de 3 à 4 jours)
    3   La plupart du temps (de 5 à 7 jours)

17. J'avais des crises de larmes.

    0   Jamais ou rarement (moins d'une journée)
    1   Peu souvent (1 jour ou 2)
    2   Occasionnellement (de 3 à 4 jours)
    3   La plupart du temps (de 5 à 7 jours)

18. J'étais triste.

    0   Jamais ou rarement (moins d'une journée)
    1   Peu souvent (1 jour ou 2)
    2   Occasionnellement (de 3 à 4 jours)
    3   La plupart du temps (de 5 à 7 jours)

19. J'avais l'impression que personne ne m'aimait.

    0   Jamais ou rarement (moins d'une journée)
    1   Peu souvent (1 jour ou 2)
    2   Occasionnellement (de 3 à 4 jours)
    3   La plupart du temps (de 5 à 7 jours)

20. Je n'arrivais pas à me «mettre en train».

    0   Jamais ou rarement (moins d'une journée)
    1   Peu souvent (1 jour ou 2)
    2   Occasionnellement (de 3 à 4 jours)
    3   La plupart du temps (de 5 à 7 jours)

Le score de ce test est facile à établir. C'est un simple relevé de symptômes de la dépression. Plus vous obtenez de points, plus il est probable que vous souffrez de dépression. Additionnez les chiffres que vous avez soulignés. Si, sans arriver à vous décider, vous avez encerclé deux réponses, soulignez celle qui compte le plus. Votre résultat total se situera entre 0 et 60.

Avant d'interpréter votre score, vous devriez savoir qu'un total de points élevé n'équivaut pas à un diagnostic de dépression. Certaines personnes qui atteignent un score élevé ne sont pas nécessairement déprimées et d'autres, qui ont obtenu un score minime, pourraient néanmoins souffrir d'une «affection dépressive». Un diagnostic complet de la dépression dépend d'autres éléments comme le fait de savoir à quand remontent les symptômes et à quelle autre cause profonde que la dépression ils peuvent être attribués. Seule une entrevue sérieuse avec un psychologue ou un psychiatre qualifiés pourra permettre un diagnostic valable. Plutôt que de vous en fournir un, ce test vous indiquera avec précision votre *niveau* de dépression actuel.

Si le total des points obtenus se situe entre 0 et 9, vous vous situez dans la tranche de la population non dépressive et sous la moyenne des Américains adultes; entre 10 et 15, vous êtes très légèrement déprimé; entre 16 et 24, vous l'êtes modérément. Si votre score dépasse 25, vous êtes probablement gravement déprimé.

Si tel est le cas, *je vous conseille vivement de vous faire soigner*. Si vous pensez que vous pourriez vous suicider si vous en aviez l'occasion, et cela indépendamment de vos autres réponses, *consultez immédiatement un spécialiste de la santé mentale*. Si vous avez des idées suicidaires en plus d'un résultat vous plaçant parmi les personnes modérément déprimées, faites-vous également examiner de toute urgence par un spécialiste. Si votre score se situe entre 16 et 24, repassez le test au bout de 15 jours. Si le résultat se confirme, prenez rendez-vous avec un spécialiste de la santé mentale.

Après avoir lu la suite de ce chapitre relatif aux traitements efficaces de la dépression, si vous avez des difficultés à trouver un spécialiste qualifié, n'hésitez pas à m'écrire au département de psychologie de l'Université de Pennsylvanie (Philadelphia, PA 19104-USA). Je tâcherai de vous soumettre les coordonnées de spécialistes de votre région capables de vous aider.

LES SYMPTÔMES de la dépression décrits dans le questionnaire du test se divisent en quatre groupes.

D'abord, votre *façon de penser* quand vous êtes déprimé diffère de celle que vous avez quand vous ne l'êtes pas. Lorsque vous êtes déprimé, vous avez une vision pessimiste de vous-même, du monde et de l'avenir. Ce dernier vous paraît sans espoir, et vous attribuez ce fait à votre manque de talent. Les moindres difficultés de parcours vous semblent des obstacles infranchissables. Vous avez l'impression que tout ce que vous touchez s'écroule. Vous avez une réserve inépuisable de raisons pour expliquer que vos réussites ne sont en réalité que des échecs. Le *style explicatif* pessimiste est au cœur de la pensée dépressive. Les causes de vos «tragédies» et de vos échecs vous paraissent permanentes, pénétrantes et personnelles («Cela ne cessera jamais, cela va influer sur tout ce que j'entreprends et tout vient de moi.»). Les causes des événements heureux sont perçues de façon diamétralement opposée.

Le deuxième groupe de symptômes est constitué par des changements d'humeur négatifs. Quand vous êtes déprimé, vous vous sentez en dessous de tout: triste, découragé, enlisé dans le désespoir. Vous pleurez beaucoup, au point parfois d'avoir l'impression de pleurer toutes les larmes de votre corps. La vie perd de son intérêt. Des activités autrefois agréables deviennent ennuyeuses. Les plaisanteries ne vous font plus rire, vous n'y décelez qu'une ironie insupportable. La tristesse n'est pas la seule humeur qui marque la dépression; angoisse et irritabilité sont également souvent présentes. Et quand la dépression devient intense, l'angoisse et l'hostilité font place à l'inertie et au vide.

Le troisième groupe de symptômes de la dépression concerne *le comportement*: la passivité, l'indécision et le suicide. Les personnes déprimées ont souvent du mal à entreprendre des tâches qui sortent de la routine et elles renoncent facilement à s'activer dès qu'elles sont le moindrement contrariées. Une romancière n'arrive pas à trouver sa première phrase. Quand elle se met finalement à la tâche, elle s'arrête dès que l'écran de son ordinateur se met à scintiller et elle ne recommence à travailler qu'au bout d'un mois. Les personnes déprimées n'arrivent pas à faire un choix entre plusieurs solutions. Un étudiant déprimé commande une pizza au téléphone. Quand on lui demande ce qu'il désire sur sa pizza, il est paralysé et ne répond pas; il raccroche au bout de 15 secondes. Bon nombre de personnes déprimées pensent au suicide et tentent même de passer aux actes.

Même votre corps intervient dans la dépression: c'est le quatrième groupe de symptômes, ceux qualifiés de *somatiques*. Plus la dépression est grave, plus ses symptômes seront somatiques. Votre appétit diminue. Vous ne mangez plus. Vous ne faites plus l'amour. Même votre sommeil en souffre; vous vous réveillez aux petites heures, vous vous retournez et vous agitez, essayant sans succès de vous rendormir. Votre réveil finit par sonner et vous commencez la journée non seulement déprimé, mais épuisé.

Il n'est pas nécessaire de présenter des symptômes des quatre groupes, ni même d'en présenter un en particulier, pour être déprimé. Mais plus vous en manifestez et plus ils seront évidents, plus il sera certain que votre problème est dû à la dépression.

Chez certains d'entre nous, ces symptômes sont rares et n'apparaissent que quand plusieurs de nos espoirs sont déçus à la fois. Chez d'autres, la dépression est un état familier qui s'abat sur eux chaque fois qu'ils rencontrent un échec. Chez d'autres enfin, elle est une fidèle compagne, assombrissant les meilleurs moments de l'existence et rendant intolérables les moins bons.

La dépression est, jusqu'à récemment, demeurée un mystère. Qui en était plus facilement victime? D'où provenait-elle? Comment s'en soulageait-on? Toutes ces questions restaient sans réponse. De nos jours, grâce à 30 années de recherches scientifiques intensives entreprises par des milliers de psychologues et de psychiatres dans d'innombrables laboratoires et cliniques à travers le monde, les réponses commencent à poindre. Si quelqu'un présente des symptômes sérieux de dépression, il pourrait souffrir d'une des deux formes différentes du trouble: la dépression *unipolaire* ou *bipolaire*. Les psychologues et les psychiatres cliniciens y trouvent de quoi s'occuper jour après jour. Ce qui fait la différence entre les deux formes de trouble est l'incidence de la manie dans l'une d'entre elles.

La manie est un état psychologique qui semble être le contraire de la dépression: ses symptômes sont l'euphorie injustifiée, la mégalomanie, la logorrhée et l'activité frénétique, l'insomnie prolongée et une estime de soi démesurée. La dépression bipolaire est toujours accompagnée de crises maniaques; on l'appelle d'ailleurs psychose maniaco-dépressive (la manie étant située à un pôle et la dépression à l'autre). La dépression unipolaire, elle, n'est jamais accompagnée de crises maniaques. Une autre différence entre les deux formes de troubles réside dans la nature beaucoup plus héréditaire de la dépression bipolaire. Si l'un de deux jumeaux univitellins est atteint de dépression bipolaire, il y a 72 p. 100 de risques que l'autre en souffre également. (Cette proportion n'est que de 14 p. 100 chez les faux jumeaux.) La dépression bipolaire réagit fort bien au carbonate de lithium. Dans 80 p. 100 des cas, le lithium soigne efficacement la manie et moindrement la dépression. Pris sans interruption, il tend à prévenir de nouvelles crises. La psychose maniaco-dépressive est une maladie considérée avec raison comme un dérèglement somatique que l'on soigne médicalement. Elle n'est semblable qu'en apparence à la dépression unipolaire.

De nos jours, les psychothérapeutes ne sont généralement pas poursuivis pour faute professionnelle quand ils utilisent un traitement suranné ou inefficace; un thérapeute médiocre trouvera toujours un membre de sa corporation appliquant les mêmes méthodes que lui et qui témoignera du caractère «habituel» de leurs procédés. Il est cependant devenu tellement évident selon les données scientifiques que le lithium est efficace et que toute forme de psychothérapie utilisée seule ne l'est pas, que les maniaco-dépressifs qui ne sont pas traités à l'aide de lithium devraient, d'après moi, gagner un procès intenté pour faute professionnelle. De toute façon, si vous souffrez d'une psychose maniaco-dépressive et n'êtes traité que par psychothérapie sans recours au lithium, laissez tomber votre «psy». Il est totalement inacceptable de pratiquer une psychothérapie pour soigner une dépression bipolaire, si ce n'est comme appoint à un traitement pharmacologique.

La dépression unipolaire est de 10 à 20 fois plus répandue que la psychose maniaco-dépressive. C'est un trouble que beaucoup d'entre nous connaissent bien. Elle trouve sa source dans les peines et les pertes qui sont inévitables chez les êtres qui pensent à leur avenir. Nous ne décrochons pas les emplois dont nous rêvons. La Bourse dégringole. Nous sommes repoussés par des personnes que nous aimons. Nos conjoints meurent. Nos conférences n'ont pas d'audience et nos livres ne sont pas lus. Nous vieillissons. Quand nous subissons de telles expériences, les suites sont normales et prévisibles: nous nous sentons tristes et impuissants. Nous devenons passifs et léthargiques. Nos expectatives nous paraissent ternes et nos talents insuffisants pour les rendre plus attrayantes. Nous négligeons nos tâches et en arrivons même à nous absenter du travail. Les activités qui nous plaisaient auparavant perdent de leur charme. La nourriture, la compagnie des autres, le sexe nous intéressent de moins en moins. Nous ne dormons plus.

Mais au bout d'un certain temps, un de ces mystères bienveillants de la nature nous remet en selle. Des formes bénignes de cette dépression (appelée *dépression normale)* sont extrêmement répandues. J'ai toujours observé qu'à un moment ou à un autre, 25 p. 100 d'entre nous passent par une crise de dépression bénigne.

Une controverse sérieuse a trait à la relation existant entre la dépression unipolaire (un trouble reconnu) et la dépression normale. Je suis persuadé qu'elles sont équivalentes et qu'elles ne diffèrent entre elles que par le nombre et la gravité de leurs symptômes. On peut diagnostiquer une dépression unipolaire chez un individu, alors qu'une autre personne présentant les mêmes symptômes ne sera pas considérée comme malade, mais simplement atteinte d'une crise aiguë de dépression normale. La différence entre ces deux diagnostics est mince et dépendra souvent de l'empressement de la personne à réclamer des soins, ou au fait que ses assurances couvrent ou non la dépression unipolaire, ou encore à sa facilité à accepter d'être considérée comme malade.

Mon opinion est radicalement opposée à celle qui prévaut actuellement dans le monde médical, selon laquelle la dépression normale n'est qu'une démoralisation passagère n'intéressant pas la médecine. C'est là l'optique dominante, malgré les preuves évidentes du fait que la dépression unipolaire n'est qu'une grave dépression normale. Personne n'a encore défini ce qui distingue ces dépressions l'une de l'autre comme on a pu le faire, par exemple, entre les nains et les personnes normales de très petite taille — une distinction qualitative.

Ce qu'il y a de plus crucial encore, selon moi, est le fait que les dépressions normales et unipolaires sont décelées de manière exactement semblables: elles se distinguent toutes deux par des changements corporels ainsi que de pensée, d'humeur et de comportement.

L'épidémie

Il est essentiel de savoir que cette forme de dépression exerce, de nos jours, des ravages et que les femmes en sont les principales victimes.

Vers la fin des années 70, sous l'impulsion de Gerald Klerman, un psychiatre biologiste visionnaire, le gouvernement des États-Unis a financé deux importantes enquêtes sur les maladies mentales. Leurs conclusions furent saisissantes. Au départ, 9500 personnes furent choisies au hasard pour former un échantillon de la population américaine adulte. Chacune fut interrogée de la même façon qu'un malade se présentant chez un spécialiste de la santé mentale reconnu.

Du fait qu'un nombre si important d'adultes d'âges différents avaient été interviewés, l'étude donnait un aperçu, unique en son genre, de l'évolution des maladies mentales au cours de nombreuses années et permettait de relever les changements qui s'étaient produits depuis le début du XXe siècle. Un des changements les plus spectaculaires était la prévalence de la dépression au cours d'une vie, c'est-à-dire le pourcentage de la population qui en a souffert au moins une fois. Il semble évident que plus vous êtes âgé, plus vous avez de risques d'avoir été atteint. Par exemple, la prévalence d'une fracture de la jambe au cours d'une vie augmente avec l'âge, car plus vous êtes vieux, plus vous avez d'occasions de vous casser un membre.

On s'attendait qu'une personne née vers le début du siècle ait une prévalence élevée de dépression au cours de sa vie. Une personne née en 1920 aurait logiquement plus de probabilités d'avoir été atteinte de dépression qu'une autre née en 1960. Avant d'avoir étudié les résultats de l'enquête, les statisticiens auraient pu affirmer en toute confiance que si vous aviez 25 ans au moment de l'interview, donc si vous étiez né autour de 1955, il y avait environ 6 p. 100 de risques que vous ayez eu au moins une crise aiguë de dépression; si vous étiez âgé de 25 à 44 ans, vos risques d'avoir été sérieusement déprimé devraient avoir grimpé à 9 p. 100 environ, comme dans toute statistique cumulative sensée.

Or, quand les statisticiens se sont penchés sur les résultats de l'étude, ils ont constaté une chose tout à fait curieuse. Les personnes nées autour de 1925 n'avaient que peu souffert de dépression; 4 et non 9 p. 100 d'entre elles en avaient été atteintes. Et quand les statisticiens examinèrent les résultats concernant les gens nés encore plus tôt, avant la Première Guerre mondiale, ils constatèrent quelque chose d'encore plus étrange: la prévalence en cours de vie n'avait pas augmenté; elle avait, en fait, chuté à 1 p. 100. Cela signifiait que les gens nés dans la seconde moitié du siècle étaient 10 fois plus enclins à la dépression que leurs aînés.

Une seule enquête scientifique, même aussi bien menée que celle-ci, ne permet pas aux scientifiques de conclure à une «épidémie». Heureusement, une autre étude majeure fut entreprise en même temps que la première. Cette fois, les sujets de l'enquête ne furent pas choisis au hasard; ils le furent en fonction du fait qu'un de leurs proches parents avait déjà été hospitalisé à cause d'une dépression.

Les résultats de l'enquête bouleversèrent à nouveau les prévisions. Ils démontraient un accroissement important des cas de dépression en cours de siècle; ils avaient en effet décuplé. Par exemple, 3 p. 100 seulement des femmes de la génération de la Première Guerre mondiale avaient déjà souffert d'une sérieuse dépression à l'âge de 30 ans, âge qu'ont aujourd'hui les femmes nées durant la Guerre de Corée. Ces dernières, par contre, ont été atteintes du même mal dans une proportion 20 fois supérieure, c'est-à-dire de 60 p. 100. Les statistiques relatives aux hommes ont indiqué la même courbe surprenante. Le nombre d'hommes ayant souffert de dépression était inférieur de moitié à celui des femmes (un fait notable que j'analyserai un peu plus loin), mais le nombre de cas suivait la même courbe ascendante au cours des ans.

De nos jours, les dépressions graves ne sont pas seulement plus répandues, elles s'attaquent aussi à des personnes de plus en plus jeunes. Si vous étiez né dans les années 30 et, à un moment quelconque depuis lors, aviez eu un parent déprimé, votre première crise de dépression éventuelle vous aurait frappé entre les âges de 30 et 35 ans, en moyenne. Si vous étiez né en 1956, votre première dépression se déclarerait entre l'âge de 20 et de 25 ans, 10 ans plus tôt. Comme la dépression aiguë réapparaît chez environ la moitié des personnes qui en ont été atteintes une première fois, ces 10 années supplémentaires d'exposition au mal aboutissent à un véritable océan de larmes.

Cette tendance de l'accroissement des cas de dépression à un plus jeune âge se poursuit dans les années 90. Le Dr Peter Lewinsohn, de l'ORI (Institut de recherche de l'Oregon), a récemment interviewé 1710 adolescents, la moitié nés entre 1968 et 1971, l'autre moitié entre 1972 et 1974. Les aînés montraient un taux alarmant de dépression: à l'âge de 14 ans, 4,5 p. 100 d'entre eux avaient déjà fait une crise aiguë de dépression. Les plus jeunes étaient encore plus mal en point: à 14 ans, 7,2 p. 100 avaient déjà fait une crise. Il est choquant que tant d'Américains puissent connaître une telle misère psychologique dans un pays aussi prospère, mondialement puissant et où règne une certaine aisance matérielle.

Dans tous les cas, tout cela permet maintenant de conclure à une épidémie.

Hommes et femmes

Études et enquêtes ont toutes conclu qu'au cours du XXᵉ siècle, la dépression a frappé plus souvent les femmes que les hommes. Le rapport est actuellement de deux contre un.

Serait-ce dû au fait que les femmes ont plus facilement recours à une psychothérapie que les hommes et apparaissent ainsi plus souvent dans les statistiques? Non. La même prépondérance est attestée par les enquêtes de porte à porte.

Serait-ce parce que les femmes ont tendance à parler plus ouvertement de leurs problèmes? Probablement que non. Le rapport de deux contre un se vérifie dans des conditions de recherche tant publiques qu'anonymes.

Serait-ce dû au fait que les femmes occupent des emplois moins attrayants et moins rémunérateurs que les hommes? Non. La proportion se maintient à deux contre un même quand on observe des groupes d'hommes et de femmes qui se ressemblent sur le plan des emplois et du revenu; les femmes riches sont deux fois plus souvent déprimées que les hommes nantis et les femmes sans emploi le sont aussi deux fois plus souvent que les chômeurs.

Serait-ce une sorte de différence biologique qui expliquerait ce surcroît de dépression? Certaines différences biologiques pourraient y contribuer, mais pas dans une telle proportion de deux contre un. Des recherches sur les états émotionnels prémenstruels et post-partum montrent que, si des hormones affectent bien la dépression, leurs effets sont loin d'être suffisants pour expliquer une telle disparité.

Serait-ce une différence génétique? Des études approfondies et comparatives sur les cas de dépression affectant les fils et les filles de femmes et d'hommes dépressifs indiquent qu'un nombre substantiel de fils d'hommes dépressifs sont atteints. Considérant la façon dont les chromosomes sont transmis de père à fils et de mère à fille, le nombre de cas de dépression chez les hommes relevé par ces études est trop élevé pour accréditer le fait que la génétique puisse être la cause de la disproportion du rapport. Quoiqu'il y ait certaines raisons valables de croire à l'influence des gènes sur la dépression, la génétique ne suffit probablement pas à justifier une telle disproportion des cas de dépression chez la femme par rapport à l'homme.

Serait-ce dû à la pression du rôle relié au sexe? Probablement pas. Dans la vie contemporaine, les femmes *sont soumises* à plus d'exigences conflictuelles que les hommes. Elles jouent aujourd'hui leurs rôles de mère et d'épouse et souvent, occupent en plus un emploi. Cette exigence supplémentaire pourrait créer une tension inconnue auparavant et accélératrice de dépression. Tout cela semble plausible mais, comme beaucoup de théories idéologiques «sympathiques», celle-ci se heurte cependant aux faits. Généralement, en effet, les épouses qui travaillent à l'extérieur sont moins, et non plus, déprimées que celles qui ne le font pas. Les justifications basées sur le rôle relié au sexe ne semblent donc pas s'appliquer à la prépondérance de la dépression chez les femmes.

Il ne reste que trois explications possibles:

La première tiendrait en l'*impuissance apprise*. Dans nos sociétés, il est convenu que les femmes sont confrontées tout au long de leur vie à leur impuissance. Le comportement des garçons est louangé ou critiqué par leurs parents et leurs enseignants, celui des filles est souvent ignoré. On prépare les garçons à l'indépendance et à l'activité, les filles à la passivité et à la dépendance. Quand elles deviennent adultes, les femmes se retrouvent dans une culture qui dévalorise le rôle de la mère et de l'épouse. Si elles se tournent vers le monde du travail, leurs réalisations sont moins prisées que celles des hommes. Si elles prennent la parole en public, elles fatiguent plus vite leur auditoire que les hommes. Si elles arrivent, malgré tout, à exceller dans leur domaine et à atteindre un sommet dans la hiérarchie, on estime qu'elles ne sont pas à leur place. L'impuissance apprise se manifeste à tout moment et elle engendre immanquablement la dépression.

La deuxième explication du fait que les femmes soient plus souvent déprimées serait la *rumination*. Cette théorie voudrait que lorsque les ennuis commencent, les hommes agissent et les femmes réfléchissent. Elles perdent leur emploi et essaient de comprendre pourquoi; elles se morfondent et revivent sans cesse l'événement. Un homme mis à pied sort et se saoule, se bagarre ou, sinon, se distrait pour ne plus y penser. Il peut même se mettre immédiatement en chasse d'un nouvel emploi, sans se poser de questions sur ce qui n'a pas marché. Si la dépression est un désordre de la pensée, la rumination l'entretient. La tendance à analyser l'alimente; la tendance à agir l'atténue, du moins à court terme.

En fait, la dépression déclenche elle-même la rumination et de façon plus intense chez la femme que chez l'homme. Que faisons-nous quand nous nous sentons déprimés? Les femmes essaient de remonter à la source de leur dépression. Les hommes jouent au tennis ou partent travailler au bureau afin de se changer les idées. Il est surprenant de constater combien les hommes sont plus souvent alcooliques ou drogués que les femmes, à tel point que nous pourrions nous hasarder à dire: «Les hommes boivent, les femmes dépriment.» Les femmes, en se tourmentant pour trouver les sources de leur dépression, ne font que l'aggraver, alors que les hommes, en se jetant dans l'action, lui coupent l'herbe sous le pied.

La théorie de la rumination pourrait expliquer l'épidémie de dépression prise dans son ensemble de même que la disproportion du mal entre hommes et femmes. Nous vivons à l'ère de la rationalité et de la conscience de soi. Nous sommes encouragés à prendre nos problèmes plus au sérieux et à les analyser sans répit plutôt que d'agir. Et comme la pensée négative amplifie la dépression, le résultat pourrait bien être un accroissement du mal.

La troisième explication possible est la *recherche de la minceur*. Dans nos sociétés occidentales, les femmes, beaucoup plus que les hommes, ont été convaincues que la minceur équivaut à la beauté. L'idéal de minceur est cependant biologiquement impossible à atteindre. Si vous êtes parmi ceux et celles qui suivent constamment des régimes amaigrissants, vous êtes voué à la dépression. Ou vous échouerez à empêcher les kilos excédentaires de réapparaître, comme 95 p. 100 des femmes (et alors vos échecs et les fréquents rappels de votre «graisse» vous déprimeront) ou vous réussirez et deviendrez des anorexiques ambulants, mourant toujours de faim (voir le chapitre 12) et souffrant de l'un des principaux effets secondaires de l'inanition, c'est-à-dire la dépression.

Dans toutes les sociétés qui, à travers le monde, ont la minceur pour idéal, un plus grand nombre de femmes sont déprimées. Ces pays connaissent également des problèmes nutritionnels. Des sociétés qui ne professent pas cet idéal ne connaissent pas ces problèmes et les femmes qui y vivent ne sont pas plus déprimées que les hommes.

J'ai participé à une enquête menée auprès de plusieurs centaines d'écoliers terminant leurs études primaires. Nous voulions voir s'il était possible de déterminer, chez les filles au seuil de la puberté, celles qui risquaient le plus de tomber en dépression. Le facteur de risque principal nous apparut être un mécontentement relatif aux formes du développement corporel. Quand les garçons deviennent pubères, ils commencent à devenir musclés et à prendre les formes de l'homme «idéal». Chez les filles, par contre, se développent des tissus adipeux qui vont à l'encontre des canons de la mode. Les adolescentes subissent un véritable lavage de cerveau qui les persuade que les formes pleines sont laides. Avant la puberté, les garçons sont plus dépressifs que les filles, mais aussitôt que celles-ci quittent l'enfance, c'est le contraire qui se vérifie.

Il y a donc trois facteurs qui font que les femmes sont plus sujettes à la dépression que les hommes: plus d'exposition à l'impuissance, plus de tendances à la rumination et la vaine recherche de la minceur. Or, ces trois facteurs peuvent être modifiés. Changer l'idéal de la minceur dépend surtout d'une évolution des habitudes sociales. Changer les tendances à la rumination et l'endoctrinement des filles à l'impuissance est du domaine de la psychothérapie et d'un progrès dans les méthodes d'éducation des enfants.

Les traitements plus ou moins efficaces de la dépression

La dépression peut, la plupart du temps, être considérablement écourtée et son intensité diminuée par des traitements. Quatre thérapies donnent de bons résultats: deux sont d'ordre biologique: les médicaments et l'électroconvulsivothéraphie (ECT); deux autres sont d'ordre psychologique: la thérapie interpersonnelle (TIP) et la thérapie cognitivo-comportementale (TCC). Toutes les quatre ont été soumises à des tests rigoureux auxquels ont participé des dizaines de milliers de personnes déprimées. Elles donnent toutes des résultats modérément bons et équivalents.

Méfiez-vous de toute autre forme de traitement destiné aux dépressions unipolaires.

Les médicaments. Les principaux groupes de médicaments sont les antidépresseurs tricycliques (comme, par exemple, l'Elavil, le Tofranil et le Sinequan), les inhibiteurs de la mono-amine-oxydase (IMAO) (Marplan, Nardil et Parnate) et les inhibiteurs à recaptage de sérotonine (Prozac). Tous ces produits pharmaceutiques demandent de 10 jours à 3 semaines avant d'agir. Lorsque leurs effets se font sentir, ils apaisent manifestement la dépression dans 65 p. 100 des cas. Ça, c'est la bonne nouvelle.

Voici maintenant les mauvaises nouvelles. D'abord, un quart des déprimés environ ne peuvent pas ou ne veulent pas prendre de médicaments à cause, surtout, de leurs effets secondaires. Ensuite, quand on cesse la médication, les risques de rechute ou de récidive de la dépression sont considérables, probablement semblables aux risques encourus avant de prendre le médicament. Pour éviter ce retour, il faudra continuer le traitement, peut-être à vie.

L'ECT. L'électroconvulsivothérapie est un traitement apeurant. On lui fait fort mauvaise presse, ce qui n'est pas mérité, mais elle est tout de même loin d'être sans effets nuisibles. La plupart du temps, elle est rapide et très efficace. Une série d'électrochocs administrés en quelques jours apaise une dépression grave dans 75 p. 100 des cas. De nombreuses vies ont été indubitablement sauvées grâce au traitement, surtout celles de personnes gravement suicidaires.

Les mauvaises nouvelles sont identiques à celles concernant les médicaments. Bon nombre de personnes refusent de se soumettre à une ECT à cause de ses très sérieux effets secondaires, comme la perte de mémoire, les modifications cardiovasculaires et la confusion mentale et à cause, aussi, du fait qu'il s'agit d'une intervention médicale majeure. Ce qui est plus grave, c'est qu'il n'est pas prouvé que le traitement élimine les risques de rechute. Il ne procure qu'un soulagement certain.

Les deux traitements d'ordre biologique offrent donc un soulagement efficace. Mais ils ont aussi de sérieux effets secondaires. Ils ne sont finalement que des thérapies d'appoint, car ils ne résolvent pas les problèmes sous-jacents et la dépression a de fortes probabilités de réapparaître si vous cessez de vous soigner.

La thérapie cognitivo-comportementale (TCC). Cette psychothérapie qui tend à changer la forme consciente de pensée des personnes déprimées en ce qui concerne leurs échecs et leurs défaites, leurs pertes et leurs impuissances, utilise cinq tactiques fondamentales.

Premièrement, elle vous apprend à reconnaître les pensées automatiques, ces petites phrases rapides si souvent utilisées qu'elles passent pratiquement inaperçues et restent non contredites, au moment où vous vous sentez au plus mal et qu'elles vous traversent l'esprit.

> *Une mère de trois enfants se fâche souvent, et crie, juste au moment où ils quittent la maison pour l'école. Cela la déprime sérieusement. La TCC lui fait reconnaître qu'immédiatement après chacun de ces incidents, elle se répète toujours: «Je suis une mauvaise mère — pire même que la mienne.» Elle apprend à prendre conscience de ces pensées automatiques.*

164

Deuxièmement, la TCC vous apprend à mettre en doute les pensées automatiques en vous concentrant sur des faits contradictoires.

La mère se souvient que, quand les gamins rentrent de l'école, elle joue avec eux au football, leur fait réviser leur géométrie et discute de leurs problèmes en leur prêtant une oreille attentive. Elle digère ces faits et remarque qu'ils contredisent ses convictions d'être une mauvaise mère.

Troisièmement, le traitement vous apprend à trouver des explications différentes, appelées *réattributions,* et à les utiliser pour contredire vos pensées automatiques.

La mère apprend à se dire: «Je m'occupe bien des enfants dans l'après-midi mais je suis odieuse avec eux le matin. Peut-être ne suis-je pas d'un tempérament matinal.»

Cette idée est bien moins tranchante et pénétrante pour expliquer la réprimande matinale des enfants. La mère apprendra à interrompre sa chaîne d'explications négatives, qui dit: «Je suis une mauvaise mère, je ne mérite pas d'avoir des enfants, je ne mérite donc pas de vivre» en y insérant la nouvelle idée explicative: «Il est tout à fait illogique de conclure que je ne mérite pas de vivre parce que je n'ai pas un tempérament matinal.»

Quatrièmement, la TCC vous apprend à vous détacher des pensées déprimantes. Quand on est, par exemple, contraint d'exécuter une tâche au mieux de ses possibilités, la rumination rend les choses encore plus difficiles. Il vaut souvent mieux arriver à ne plus penser quand vous essayez de faire de votre mieux. Vous apprenez à contrôler non seulement vos pensées mais également le moment où vous les émettez.

Cinquièmement, la thérapie vous apprend à remettre en question les affirmations génératrices de dépression qui régentent tant de vos actes:

- «Je ne peux pas vivre sans amour.»
- «Si ce que je fais n'est pas parfait, c'est que je suis un raté.»
- «Si je ne suis pas aimé par tous, c'est que je suis haïssable.»
- «Il y a une solution parfaite à tout problème. Il faut que je la trouve.»

Des principes de ce genre vous entraînent tout droit à la dépression. Si vous choisissez de les adopter — comme tant d'entre nous —, votre vie sera perpétuellement cafardeuse. Vous pouvez cependant choisir une nouvelle série de principes de vie moins sévères.

- «L'amour est une chose précieuse bien que rare.»
- «Le succès, c'est faire de mon mieux.»
- «Pour toute personne qui vous aime, il y en a une à qui vous ne plaisez pas.»
- «La vie consiste à vaquer au plus pressé.»

La TCC donne de très bons résultats et soulage considérablement 70 p. 100 des personnes déprimées. Elle est relativement aussi efficace que les produits pharmaceutiques habituellement prescrits, mais un peu moins que l'ECT. La thérapie commence à faire effet au bout d'un mois environ et est brève; elle ne dure généralement que quelques mois, à raison d'une ou deux séances par semaine. D'une certaine façon, la TCC est vraiment plus efficace qu'un traitement aux médicaments ou une série d'électrochocs unique: elle diminue les risques de dépression future en vous enseignant de nouvelles techniques de pensée que vous pourrez utiliser la prochaine fois que les choses tourneront vraiment mal pour vous. Mais si la TCC diminue les risques de rechute plus que les médicaments, elle ne les élimine pas complètement.

Les principales réserves que j'émets quant à la TCC sont reliées aux faits suivants. Premièrement, elle donne de meilleurs résultats avec les dépressions d'intensité moyenne qu'avec les plus intenses qui devraient être plutôt traitées d'abord avec des médicaments. Ensuite, la psychothérapie cognitive a surtout été utilisée pour traiter des personnes éduquées qui sont «psychologiquement disposées», c'est-à-dire des gens conscients de ce qu'ils pensent et des effets de leurs pensées sur leurs émotions. On ne sait que peu de choses sur l'efficacité de la TCC pour aider les personnes moins éduquées et moins évoluées. Enfin, le fait qu'il y ait tant de rechutes dans les cas de dépression aiguë, même traitée par la TCC, montre qu'il faudra parcourir encore un bon bout de chemin avant de pouvoir affirmer que le traitement apporte plus qu'un «soulagement modéré».

La thérapie interpersonnelle (TIP). Cette psychothérapie se concentre sur les relations sociales. Elle a pris de l'importance depuis que l'étude des dépressions financée par la NIMH (Institut américain d'hygiène mentale) a prouvé qu'elle était aussi efficace que les antidépresseurs tricycliques et au moins aussi active que la TCC.

Cette psychothérapie est dérivée des traitements psychanalytiques à long terme mis au point par Harry Stack Sullivan et Frieda Fromm-Reichmann. Mais la TIP n'est en rien psychanalytique. Elle ne s'intéresse pas aux problèmes de l'enfance ni aux mécanismes de défense prolongés. La TIP ne se pratique pas, non plus, à long terme; elle s'effectue généralement en 12 à 16 séances hebdomadaires.

La TIP considère la dépression sous un angle médical, se basant sur l'opinion que le trouble a de nombreuses causes tant biologiques qu'environnementales. Les problèmes interpersonnels occupent cependant une position dominante parmi ces causes. La TIP s'attaque aux problèmes qui surgissent subitement dans les relations avec d'autres personnes. Les querelles, frustrations, angoisses et désillusions courantes sont les principaux sujets de cette thérapie. Elle se penche sur quatre catégories de problèmes de la vie quotidienne des patients: les chagrins, les conflits, les changements de rôle et les problèmes de relations avec l'entourage.

Pour soigner les chagrins, la TIP recherche les réactions anormales. Elle fait s'écouler les larmes retenues et aide les patients à nouer de nouveaux liens sociaux qui compenseront la perte subie. En ce qui concerne les conflits, les praticiens aident leurs patients à déterminer où en est la relation interrompue: faut-il la renégocier? Est-elle dans une impasse? Est-elle irrémédiablement suspendue? On enseigne aux patients à communiquer, à négocier, à convaincre. Les changements de rôle comprennent la retraite, le divorce et le départ du foyer. Quand les praticiens de la TIP doivent s'occuper de ce genre de problèmes, ils amènent leurs patients à réévaluer le rôle perdu, à exprimer leurs émotions relatives à la perte, à développer des aptitudes sociales convenant à leur nouvelle situation et à établir de nouveaux supports sociaux. Pour aider les patients à régler leurs problèmes de relations avec leur entourage, la TIP recherche des types périodiques de comportement dans les relations passées des patients. On encourage l'expression émotionnelle. On fait ressortir les talents et les faiblesses sociales habituelles. Quand on découvre des faiblesses, on organise des jeux de rôle et on développe des techniques de communication.

Les principales qualités de la TIP résident dans le fait qu'elle est brève (elle ne dure que quelques mois) et économique, qu'elle ne comporte pas d'effets secondaires et qu'elle s'est montrée fort efficace en soulageant la dépression dans 70 p. 100 des cas environ. Son principal défaut est dû au fait qu'elle n'est que peu pratiquée (il est très difficile de trouver un praticien de la TIP en dehors de la ville de New York). Cela signifie que peu de recherches ont été entreprises pour découvrir ses composantes actives et pour reproduire ses résultats favorables dans le traitement de la dépression.

LE TRAITEMENT ADÉQUAT
TABLEAU RELATIF À LA DÉPRESSION UNIPOLAIRE

	TCC	TIP	Médicaments	ECT
MIEUX-ÊTRE	▲ ▲ ▲	▲ ▲ ▲	▲ ▲ ▲	▲ ▲ ▲ ◢
RECHUTES	▲ ▲ ◢	▲ ▲ ◢ ?	▲ ◢	▲ ◢
EFFETS SECONDAIRES	▼	▼	▼ ▼ ▼	▼ ▼ ▼ ▼
COÛT	 tous sont bon marché			
PÉRIODE	mois	mois	semaines	jours
GLOBALEMENT	▲ ▲ ▲	▲ ▲ ▲	▲ ▲ ◢	▲ ▲ ◢

TCC = Thérapie cognitivo-comportementale; TIP = Thérapie interpersonnelle; Médicaments = Inhibiteurs tricycliques, IMAO et inhibiteurs à recaptage de sérotonine; ECT = Électroconvulsivothérapie.

MIEUX-ÊTRE

▲ ▲ ▲ ▲ = de 80 à 100 p. 100 de mieux-être évident ou disparition des symptômes
▲ ▲ ▲ = de 60 à 80 p. 100 de mieux-être
▲ ▲ = au moins 50 p. 100 de mieux-être
▲ = mieux sans doute que par effet placebo
o = sans doute inutile

RECHUTES (après abandon du traitement)

▲ ▲ ▲ ▲ = 10 p. 100 ou moins de rechutes
▲ ▲ ▲ = de 10 à 20 p. 100 de rechutes
▲ ▲ = taux de rechutes moyen
▲ = taux de rechutes élevé

EFFETS SECONDAIRES

▼ ▼ ▼ ▼ = sévères
▼ ▼ ▼ = modérés
▼ ▼ = minimes
▼ = aucun

GLOBALEMENT

▲ ▲ ▲ ▲ = excellent, la thérapie la plus adéquate
▲ ▲ ▲ = très bon
▲ ▲ = utile
▲ = accessoire, secondaire
o = sans doute inutile

La dépression de tous les jours

Vos scores de test sur la dépression vous situaient probablement sous le niveau des sujets modérément à gravement déprimés, la plupart des individus totalisant entre 5 et 15 points. Si c'est votre cas, vous n'avez sans doute pas besoin d'une thérapie. Il se peut que vous soyez un peu triste, que votre vie ne vous semble pas souvent enthousiasmante, que vous vous fatiguiez assez vite, que vos revers vous fassent sérieusement mal, que les réunions mondaines drainent vos énergies plutôt que de vous en apporter et que votre avenir ne vous paraisse pas rose. Cela ne signifie pas pour autant que vous souffriez de troubles dépressifs.

Pourtant, si les sentiments décrits ci-dessus correspondent à vos états d'âme actuels, vous devriez essayer de modifier la situation, car une dépression même bénigne empoisonne l'existence. Les quatre mêmes catégories de symptômes, c'est-à-dire la tristesse, le pessimisme, la passivité et les appétits physiques refoulés se manifestent quand la dépression est bénigne avec, cependant, moins de virulence. Quand la dépression bénigne devient partie intégrante du mode de vie, elle est injustifiée et demande à être éliminée.

La dépression bénigne est généralement causée par des habitudes de pensée défaitistes. Le pessimisme donne un caractère permanent («Cela va durer toujours»), envahissant («Cela va *tout* gâcher») et personnel («C'est de ma faute») aux causes des échecs et des rejets qu'on subit. Ces sentiments habituels ne sont que de simples opinions personnelles. Elles sont souvent fausses et carrément exagérées. La thérapie nous démontre cependant que ces mécanismes de pensée peuvent être modifiés de façon permanente, même dans les cas de dépression aiguë. Les gens souffrant de dépressions bénignes peuvent généralement y arriver sans thérapie.

La contestation est la technique primordiale de la pensée optimiste. C'est une réaction que chacun d'entre nous maîtrise, mais que nous n'utilisons normalement que lorsque *d'autres* nous accusent injustement. Si des amis jaloux vous reprochent d'être un cadre incompétent ou une mauvaise mère, vous trouverez vite des preuves niant l'accusation et les cracherez à la face de vos tourmenteurs. Les dépressifs légers se lancent le même genre d'accusations, *les concernant personnellement,* plusieurs fois par jour. Vous assistez à une réunion mondaine et vous vous dites: «Je n'ai rien à dire. Personne ne va apprécier ma compagnie. J'ai une tête épouvantable.» Quand ces accusations proviennent de vous, vous les considérez comme irrécusables. Mais vos pensées pessimistes automatiques sont tout aussi injustifiées et irrationnelles que les divagations de vos rivaux jaloux. Ce ne sont pas des faits réels qui sont à l'origine de ces idées, mais bien des reproches formulés jadis par vos parents en colère, des moqueries d'une grande sœur jalouse, les remontrances d'un curé obtus, le tout digéré passivement dans vos jeunes années.

En vous disciplinant, vous arriverez à devenir des contradicteurs émérites de vos idées pessimistes. Il n'y a pas si longtemps, j'ai écrit un livre à ce sujet, *Apprendre l'optimisme** Il contient des exercices qui pourraient vous être utiles. Il serait déplacé d'en reproduire ici le contenu, mais je ne peux m'empêcher de vous en recommander la lecture. Les techniques de l'optimisme, une fois apprises, ne s'oublient plus. La discipline requise n'est en rien semblable à celle d'un régime alimentaire. Comme nous le verrons au chapitre 12, les effets de ce dernier s'annulent presque toujours au bout d'un certain temps. Suivre un régime, refuser des mets qu'on adore, n'est vraiment pas amusant. Contredire ses propres pensées négatives *est,* par contre, fort plaisant. Quand vous arriverez à maîtriser la technique, vous vous sentirez immédiatement mieux et vous voudrez continuer à l'appliquer. Si votre moral est souvent à zéro, vous pouvez changer votre mode de pensée. Quand vous le ferez, votre vie vous semblera valoir la peine d'être vécue.

---

* *Op. cit.*

9

La personne en colère

Pour certains des graves outrages de l'existence,
le meilleur remède est l'action directe.
Pour les outrages sans grande importance, le meilleur
des remèdes est un film de Charlie Chaplin.
Le plus difficile est d'évaluer l'outrage.

(Interprétation du traducteur d'un passage
de *Anger: The Misunderstood Emotion*
[La Colère: une émotion incomprise]
par Carol Tavris.)

CONFLIT AUTOUR DU LAVE-VAISSELLE

Québec, 20 h 15

CATHERINE: *Pour l'amour de Dieu, frotte la crasse des assiettes*
avant de me les passer.

FRÉDÉRIC: *Tu ne vois pas que je les rince?*

CATHERINE: *Les rincer ne suffit pas. Je t'ai répété 100 fois que la machine à laver ne récure pas la vaisselle.*

FRÉDÉRIC: *Ouais, je vois. Faut que j'lave les assiettes avant que toi, tu les mettes à laver.*

CATHERINE: *Tu n'pourrais pas me donner juste un coup d'main, avant de commencer à te plaindre?*

FRÉDÉRIC: *Tu n'as pas l'air de te rendre compte que j'en ai bavé toute la journée au boulot. Je ne mérite pas qu'on m'emmerde dès que je rentre à la maison!*

CATHERINE: *T'en as bavé au boulot? Et moi... avec deux moutards et un lardon de six mois sur les bras? C'est la fête, sans doute? J'ai besoin d'un homme qui m'aide, pas d'un gars mollasse.*

FRÉDÉRIC: *Mollasse? Et quoi encore? Qu'as-tu fait d'autre que la gueule la semaine dernière, à la soirée pour célébrer ma promotion? Tu n'es qu'une garce ingrate!*

(Frédéric sort en claquant la porte. Catherine éclate en sanglots, folle de rage devant son impuissance.)

Cette querelle est un exemple des plus classiques. Mari et femme ont chacun des reproches à s'adresser. Il suffit d'une peccadille, comme cette affaire de vaisselle sale, pour qu'émergent leurs ressentiments latents. Les problèmes sous-jacents ne se contentent pas alors de transpirer, ils surgissent de façon explosive.

À cause de ce subit éclat, Catherine et Frédéric sont pris de court et ni l'un ni l'autre n'ont le sang-froid nécessaire pour ne pas se montrer agressifs et sur la défensive. Rien n'est réglé entre eux et un nouvel incident s'ajoute maintenant à la masse croissante des sujets de querelles futures.

Vous trouvez-vous souvent en «conflit autour du lave-vaisselle» avec des personnes qui vous sont chères? Les problèmes s'amplifient-ils sans que rien ne soit réglé? Êtes-vous collecteur de rancunes? Essayons de voir si vous êtes du genre de «la personne en colère». Je vous demande de faire un inventaire de vos emportements. Il n'y a aucun piège ni rien de profond dans le questionnaire suivant. Votre score vous dira où vous vous situez par rapport à d'autres adultes.

INVENTAIRE DES COLÈRES

Lisez chacun des «aveux» et soulignez le chiffre correspondant à votre réponse indiquant comment *vous vous sentez généralement*. Il n'y a pas de bonne ou de mauvaise réponse. Ne réfléchissez pas trop longtemps sur un «aveu» en particulier; contentez-vous de choisir la réponse qui correspond *en général* à votre personnalité.

1. Je suis «soupe au lait».

Presque jamais	Parfois	Souvent	Presque toujours
1	2	3	4

2. Je suis irascible.

Presque jamais	Parfois	Souvent	Presque toujours
1	2	3	4

3. Je suis une personne impétueuse.

Presque jamais	Parfois	Souvent	Presque toujours
1	2	3	4

4. Je me fâche quand je suis ralenti(e) par les erreurs d'autrui.

Presque jamais	Parfois	Souvent	Presque toujours
1	2	3	4

5. Je suis mécontent(e) quand on ne me félicite pas pour un travail bien fait.

Presque jamais	Parfois	Souvent	Presque toujours
1	2	3	4

6. Je sors facilement de mes gonds.

Presque jamais	Parfois	Souvent	Presque toujours
1	2	3	4

7. Quand je suis en colère, je dis des choses blessantes.

Presque jamais	Parfois	Souvent	Presque toujours
1	2	3	4

8. Je suis furieux(se) quand on me critique en public.

Presque jamais	Parfois	Souvent	Presque toujours
1	2	3	4

9. Quand je suis frustré(e), j'ai envie de frapper quelqu'un.

Presque jamais	Parfois	Souvent	Presque toujours
1	2	3	4

10. Je suis hors de moi quand mon travail, s'il est bien fait, est sous-évalué.

Presque jamais	Parfois	Souvent	Presque toujours
1	2	3	4

Votre score. Additionnez simplement les chiffres correspondant à vos réponses aux 10 questions. Plus votre total est élevé, plus la colère est dominante dans votre vie.

Si le total de vos points est de 13 ou moins, vous êtes parmi les 10 p. 100 de gens les moins colériques.

Si le total de vos points est de 14 ou 15, vous êtes parmi les 25 p. 100 de personnes plutôt peu colériques.

Si le total de vos points se trouve entre 17 et 20, vous vous situez dans la moyenne.

Si le total de vos points est de 21 à 24, votre niveau d'irascibilité est élevé, atteignant un centile de 75.

Si le total de vos points est de 29 ou 30 et que vous êtes un homme, votre niveau d'irascibilité atteint un centile d'environ 90.

Si le total de vos points se situe entre 25 et 27 et que vous êtes une femme, votre niveau d'irascibilité atteint un centile d'environ 90.

Si le total de vos points dépasse les 30 et que vous êtes un homme, votre niveau d'irascibilité atteint un sommet avec un centile de 95.

Si le total de vos points dépasse les 28 et que vous êtes une femme, votre niveau d'irascibilité atteint un sommet avec un centile de 95.

Le caractère des gens s'adoucit avec l'âge. Si vous avez moins de 23 ans, un total de 26 points ou plus vous situe parmi les 10 p. 100 de personnes les plus irascibles. Mais si vous avez plus de 23 ans, un total de 24 points seulement vous situera dans la même catégorie des 10 p. 100 de gens les plus colériques.

Si le total de vos points vous situe dans la moitié supérieure de «l'inventaire des colères», l'emportement est une émotion qui vous est familière.

La colère a trois composantes.

Il y a d'abord *une pensée,* une idée très discrète et particulière: «On m'offense, une fois de plus.» Les événements se précipitent souvent et vous en perdez si vite le contrôle que vous ne serez même pas conscient de cette pensée. Vous réagirez tout simplement, alors que l'idée d'offense est toujours là, tapie, quoi qu'on y fasse. Catherine avait, enfouie en elle, l'idée que Frédéric ne l'aidait jamais, qu'il ne faisait que râler. Frédéric, au fond de lui, était persuadé que Catherine ne l'appréciait pas.

Il y a ensuite *une réaction physique.* Votre système nerveux sympathique et vos muscles se mobilisent en vue d'une offensive physique. Vos muscles se tendent. Votre pression sanguine et votre rythme cardiaque montent en flèche. Votre système digestif se bloque. Des réactions se déclenchent dans votre cerveau et sa chimie se règle sur un mode offensif. Tout cela s'accompagne de sentiments subjectifs de colère.

Troisièmement, étant préparé par les deux composantes précédentes, vous allez *attaquer*. Cette attaque va se concentrer sur l'offense que vous subissez; elle devrait immédiatement la faire cesser. Vous cognez dur. Vous ne faites rien d'autre que de blesser ou d'éliminer l'offenseur. Si vous êtes sociable, votre attaque sera verbale et non physique. Et si vous êtes vraiment sociable et civilisé, vous serez généralement capable de contrôler l'intensité de votre attaque. Vous l'atténuerez ou l'ajournerez, la réservant pour une occasion plus opportune. Vous pourriez même vous contenter de tendre l'autre joue.

La question de savoir ce qui arrive à la colère quand vous maîtrisez votre «attaque» est un sujet majeur de controverse. Pour les psychologues freudiens, il est essentiel que l'émotion soit hydraulique (la définition exacte de *dynamique* dans la *psychodynamique* freudienne). Les émotions sont comme des liquides dans un système clos: si la colère est endiguée ou refoulée en un certain endroit, elle trouvera inévitablement une autre voie moins opportune pour s'échapper. Si vous ne libérez pas votre colère quand vous êtes fâché, elle va faire grimper votre pression sanguine, vous provoquer des ulcères d'estomac, ou elle sera *mise de côté* jusqu'à ce que vous trouviez une victime moins dangereuse... comme votre fille de trois ans. Les anti-freudiens prétendent que la colère non exprimée se dissipe tout simplement. Si vous comptez jusqu'à 400 ou si vous tendez l'autre joue, la colère aura été muselée sans même que vous vous en rendiez compte. Elle se sera évanouie. Avant la fin de ce chapitre, nous saurons lequel de ces deux points de vue répond le mieux à la réalité.

Ce que la colère vous apporte

Votre colère a un long passé qui précède de loin votre enfance et celle de vos parents. Elle remonte aux luttes pour la vie de vos plus lointains aïeux et même plus loin encore, jusqu'à vos ancêtres les primates et à leur *ascendance*. La nature «aux dents et aux griffes rouges de sang» est une image populaire décrivant la survie des plus forts. Et quoique ce ne soit pas tout à fait exact, la faculté des hommes à se mettre en colère est une des principales raisons pour lesquelles c'est nous, et non les descendants de quelque autre primate, qui sommes l'espèce dominante sur terre.

Robert Ardrey, un théoricien de l'évolution de notre espèce, a prétendu que nos ancêtres les primates n'étaient pas ces singes végétariens et pacifiques, aux cerveaux développés et adaptés à la fabrication d'outils, si chers à la plupart des anthropologues. Il soutenait plutôt que nos ancêtres ont survécu parce qu'ils étaient des singes carnivores, sélectionnés pour leur habileté à confectionner des armes et à les manier adroitement dans leurs mouvements de colère explosive. L'école de pensée d'Ardrey maintient que nous sommes les descendants d'une lignée de tueurs inégalés. Entre les deux pôles de l'évolution de l'intelligence représentés d'une part par les astronautes musicaux et coopératifs de *Rencontre du troisième type,* et par les suprêmes prédateurs de *Alien* d'autre part, la théorie d'Ardrey voudrait que l'espèce humaine se concrétise en ces derniers.

Ce genre de colère se manifeste le plus efficacement quand il s'agit de défendre notre propre territoire et c'est là, ne l'oublions jamais, son principal apport. L'idée maîtresse est, après tout: «on viole mon territoire». Un postulat militaire veut que les populations dont le pays est envahi se défendent avec énergie, disons plutôt avec une incroyable férocité. Quand nous défendons nos enfants, notre patrimoine, nos emplois, nos privilèges ou nos vies, nous passons de l'état de guide, d'enseignant, de comptable et de mère à celui de bagarreur, de terroriste et d'amazone. Quand nous sommes appelés à nous battre sur les terres d'autrui, nous n'accomplissons qu'une tâche particulière, pesant le pour et le contre de chacun de nos mouvements, prêts à déposer les armes et à nous enfuir si le combat semble perdu. Il n'en est plus de même s'il s'agit de notre territoire à nous et que nous sommes désespérés et furieux. Le Viêt-nam, l'Algérie, le ghetto de Varsovie et l'Irlande sont de mémorables illustrations de ce postulat.

La colère nous profite aussi en ce qu'elle vise à une revanche et à une restitution, ce que nous considérons comme la justice. Elle aide à redresser les torts et à entraîner des changements nécessaires. Quand nous nous disputons avec notre conjoint, par exemple, nous pensons également: «c'est moi qui ai raison, il ou elle a tort.» La colère, contrairement à la peur ou à la tristesse, est une émotion morale. Elle est «justifiée». Elle tend non seulement à stopper la violation, mais encore à obtenir réparation pour les dommages subis. Elle tend enfin à prévenir une nouvelle violation en désarmant, emprisonnant, émasculant ou tuant l'agresseur.

Lorsque quelqu'un nous conseille de tendre l'autre joue, de «subir le coup et d'écraser» ou de peser le pour et le contre d'une riposte, il arrive souvent que nous ignorions cet avis. Nous pensons que nous aurions tort, que si nous ne nous battions pas, nous commettrions un déni de justice. Nous commettrions une lâcheté et le bien ne serait jamais rétabli.

La colère a encore un autre aspect moral. Nous estimons honnête le fait d'exprimer notre colère. Nous vivons à une époque ou la règle veut que rien ne devrait demeurer caché. Si nous ressentons de la colère, il ne faut pas que nous la refoulions.

Il est souhaitable de noter que cette façon de voir n'est pas universelle. Les rituels observés chez les babouins soumis en présence d'un «alpha», c'est-à-dire d'un mâle dominant, la difficulté qu'éprouvent les Américains à reconnaître qu'un Japonais est en fureur, la manière subtile avec laquelle un Anglais peut en blesser profondément un autre, tout cela prouve que l'expression de la colère est quelque chose d'élastique. Le moment et l'endroit, ainsi que les coutumes, jouent un rôle déterminant quand il s'agit de décider s'il est plus convenable d'exprimer sa colère sans fard que de la dissimuler. Notre point de vue visant à «l'extériorisation» n'est qu'une mode qui a plusieurs origines: une réaction à la censure généralisée des émotions à l'époque victorienne, l'homogénéité sociale des Américains que l'on pousse à aller au fond des choses, et le goût, à l'ère de l'électronique, pour les gros titres et les phrases toutes faites. Tout cela fait que nous pensons pouvoir nous dispenser des rituels courtois et des pertes de temps qu'impose la dissimulation de nos émotions. Ainsi, la colère nous aide à défendre notre territoire menacé, elle est juste et honnête. Et ce n'est pas tout: elle est également saine. On estime généralement que le fait de refouler notre colère peut nous tuer, à petit feu et de trois façons différentes.

Premièrement, si nous refrénons notre colère, elle se retourne contre nous. Rentrée en nous, elle est source d'autorépulsion, de dépression et finalement d'une véritable autodestruction sous forme de suicide.

Deuxièmement, la colère refoulée fait grimper la pression sanguine et provoque des cardiopathies. Cette théorie semble tellement évidente que nous pouvons pratiquement sentir ses effets. Imaginez qu'une personne que vous haïssez vous insulte. Vous grincez des dents, serrez les poings, rougissez. Forcez-vous à ne pas réagir et à demeurer dans cet état des plus inconfortables. Vous arriverez presque à sentir monter votre pression sanguine. De fait, des études expérimentales ont montré que cette pression du sang décroît plus vite quand vous ripostez à une insulte. D'autres études sur le tas ont prouvé que les personnes du type A, agressives, compétitives et pressées, ont plus souvent des crises cardiaques que celles du type B, plus détendues.

Finalement, il semblerait que la colère contenue soit cancérigène. Il existe des personnes du type C prédisposées au cancer. Ces personnes contrôlent leurs réactions émotionnelles parce qu'elles estiment inutile d'exprimer leurs besoins. Elles ne manifestent pas leur colère et souffrent stoïquement et en silence; elles ne se rebiffent pas contre le mauvais sort. Les femmes du type C développent plus souvent des cancers du sein que celles qui expriment leurs émotions. De plus, les victimes de cette forme de cancer soumises à une psychothérapie qui les engage à extérioriser leurs émotions survivent plus longtemps à la maladie. Il n'est donc pas surprenant que nous soyons devenus des gens qui se fâchent facilement. Nous protestons, poussons des cris, contestons. Nous n'acceptons pas stoïquement une quelconque violation.

Les héros de bon nombre de nos films sont des Rambo et des Rocky et d'autres «méchants» qui agissent violemment: «Vas-y, te laisse pas faire!»

La colère est le moyen le plus efficace pour défendre ce qui nous appartient, elle est le tremplin de la justice, l'emblème de l'honnêteté, la voie vers une santé meilleure. Quelle émotion superbe!

Les bienfaits de la colère revus et corrigés

N'allons pas si vite. Quoique notre culture ait si religieusement accepté la colère, la plupart de ses vertus sont des mythes fondés sur l'idéologie freudienne et sur une déformation des faits.

La colère: une émotion malsaine. Est-il vrai que la colère refoulée est source de cancers, de troubles cardiaques et de dépression?

Le cancer. Le fait que le refoulement de la colère soit cause de cancer est loin d'être prouvé. La personnalité des individus du type C, supposément prédisposés au cancer, est composée de différentes caractéristiques qui se confondent. La femme de type C, par exemple, n'exprime peut-être pas sa colère. Mais elle manque aussi de confiance et de force de caractère, elle est plus anxieuse et dépressive, plus fataliste et moins spirituellement combative. Laquelle de ces composantes active le cancer? Le fait de taire sa colère est une possibilité, mais le manque de confiance, de force de caractère et la dépression ont plus de chances d'être les vrais coupables. Chacune de ces trois dernières caractéristiques a été reliée au développement des tumeurs, mais pas le fait de maîtriser sa colère. Les auteurs de la théorie du type C ont mis en avant le fait que les «explosifs», ces personnes qui ont de fréquents accès d'humeur, sont eux aussi plus fréquemment atteints de cancer que d'autres. Mais à l'examen de tous ces arguments, je n'arrive pas, personnellement, à déterminer si l'expression

182

de la colère est déterminante ou non, ou encore n'a rien à voir avec le cancer.

Les troubles cardiaques. Les personnes du type A, enclines aux crises cardiaques, ont également trois caractéristiques qui se confondent entre elles: l'agressivité, la compétitivité et l'impatience. Les chercheurs, spécialistes du type A, contrairement à leurs collègues spécialistes du type C, ont essayé de séparer les trois composantes. L'agressivité, l'expression marquée de la colère, est probablement la vraie coupable. L'impatience, la compétitivité et le refoulement de la colère ne semblent pas jouer un rôle dans la fragilité cardiaque des personnes du type A. Lors d'une enquête menée auprès de 255 étudiants en médecine, ceux-ci ont passé un test destiné à mesurer leur taux d'agressivité. Les plus irascibles d'entre eux avaient été, vingt-cinq ans plus tard, victimes de troubles cardiaques cinq fois plus souvent que les moins coléreux. Dans une autre étude, les hommes les plus enclins aux crises cardiaques étaient ceux dont les voix étaient particulièrement tonitruantes, qui s'irritaient facilement lorsqu'ils étaient forcés d'attendre, et dont les colères s'exprimaient plus ouvertement. Dans une étude des mécanismes par lesquels l'expression de la colère pouvait endommager le cœur, les 10 hommes participant à l'expérience ont relaté rageusement les incidents qui les avaient enragés. L'efficacité de leurs pompages cardiaques a diminué de 5 p. 100 en moyenne, suggérant une baisse du flux sanguin vers le cœur. Cette efficacité ne s'est pas modifiée sous l'effet d'autres agents de stress.

Des études ont démontré que la pression sanguine ne demeure élevée que chez des étudiants de sexe masculin refoulant leur colère envers d'autres étudiants du même sexe, c'est-à-dire des hommes de même statut. Quand un étudiant refoule son irritation envers un professeur, sa pression sanguine diminue; elle ne remonte que quand il décide d'exprimer sa rage. L'expression de la colère ne fait pas baisser la pression sanguine des femmes; l'expression de leur agressivité la fait *augmenter*. Par contre, une réaction amicale à une violation la fait diminuer.

Ma théorie sur l'effet des émotions sur l'état du cœur est fort simple. Elle est peut-être erronée mais elle est compatible avec la plupart des faits. Votre cœur est une pompe et, comme pour toute autre pompe mécanique, il y a une limite, une *estimation* du nombre de fois qu'elle peut fonctionner avant de s'user. Ainsi, le nombre de pulsations de votre cœur est, par exemple, limité ou estimé à 100 000 000. Quand vous dépassez cette estimation, vous avez de fortes probabilités de faire une crise cardiaque, si rien d'autre ne vous a tué auparavant. Ces estimations varient d'un individu à l'autre et d'une famille à l'autre, les limites étant déterminées par des facteurs tels que la constitution physique, l'exercice et les maladies subies dans l'enfance.

Certaines émotions, celles qui accélèrent votre rythme cardiaque et font grimper votre pression sanguine, font augmenter vos pulsations alors que d'autres émotions ne les affectent pas. La colère et la peur sont deux de ces émotions qui accélèrent les pulsations, car elles mobilisent le système nerveux sympathique. La relaxation et le calme ont des effets contraires. Les personnes qui se fâchent souvent utilisent plus rapidement les pulsations qui leur sont imparties. Elles ont des mouvements de colère plusieurs fois par jour; leur cœur bat la chamade et leur pression augmente. Au cours d'une mauvaise journée, elles peuvent facilement utiliser jusqu'à deux fois le nombre utile de pulsations. Les personnes craintives et paranoïdes qui voient le monde sous un aspect menaçant enclenchent plus souvent une activité sympathique massive et atteignent ainsi plus rapidement leur limite de pulsations. L'habitude d'extérioriser votre colère, plutôt que de la contenir, vous fait gaspiller les pulsations qui vous sont allouées et engendre ainsi des maladies cardiaques.

La preuve est ainsi faite: l'expression de la colère, contrairement à la croyance populaire, est mauvaise pour le cœur.

La dépression. Dire que la dépression naît de colères rentrées est une contrevérité. Cette théorie, imaginée par Freud

184

au début du siècle, n'est fondée sur rien de solide. Avec sa théorie de la sexualité réprimée, elle figure, malgré ses faiblesses, parmi les principaux courants de pensée qui ont légitimé notre morale actuelle du défoulement sans frein.

Dans les années 50, les psychothérapeutes s'en donnaient à cœur joie avec cette éthique. Un des principaux traitements de la dépression consistait à encourager les patients à se mettre en colère. Les «psy» aidaient leurs patients à se plaindre à tue-tête des mauvaises expériences dont ils avaient été victimes et à piquer des rages en se souvenant de leur passé malheureux. Quand j'ai commencé, au début des années 70, à étudier les moyens de traiter la dépression, c'est une des techniques qui me fut enseignée. Or, quelque chose de vraiment choquant se produisait lorsque nous poussions les personnes déprimées à se mettre en colère et à se souvenir des mauvaises expériences depuis longtemps oubliées.

Il faut se rappeler que les gens déprimés sont souvent tranquilles, timides et renfermés. Ils hésitent à parler de leurs problèmes. À l'aide de nos encouragements de type freudien, nous les fîmes donc parler, et parler et encore parler. Ils commencèrent à se plaindre. Ils se souvenaient des mauvais côtés de leur existence. Ils se complaisaient dans leurs malheurs. Encouragés à poursuivre, ils déterraient de plus en plus de souvenirs tragiques. Ils se mettaient à pleurer. Ils essayaient aussi parfois de démêler l'écheveau de leur vie intérieure et nous avions alors grand mal à les calmer. Ce qui n'aurait dû être qu'un cas de dépression bénigne s'aggravait soudain pour se terminer éventuellement en une tentative de suicide.

En d'autres termes, il n'y a aucune preuve que la dépression soit le résultat de colères rentrées. Faire exprimer leur colère à des personnes déprimées, qui sont souvent bien protégées contre les mauvaises expériences vécues précédemment, peut souvent empirer leur dépression. Contrairement à ce que prétend la théorie freudienne, si vous évaluez la colère d'un patient au cours de sa dépression, son agressivité ira croissant et se prolongera après la disparition de l'état dépressif.

Je conclus donc que l'extériorisation de la colère ne vaut rien pour la santé. Elle n'a aucun effet certain sur le cancer, elle peut accroître et non diminuer les risques de maladies cardiaques coronariennes et elle peut exacerber la dépression.

La colère: honnête? juste? efficace? Nous jugeons honnête de dire exactement ce que nous pensons à la personne contre qui notre colère est dirigée. Nous pensons dire vrai, et nous devrions toujours dire la vérité. Or il y a une différence entre honnêteté et vérité. La colère, en particulier, et les émotions, en général, déforment les faits. C'est peut-être d'ailleurs une des raisons d'être des émotions. En altérant l'évidence, les émotions nous préparent à agir de certaines façons qui peuvent être très adaptatives, quand nous sommes dans la bonne voie. Les émotions placent des lentilles déformantes sur les lunettes au travers desquelles nous voyons le monde qui nous entoure. L'angoisse nous fait voir ce monde sous un angle plus effrayant qu'il ne l'est en réalité; la peur fait baisser notre seuil de tolérance au danger et nous encourage à fuir plus rapidement. Quand nous regardons un film d'horreur à la télévision, un chat réel bondissant d'un meuble nous terrorise momentanément.

La dépression déforme aussi notre vision du monde et nous pousse à renoncer, à nous introvertir et à nous retirer dans un coin en conservant nos énergies pour des jours meilleurs. Une personne déprimée voit souvent le monde sous un jour plus sinistre qu'il ne l'est en réalité. (Une des facettes les plus critiquables du récent succès de librairie donnant les recettes du suicide est qu'il ne reconnaisse pas le fait que le désir de se supprimer peut être fondé sur une distorsion temporaire des faits et non sur une évaluation rationnelle.) La colère nous prépare à l'attaque; d'innocents événements, vus à travers les lentilles de notre irascibilité, prennent figure d'agressions. Notre seuil de tolérance diminue. Quand, dans un réfectoire d'école, le plateau d'un gamin se renverse accidentellement sur une petite brute, cette dernière interprète l'incident comme un geste intentionnel et agressif. Ce «préjugé d'hostilité» caractérise la façon de penser habituelle des adolescents agressifs et des gens normaux en colère.

186

Donc, si la colère est honnête, elle ne reflète cependant pas la vérité. Les jugements que nous portons quand nous sommes en colère sont souvent loin de la réalité des faits qui sont déformés de façon hostile et menaçante.

Il en est de même du bon droit. La colère nous pousse à rendre la justice *telle que nous la concevons*. Cette émotion ne nous aide pas à voir les choses selon notre point de vue d'attaquants. Elle nous fait plutôt voir le monde à travers un écran qui nous le rend agressif. Cet aspect est parfois correct et l'agresseur sera justement puni. D'autres fois, la colère fait s'assouvir une vengeance sur des innocents ou réclame des punitions sévères pour des fautes bénignes. Quand vous commettez l'erreur de punir sévèrement un jeune enfant, dans un élan de colère, vous risquez de créer des dommages hors de toute proportion. Une description adéquate de l'aspect moral d'une colère bleue serait de la qualifier d'«hypocrite» plutôt que de «justifiée».

Finalement, l'efficacité de la colère n'est pas aussi remarquable qu'on le prétend. Dans les cas désespérés et sans issue d'agression physique de notre territoire personnel, la colère décuple certainement nos forces. Mais de telles situations ne se présentent pratiquement jamais. Un rival nous insulte. Un collègue dénigre nos efforts. Notre conjoint nous trompe. Notre bambin de deux ans nous désobéit. Un voyeur nous observe. Quelle sera l'efficacité d'un éclat de colère dans de telles situations?

La colère galvanise certaines personnes et leur permet de trouver des reparties intelligentes et des arguments utiles; elles deviennent des championnes du «dernier mot». Mais, pour la grande majorité d'entre nous, la colère demeure une émotion essentiellement perturbante. Nous en sommes réduits à lancer des épithètes injurieuses. Nous regrettons ensuite nos paroles. Nous nous reprochons de nous être mis en colère.

187

Les inconvénients de la colère

Un rien de patience dans un moment de colère vous évitera 100 jours de regrets.

Proverbe chinois

D'abord et avant tout, la colère est l'émotion qui alimente la violence. La société américaine, qui encourage l'expression de la colère, qui la consacre, qui tourne des films à sa gloire, est une société violente. Le fait que les États-Unis connaissent un taux de crimes violents cinq fois supérieur à celui du Japon, où la société est opposée à l'extériorisation de la colère, devrait nous faire réfléchir. Le nombre de cas de meurtres, de coups et blessures et de viols atteint des sommets en Amérique. Les femmes et les enfants violentés sont légion. Il est étrange de constater que les nosologistes n'ont pas encore distingué de troubles reliés à la colère, alors qu'il en existe reliés à l'angoisse et à la dépression. La catégorie de «troubles de la personnalité-explosive» et celle plus rare de «troubles paranoïdes (excluant la schizophrénie)» sont ce qu'il y a de plus proche dans la taxonomie actuelle des affections mentales. Or, les colères incontrôlées ruinent de nombreuses existences. Plus même, j'en ai l'intime conviction, que la schizophrénie, l'alcool ou le sida. Peut-être même plus que la dépression.

La colère a un second impact, plus subtil mais presque aussi destructeur. Un conflit sérieux entre leurs parents est le genre d'événement ordinaire des plus déprimants auquel puissent assister des enfants. Dans le cadre de mes recherches, j'ai suivi, au cours des cinq dernières années, quelque 400 enfants en me penchant plus particulièrement sur ceux dont les parents ne s'entendaient pas (20 p. 100) et sur ceux dont les parents étaient divorcés ou séparés (15 p. 100). Nous avons observé de près ces enfants et les avons comparés aux 270 autres. Ce que nous avons constaté a des implications importantes pour notre société en général et, en particulier, sur la manière, pour les couples qui vivent ensemble, de gérer leur colère.

Les enfants élevés dans des familles querelleuses ont les mêmes caractéristiques, c'est-à-dire aussi déplorables, que ceux dont les parents sont divorcés. Ils sont beaucoup plus dépressifs que les enfants élevés dans des familles intactes où les parents s'entendent bien. Nous avions l'espoir de voir la différence s'atténuer avec le temps; ce ne fut pas le cas. Ces enfants, au bout de trois ans, étaient toujours plus déprimés que les autres.

Quand leurs parents commencent à se disputer, les enfants deviennent profondément pessimistes. Les événements malheureux leur semblent permanents et envahissants, et ils s'en rendent responsables. Ce pessimisme persiste des années durant, même s'ils nous disent que leurs parents ont cessé de se quereller. Ils voient le monde non plus avec l'optimisme joyeux propre à l'enfance, mais avec le sombre pessimisme des adultes déprimés. Je suis convaincu que bon nombre d'enfants réagissent aux conflits parentaux en développant un sentiment d'insécurité si accablant que toute leur vie sera dysphonique.

Il faut cependant noter que ces observations sont relatives à la moyenne des sujets. Certains des enfants ne deviennent ni déprimés ni pessimistes et d'autres guérissent avec le temps. Un divorce ou des conflits familiaux ne condamnent pas un enfant à être infiniment malheureux; ils ne font que rendre la chose plus probable.

Les enfants de parents divorcés ou querelleurs vivent bien d'autres événements sinistres. Ces perturbations continuelles pourraient expliquer le taux élevé de dépressions chez ces enfants. Parmi ces perturbations éventuelles, notons:

- la froideur chez les camarades de classe;
- l'hospitalisation d'un des parents;
- les échecs scolaires;
- la perte d'emploi d'un des parents;

- l'hospitalisation de l'enfant lui-même;
- le décès d'un ou d'une amie.

Tout cela donne un assez sombre tableau de l'enfant de parents querelleurs.

Les disputes familiales peuvent causer un mal durable à l'enfant pour l'une des deux raisons suivantes.

La première est que des parents qui ne s'entendent pas s'agressent et se séparent. Ces querelles et la séparation perturbent directement l'enfant, l'entraînant dans une dépression et un pessimisme persistants.

La seconde raison tient à la sagesse traditionnelle: les disputes et la séparation n'ont que peu d'effets immédiats sur l'enfant; c'est la conscience du chagrin des parents qui est coupable. Elle est si perturbante qu'elle engendre une dépression prolongée.

Seules de futures recherches permettront d'y voir clair. Mais bien que rien à ce jour n'autorise à dire laquelle des deux thèses est la bonne, je pencherais plutôt en faveur de la première. Je ne crois pas que les enfants soient des créatures suffisamment subtiles pour détecter le chagrin chez leurs parents. En fait, je pense que la plupart des enfants voient leurs parents sous un jour très positif et qu'il faut un vrai bouleversement et une réelle carence affective avant qu'un enfant réalise à quel point une situation est pourrie. Or, les querelles et la violence, entre les deux personnes sur qui l'enfant compte le plus pour assurer son avenir, provoquent un tel bouleversement.

Il y a, bien sûr, bon nombre de couples boiteux dans lesquels disputes et conflits sont monnaie courante. Il existe une autre situation, moins dramatique mais plus courante: après quelques années de mariage, l'un des époux se lasse de l'autre; cela entraîne des ressentiments et prépare un terrain propice aux querelles. Mais les deux partenaires du couple sont souvent en même temps et avant tout préoccupés par le bien-être de leurs enfants. Il semble que ce soit un fait établi, du moins statistiquement, que la séparation ou les querelles, en réaction à une union malheureuse, perturbent durablement les enfants. Si des recherches futures nous prouvent que ce sont les chagrins des parents et non les paroles et gestes violents qui sont coupables, je suggérerai alors de s'en remettre à l'assistance conjugale socio-psychologique pour régler les problèmes du couple. Cela donne parfois de bons résultats. Par contre, si les futures recherches démontrent que ce sont la violence conjugale et la décision de se séparer qui sont responsables de la dépression de l'enfant, des conseils très différents s'ensuivront. Nous épargnons tous de l'argent au profit de nos enfants. Nous renonçons à des vacances sous les tropiques, pour l'instant et peut-être à jamais, afin que notre progéniture mène une vie meilleure que la nôtre. Êtes-vous prêt à vous séparer d'un conjoint que vous n'aimez plus? Un défi plus difficile encore: êtes-vous prêt à renoncer à vous quereller, pour les mêmes raisons, c'est-à-dire le bien de vos enfants?

On trouvera peut-être des excuses aux disputes entre conjoints. Elles vous permettent peut-être parfois d'obtenir justice. Mais, en ce qui concerne vos enfants, que peut-on trouver à dire en faveur de ce genre de conflits? C'est pourquoi je choisis d'aller à l'encontre de l'éthique courante en affirmant que c'est bien moins votre bien-être que celui de vos enfants qui est en jeu.

La violence physique et la dépression des enfants sont les prix écrasants à payer pour exprimer sa colère, mais il y en a un troisième, moins lourd mais beaucoup plus courant. Il est cependant plus convaincant, parce qu'il est tellement évident: la colère nuit aux bonnes relations.

Une colère est foudroyante. Son expression, si elle n'est pas censurée, est destructrice. Une personne en colère ne voit jamais les choses sous le même angle que celui ou celle envers qui sa colère est dirigée. Un jugement est, par contre, réfléchi. De nos jours, nous disons et faisons souvent des choses que nous regrettons par la suite parce que notre société a perdu ses «belles manières» et que l'on ne réfrène pratiquement plus ses colères. Contrairement aux idées, les paroles et les gestes impétueux ne peuvent s'effacer. Au cours de notre existence, la plupart d'entre nous torpillent des dizaines, sinon des centaines, de bonnes relations dans des accès de colère. Les exemples ne manquent pas:

- Dans une de ses dernières colères enfantines, un gamin de 11 ans, s'adressant à son père qui l'adore, lui hurle: «Je te déteste!» Blessé et incapable lui-même de maîtriser son irascibilité et d'accepter le rejet, le père ne témoignera plus jamais son affection à son fils.
- Une femme timide, habituée à laisser à son mari l'initiative de leurs relations sexuelles, lui fait pour la première fois une avance directe. Lui, préoccupé par ses déclarations de revenus à l'impôt, rejette avec brusquerie les invites de son épouse. Elle ne récidivera plus jamais.
- Un brillant étudiant en psychologie entre en trombe dans le bureau de son professeur pour lui présenter sa nouvelle théorie sur la gestion de l'irascibilité. Ce faisant, il interrompt une importante conversation téléphonique. Irrité, le professeur lui dit d'aller prendre un rendez-vous auprès de sa secrétaire. Blessé, l'étudiant renonce au cours et choisit plutôt de se consacrer à la physique.
- Une jeune femme, furieuse de voir son fiancé flirter avec une amie au cours d'une soirée, le gifle. Se sentant rejeté et lui-même furieux, il la plante là et s'en va coucher avec son flirt. Les fiançailles sont rompues. Les deux antagonistes le regretteront pendant des années.

Certains soutiendront que de déclarer son fait à l'autre détend l'atmosphère ou que de dire ce que l'on a sur le cœur calme la colère. C'est ce que l'on appelle la théorie de la «catharsis» de l'expression de la colère qui est un des fondements de l'éthique de l'extériorisation. La catharsis peut se produire de temps à autre mais le contraire est, statistiquement, beaucoup plus souvent le cas. Seymour Feshbach, un des pionniers de la recherche sur les colères, a étudié la catharsis en observant un groupe de jeunes garçons ni agressifs ni destructeurs. Il les encouragea à donner des coups de pied dans les meubles et à s'amuser avec des jouets violents. Ils le firent avec exubérance. Cela a-t-il drainé leur agressivité? Non, cela l'a amplifiée. Les garçons sont devenus plus hostiles et plus destructeurs. Le même phénomène se vérifie chez les adultes. Déclarer son fait à quelqu'un ne diminue pas mais augmente, au contraire, votre hostilité à son égard.

Les coléreux peuvent-ils changer?

On se demande parfois si les coléreux peuvent changer. Je n'en suis pas sûr. Des recherches concertées et des travaux cliniques ont été organisés en vue de soulager les deux autres principales émotions négatives, l'angoisse et la dépression. Comme elles sont toutes deux des troubles reconnus, des millions de dollars ont été dépensés et des dizaines de milliers de patients ont été traités aux États-Unis: on leur a appliqué toute une série de tactiques audacieuses. Des groupes de contrôle ont été formés et des études approfondies menées sans trêve. Je suis donc autorisé à affirmer, comme je l'ai déjà fait dans les chapitres précédents, que la panique est un mal guérissable, que la dépression peut généralement être soulagée et écourtée et que les obsessions peuvent souvent être calmées. La colère n'est malheureusement pas un trouble reconnu, ce qui explique le peu de recherches qui lui ont été consacrées. Quelques centaines de patients seulement ont été soignés et seules quelques tactiques de traitement ont été mises à l'épreuve. Aucune étude importante de résultats n'a été publiée sur les moyens de modifier l'irascibilité. Mes conseils relatifs à la colère seront donc fondés sur un mélange du peu que l'on sait sur elle et d'une bonne dose de sagesse clinique.

Présumons que le total de vos points se situait dans les 10 p. 100 supérieurs dans l'inventaire des colères effectué au début de ce chapitre. Vos colères vous tracassent, vous et votre entourage. Après la lecture de ce qui précède, vous êtes maintenant convaincu que les coûts de l'extériorisation de vos colères dépassent de loin ce qu'elles vous rapportent. Qu'allez-vous faire?

Une première bonne mesure à prendre sera de tenir, pendant une semaine, un «journal» de vos colères. Divisez-le en cinq colonnes. Voici un exemple de ce à quoi il pourrait ressembler:

Heure	Déclencheur	Intensité	Durée	Action et conséquences
10 h 15	Un verre de mes nouvelles lunettes s'est détaché.	8 (sur 10)	10 min	Ai téléphoné à l'opticien. Ai enguirlandé sa secrétaire. Me suis senti coupable.
12 h 30	Pas de mayonnaise avec mon club sandwich.	9	2 min	Ai insulté la serveuse. M'a apporté la mayonnaise et jeté un mauvais regard.

Cela vous permettra d'analyser vos colères et d'en établir des modèles. Quels genres d'incidents les déclenchent? La gravité de ces incidents? Des menaces à votre situation? Des contrariétés sentimentales? Des interruptions dans votre travail? Le fait de crier vous soulage-t-il ou fait-il empirer les choses? Se calment-elles rapidement même si vous ne faites rien? Les gens semblent-ils vous en vouloir par la suite? Vous font-elles atteindre vos objectifs?

Ces modèles une fois établis, vous devriez chercher à savoir comment les cliniciens arrivent à tempérer l'irascibilité. Toutes leurs tactiques sont simples et vous pourriez les appliquer sur vous-même. La colère a trois composantes: l'idée — la violation; les sensations — la rage, l'élévation de la pression sanguine, l'accélération du rythme cardiaque, la tension des muscles; le comportement — la riposte, l'attaque. Il y a différentes tactiques pour tempérer chacune de ces composantes.

L'idée. Quand on nous provoque, le laps de temps entre la provocation et la riposte est souvent extrêmement bref. Tant mieux, car c'est là le reflet de la nécessité évolutionniste de défense immédiate. Il existe une vieille rengaine qui enjoint de «compter jusqu'à 10». C'est peut-être un sage conseil. Il permet de gagner du temps entre la provocation et la réaction.

Mais du temps pour quoi faire? Ce conseil de compter jusqu'à 10 présume que le temps atténue l'impulsion de riposte. Il y a du vrai dans tout cela, mais nous pouvons faire mieux que de compter. L'idée d'être la victime d'une violation quelconque — «on m'agresse» — peut être modifiée pendant la prolongation du laps de temps. Allez-y, comptez! Mais ne vous arrêtez pas à 10, prenez 20 fois votre respiration. (Et mieux encore: attendez jusqu'à demain.) Pendant tout ce temps, remettez en question et réinterprétez les idées de violation et de riposte.

Imaginez que vous êtes un poisson. De nombreux hameçons, sous forme d'insultes, se dandinent sous l'eau le long de votre trajet sous-marin. Chacun d'entre eux vous laisse le choix de mordre ou non à l'appât. Posez-vous la question: Est-ce là une agression? Essayez de vous voir comme le fait le provocateur. Tâchez de replacer la provocation dans son contexte réel:

- Sa journée a peut-être été mauvaise;
- Ça ne me vise pas personnellement;
- N'agis pas comme le pauvre type qu'il est;
- Il ne pouvait pas faire autrement;
- Il s'essaie peut-être; toi, vas-y mollo!

Faites, si possible, preuve d'humour. Par exemple: un conducteur dangereux vient de vous faire une queue de poisson. Vous freinez et vous vous exclamez: «Quel trou du c...!» Représentez-vous alors une paire de fesses au volant de la voiture devant vous. Décorez-les de quelques plumes en leur centre. Appréciez le tableau.

Durant ce temps, vous serez, avant tout, passé d'une «orientation égocentrique» à une «orientation d'accomplissement». Dites-vous: «Je sais, cela me semble une insulte personnelle, or ce ne l'est pas. C'est un défi à relever qui fait appel aux talents et aux connaissances que je possède.» Représentez-vous dans le personnage d'un démineur. Ce que vous avez à accomplir consiste à désamorcer lentement et prudemment une bombe. Dressez un plan pour «désamorcer» de la même façon votre agresseur.

Les sensations. Utilisez le laps de temps prolongé pour prendre conscience de vos sensations. Cette conscience des excitations physiques rendra plus aisée la régulation de vos colères. Interprétez ces sensations comme des avertisseurs vous rappelant de vous en sortir sans faire preuve d'antagonisme.

- Mes muscles sont crispés. Il est temps de me détendre.
- Ma respiration s'accélère. Prenons une longue inspiration.
- Il veut sans doute que j'explose. Eh bien! je vais le décevoir.

Ces techniques vous aideront dès que vous vous sentirez pris au piège. Mais si ces situations se présentent trop souvent, il faudra faire en sorte de prévenir vos colères. Il y a deux façons d'y arriver, au bout d'un certain temps, en appliquant soit la relaxation progressive, soit la méditation. L'un ou l'autre de ces deux exercices pratiqué régulièrement (deux fois par jour) prévient les accès de colère. Ces techniques sont utiles aux personnes irascibles comme aux angoissées.

La riposte. Quand l'intervalle entre l'idée et la riposte est écoulé, il est temps de passer à l'action. Plusieurs choix sont à votre disposition. Tendre l'autre joue en est un. Un large sourire suivi d'une anecdote humoristique («Un vieux proverbe juif dit que...») en est un autre. Un troisième choix consiste à se créer un répertoire consistant, destiné à désamorcer; c'est une excellente réplique à un répertoire de formules humiliantes. Dans son livre *Anger: The Misunderstood Emotion,* Carol Tavris cite une standardiste capable de dériver les grossières extériorisations de certains correspondants. «Je me contente de leur dire sur un ton des plus sincères: "Dieu, que votre journée doit mal se passer." Ils se calment immédiatement, réalisent qu'ils ont été déplaisants et s'excusent.» Rédigez des séries de deux ou trois phrases «désamorçantes» spécifiquement destinées à votre conjoint, à votre patron, à un collègue désagréable, à vos enfants.

Dans bon nombre de situations engendrant la colère, vous voudrez contourner, à votre façon, les barrages que vous affrontez. Il existe, pour ce faire, des techniques bien plus efficaces que la riposte. Des stages de «négociation» et de «mise en confiance» peuvent s'avérer utiles. Des cours et des livres sur ces techniques qui donnent de bons résultats sont à votre disposition. Mon livre préféré est celui de Sharon Bower ayant pour titre *Assert Yourself.* Bower distingue quatre étapes successives à la mise en confiance; elle les désigne par les lettres D, E, S et C.

- *D–Décrire*. Décrivez exactement, sans émotion ni évaluation, ce qui vous dérange. N'exagérez pas. Ne dites pas toujours quand il s'agit de deux fois. Cette étape pacifique doit prendre place en premier.
- *E–Exprimer*. Exprimez ce que cela vous fait ressentir. N'accusez pas, n'évaluez pas l'autre personne; contentez-vous d'identifier votre émotion.
- *S–Spécifier*. Spécifiez exactement ce que vous attendez de la part de votre «cible».
- *C–Conséquences*. Terminez en expliquant ce que vous feriez si votre «cible» ne se soumettait pas. Soyez précis. Ne menacez pas, ne bluffez pas.

Souvenez-vous de la dispute entre Catherine et Frédéric. Aucun des deux ne connaissait la technique du DESC. S'ils en avaient eu connaissance, la querelle n'aurait pas dégénéré.

CATHERINE: *Pour l'amour de Dieu, frotte la crasse des assiettes avant de me les passer.*

FRÉDÉRIC: *Tu ne vois pas que je les rince?*

CATHERINE: *Les rincer ne suffit pas. Je t'ai répété 100 fois...*

C'est ici que le DESC devrait intervenir. Catherine devrait l'utiliser ici même, quand elle sent ses muscles se raidir et sa colère monter.

CATHERINE (décrivant): *Les deux dernières fois que nous avons fait la vaisselle, tu m'as dit que tu ne voulais ni rincer ni frotter les assiettes. Je t'ai répondu que si elles n'étaient pas frottées, elles seraient toujours sales en sortant de la machine.* (Exprimant): *T'entendre me répéter la même chose me fait penser que tu ne m'écoutes pas. Cela m'attriste et me fâche.* (Spécifiant): *La prochaine fois que nous faisons la vaisselle, je veux que tu frottes les assiettes avant de me les passer et que tu t'abstiennes de commentaires inutiles.* (Conséquences): *Si tu ne le fais pas, je préfère faire la vaisselle toute seule.*

Frédéric aurait pu lui aussi appliquer le DESC.

CATHERINE: *Les rincer ne suffit pas. Je t'ai répété 100 fois que la machine à laver ne récure pas la vaisselle.*

FRÉDÉRIC: *Ouais, je vois. Faut que j'lave les assiettes avant que toi, tu les mettes à laver.*

CATHERINE: *Tu n'pourrais pas me donner juste un coup d'main, avant de commencer à te plaindre?*

FRÉDÉRIC: *Tu n'as pas l'air de te rendre compte que j'en ai bavé toute la journée au boulot. Je ne mérite pas qu'on m'emmerde dès que je rentre à la maison!*

Le moment crucial. Sa colère monte. Ça devrait lui servir de signal pour qu'il mette à l'œuvre ses techniques de DESC.

FRÉDÉRIC: (Décrivant): *La dernière fois que nous avons fait la vaisselle, nous avons commencé à nous disputer.* (Exprimant): *Tout cela me désole et me désespère. Et ça me fâche.* (Spécifiant): *La prochaine fois que nous faisons la vaisselle, je veux que tu sois à mes côtés quand je frotte et que je rince les assiettes.* (Conséquences): *Si tu ne veux pas, je ferai la vaisselle tout seul.*

Un dernier conseil relatif à vos querelles en présence de vos enfants. Je ne suis pas, en effet, naïf au point de croire que, même si vous avez pris ce chapitre au sérieux, vous ne vous disputerez plus devant votre progéniture! Il peut arriver qu'on se dispute. Une très sérieuse étude a été menée au sujet des querelles familiales en présence des enfants. Elle met en évidence la solution des problèmes. Les enfants qui assistent à la projection d'un film contenant des scènes de violence entre adultes sont beaucoup moins perturbés quand le conflit se termine par une solution claire du problème. Si vous devez affronter votre conjoint devant vos enfants, faites donc en sorte que votre dispute aboutisse à une solution sans ambiguïté.

10

Le stress post-traumatique

Je veux vivre de façon que mon existence ne soit pas
gâchée par un simple coup de téléphone.

FEDERICO FELLINI, *La Dolce Vita*

CECI EST le plus affligeant de tous les chapitres.

Un vieux client de Victor à qui celui-ci avait fait souscrire une police
d'assurance quelques années plus tôt le rencontre un jour et lui demande,
entre autres, des nouvelles de son fils Théo. Victor fond en larmes.

Quoique cinq ans se fussent écoulés depuis cette affreuse soirée
d'octobre, le souvenir et la douleur étaient toujours présents.
Tommy, à 14 ans, avait toujours été la raison de vivre de Victor et
de sa femme Josée. La famille déjeunait ensemble tous les matins,
et les parents faisaient participer leur fils à la plupart de leurs acti-
vités. Le samedi était le jour réservé par Victor pour son fils, il n'y
avait alors qu'eux deux qui comptaient l'un pour l'autre.

Suzy, la cousine germaine de Théo, avait 17 ans et créait toujours des problèmes à ses parents. Aussi décidèrent-ils de la confier à Victor et à Josée, en espérant que ce nouvel environnement familial l'assagirait. Suzy quitta donc Toronto pour la petite ville du Québec où l'attendait impatiemment Théo, tout heureux de pouvoir venir en aide à sa jolie cousine. Il voulut tout de suite l'intéresser aux activités du groupe de jeunes dont il faisait partie.

Un lundi soir, il la convainquit de l'accompagner à une soirée théâtrale organisée par le groupe. C'est elle qui conduisait la voiture. Une heure plus tard, Josée, repassant par son bureau, reçut un appel de Victor lui disant qu'il y avait eu une collision sans gravité et que les enfants n'étaient que très légèrement blessés. Pour se tranquilliser, Josée appela l'hôpital où on lui dit de venir aussitôt. Elle s'y rendit et attendit les nouvelles. Quand elle vit arriver son mari en pleurs accompagné de policiers, elle sut immédiatement que Théo était mort.

Les cinq années qui se sont écoulées depuis l'accident ont été un enfer permanent pour ce couple auparavant si heureux. Josée, jadis si exubérante et pleine de vie, est depuis lors suicidaire. Elle a perdu le goût de toute activité. Elle n'est jamais retournée au bureau et ne s'occupe pratiquement plus de sa maison. Une ou deux fois par semaine, elle est réveillée la nuit par d'horribles cauchemars où elle voit Théo entouré de jeunes voyous et la suppliant de le protéger. Chaque jour qui passe, elle revit ce lundi soir maudit.

Victor s'intéresse à peine à son travail de vendeur. Il était jadis régulièrement en tête du tableau des meilleurs agents de la compagnie. Depuis la mort de Théo, il n'y a plus jamais été inscrit. Les fins de semaine sont pour lui un supplice encore pire, car elles étaient, auparavant, entièrement consacrées à son fils. Chaque fois que le téléphone sonne, Victor bondit au plafond. Il ne peut parler à personne de Théo, surtout pas à Josée: sa douleur est trop grande.

Le mois dernier, Victor a quitté la maison et Josée a demandé le divorce.

Les tragédies faisaient jadis partie de la vie de chacun, c'était la condition humaine. Jusqu'au début du siècle, dans l'ouest des États-Unis, plus de la moitié de la population considérait la vie comme une vallée de larmes. Il n'en est plus de même de nos jours. On peut fort bien passer toute sa vie sans avoir connu de tragédie personnelle. Trop souvent, nous vivons, malgré tout, des événements malheureux: nous perdons de l'argent en Bourse, nos vieux parents décèdent, nous ne décrochons pas l'emploi recherché, nous sommes rejetés par des gens que nous aimons, nous vieillissons et nous mourons. Mais nous sommes généralement préparés à subir la plupart de ces pertes et nous connaissons des moyens pour amortir les chocs. De temps à autre, cependant, la lointaine condition humaine refait surface et quelque chose d'irrémédiablement affreux, quelque chose qui dépasse de loin les pertes habituelles, nous tombe dessus. Nous nous rendons compte alors de la fragilité du cocon dans lequel nous nous sommes retirés.

Les effets d'une perte particulièrement sévère sont si dévastateurs et durables qu'on leur a finalement donné un nom et assigné un diagnostic: c'est le *trouble du stress post-traumatique (TSPT)*. Aucun jargon, aucun euphémisme, aucun bla-bla psychologique ne peut camoufler le fait que ce trouble est, de tous, le plus sinistre. La détresse de ses victimes est universelle. Bon nombre de personnes, mais assurément pas toutes, sont marquées par le TSPT durant des mois ou des années.

- **Revivre:** la victime revit constamment le traumatisme en rêve ou en imagination. (Elle peut aussi avoir des réactions contraires en ne se souvenant plus des événements.) Pendant des années après l'incident, pas un jour ne s'est passé sans que Victor et Josée ne ruminent la mort de Théo. Ils n'ont pas cessé d'y rêver dans leur sommeil.
- **Angoisse:** la victime évite tout ce qui est relié au traumatisme. Elle éprouve des difficultés à s'endormir ou, encore, s'éveille constamment. Elle n'arrive pas à se concentrer. Elle sursaute facilement. Elle devient passive et angoissée en permanence. Victor ne peut supporter de parler à quiconque de Théo et sursaute chaque fois que le téléphone sonne.
- **Inertie:** la victime devient inerte. Elle se sent détachée et étrangère aux personnes qui l'entourent. Elle peut cesser d'aimer quiconque. Josée a quitté son emploi, Victor a perdu toute ambition et ils se sont séparés.

Toutes les statistiques prouvent que la pire des tragédies domestiques est la perte d'un enfant. Chaque année, aux États-Unis, 150 000 personnes perdent la vie dans des accidents. Ceux-ci sont les premiers responsables des morts d'enfants. Il y a de ce fait, dans ce pays, des centaines de milliers de parents endeuillés par la pire de toutes les pertes. La mort inattendue du conjoint vient en second lieu.

On a coutume de dire que le temps cicatrise toutes les plaies. Est-ce vrai dans le cas d'un deuil? Parfois, sans doute. Quand un conjoint de longue date s'éteint, l'évolution du deuil chez le survivant est prévisible: il dure de six mois à deux ans, période marquée par le chagrin, même par la dépression et un risque élevé de mortalité. Et puis, appauvrie, la vie reprend son cours. Mais cela n'est pas vrai dans le cas des deuils exceptionnels.

On a longtemps cru que les victimes se remettaient vite. Parmi les premières études psychiatriques sur les séquelles d'une catastrophe se distingue celle qui fut entreprise en 1942, après l'incendie de la boîte de nuit Cocoanut Grove. Des entrevues avec des survivants et des familles de disparus ont mené à des conclusions optimistes. Une «réaction normale de deuil» était censée disparaître en quatre à six semaines. Cette croyance s'est maintenue depuis lors. On considère «anormal» qu'une personne mette plus que quelques semaines à se réadapter quand sa vie a été bouleversée par un événement dévastateur. Les symptômes doivent durer plus d'un mois pour que l'on puisse poser avec certitude un diagnostic de TSPT.

Le Dr Camille Wortman, une psychologue sociale, a changé la croyance à elle seule. Elle a consulté les archives sur microfilms relatives à tous les accidents d'auto mortels survenus au Michigan entre 1976 et 1979. Elle a ensuite choisi, au hasard, 39 personnes ayant perdu un conjoint et 41 couples ayant perdu un enfant dans ces accidents. Elle les a longuement interviewés et les a comparés à des sujets témoins.

Les parents et les conjoints survivants étaient toujours en très mauvaise forme, de quatre à sept ans après les incidents.

Ils étaient beaucoup plus dépressifs que les sujets témoins, voyaient l'avenir avec moins d'optimisme et n'appréciaient plus leur vie. Ils étaient plus «usés», «tendus» et «malheureux». On comptait plus de décès parmi eux que chez les sujets témoins. Ayant des revenus égaux à ceux de ces derniers au moment de la mort de leur enfant, les parents gagnaient maintenant 25 p. 100 de moins. Vingt pour cent étaient divorcés (contre 2 p. 100 des sujets témoins). Les personnes endeuillées étaient aussi mal en point sept ans après les accidents, que quatre ans après, ce qui semblait nier le processus de cicatrisation par le temps. Presque toutes les personnes intéressées se posaient la même question: «Pourquoi cela devait-il m'arriver à moi?» Soixante pour cent d'entre elles ne trouvaient pas la réponse à cette déchirante interrogation.

Il y a des cas précis correspondant bien à la définition de perte «dépassant la gamme normale des expériences humaines». Ce sont, par exemple, des années passées dans un camp de concentration où l'on vous forçait à participer à l'élimination de vos compagnons d'infortune, voir torturer votre enfant, être le seul survivant d'une collision avec un camion où toute votre famille a péri, survivre à une inondation catastrophique qui a décimé votre communauté, être coincé au fond d'une tranchée remplie de cadavres, être enlevé et tenu en otage, etc. De telles expériences horrifiantes provoquent d'ordinaire les TSPT.

Rachel, une Juive polonaise, fut déportée à Auschwitz, avec son mari et ses trois fils, après le soulèvement du ghetto de Varsovie. Son mari et son petit garçon périrent quelques heures après leur arrivée au camp. Elle survécut à la guerre, épargnée par les gardiens qui l'utilisaient comme prostituée. Entre-temps, elle avait assisté à l'agonie de ses deux autres fils, morts d'épuisement. Au bout d'un long et pénible périple, elle atterrit chez de lointains parents à Pittsburgh, aux États-Unis.

Aujourd'hui, devenue vieille, la pauvre femme n'est toujours pas rétablie. Elle n'a jamais travaillé. Elle est restée la plupart du temps dans sa chambre mansardée à écouter de la musique classique. Quand elle sort, elle s'effraie à la vue du premier uniforme venu; un policier ou même un facteur l'épouvante. Elle n'arrête pas de penser à sa famille disparue et se sent coupable d'être en vie alors qu'eux sont morts. Elle est déconnectée du monde. Toutes les nuits, elle voit en rêve son petit enfant brûler dans un four crématoire. Elle «vit» à Auschwitz depuis cinquante ans.

Les prisonniers de guerre peuvent afficher les symptômes du TSPT durant toute leur vie. Quarante ans après leur captivité, 188 prisonniers de la Seconde Guerre mondiale ont été soumis à des examens diagnostiques à l'Université du Minnesota à Minneapolis. Soixante-sept pour cent d'entre eux avaient souffert de TSPT au cours des quarante dernières années; près de 35 p. 100 de ceux-ci en présentaient encore des symptômes d'intensité moyenne ou grave et 40 p. 100, d'intensité réduite.

Si les TSPT ne concernaient que des cas flagrants comme celui de Rachel ou des prisonniers de guerre, ils n'intéresseraient que des spécialistes ou des observateurs. Je suis personnellement d'avis que les TSPT sont beaucoup plus répandus et provoqués par des pertes plus banales que celles admises comme critères diagnostiques. Je pense que la définition de perte «exceptionnelle» masque ce qui se passe dans l'esprit des victimes, et ce qui se passe n'a qu'un rapport lointain avec l'horreur de l'événement.

La plupart d'entre nous vivent des situations sinistres bien qu'objectivement moins horrifiantes que celles décrites ci-dessus. Certains d'entre nous ne se laissent pas abattre par leurs pertes. Au bout de quelques semaines, la vie reprend son cours et nous nous mettons à la recherche d'un nouveau milieu familial, d'un nouvel emploi, d'un nouveau pays de résidence, d'une nouvelle raison de vivre. Beaucoup d'autres sont plus fragiles. Une perte sérieuse change pour toujours la manière dont ils se considèrent eux-mêmes et dont ils voient le monde qui les entoure. Ils sont inconsolables. La plupart des gens ayant vécu ce qu'a subi Rachel souffriraient de TSPT. Mais bon nombre de personnes en souffrent aussi à la suite de la mort subite d'un enfant ou à la suite d'une agression ou d'un viol. Quelques-unes en souffrent même si leur conjoint les quitte ou si elles sont simplement poursuivies en justice.

Le syndrome du viol traumatique

Dans nos sociétés, le viol est devenu un acte lamentablement fréquent. Chaque année, 100 000 viols environ sont dénoncés aux États-Unis et on estime à sept fois ce nombre ceux qui ne sont pas signalés. Une femme sur trois ou sur cinq sera violée au cours de son existence. Et le viol est encore plus fréquent dans les sociétés défavorisées. Si on utilise l'événement «dépassant la gamme normale des expériences humaines» comme critère, les viols, comme la mort d'un enfant, ne se qualifieraient pas dans le contexte des TSPT. Or il est évident qu'en général, le décès d'un enfant et, parfois, un viol, provoquent les mêmes symptômes que ceux presque toujours produits par la torture ou un tremblement de terre, par exemple.

> *Mlle T., âgée de 28 ans, dormait dans son appartement quand elle fut réveillée par un homme armé d'un couteau. Il lui dit de ne pas se retourner et de ne pas le regarder et menaça de la tuer si elle se débattait. Ensuite, il la viola et s'enfuit. Mlle T. signala le crime, accepta les soins et les consultations psychologiques qu'on lui offrait et participa même bénévolement à des lignes ouvertes destinées aux victimes de viol.*

> *Elle développa des TSPT caractérisés. Elle avait peur de s'endormir et logea un mois chez des amis où elle n'arrivait à s'assoupir que le jour. Elle faisait des cauchemars dans lesquels elle se voyait à nouveau violée. Chaque fois qu'elle sortait, elle était hantée par l'idée d'être observée par son violeur. Ses relations avec son amant se détériorèrent et ils finirent par ne plus se voir. L'amour et le sexe ne lui disaient plus rien. Dix-huit mois plus tard, elle souffrait toujours d'insomnies et faisait des cauchemars. Elle avait le sentiment que sa carrière et sa vie amoureuse étaient à jamais ruinées.*

Les premières réactions d'une femme violée sont ce que l'on appelle la phase de *désorganisation*. Elle affiche alors un des deux styles émotionnels suivants: le style expressif, soit la peur, la colère ou des pleurs, ou le style contrôlé, soit un calme apparent. Les symptômes du TSPT apparaissent généralement peu après. C'est le cas chez 95 p. 100 des victimes, dans les deux semaines qui suivent le viol. Elles revivent l'événement en pensée ou dans leurs rêves. Insomnies ou réveils en sursaut deviennent la règle. Mlle T. se réveillait en hurlant plusieurs mois après le viol (son agresseur, vous vous en rappelez, l'avait tirée d'un profond sommeil). Les victimes de viol sursautent facilement. Mlle T., dix-huit mois après le crime, sursautait chaque fois qu'un inconnu lui adressait la parole. Il est difficile de reprendre des activités sexuelles courantes après un viol et une réelle phobie du sexe peut même parfois se déclarer.

La plupart des victimes passent par la phase de désorganisation et abordent, au bout d'un certain temps, celle de la *réorganisation*. Elles changent de numéro de téléphone et de domicile. Elles se documentent sur le viol en général, relatent leur expérience par écrit et se consacrent à des activités d'aide à d'autres victimes.

Environ 75 p. 100 des femmes violées affirment être rétablies au bout de quatre à six ans. La moitié de celles-ci disent que leur rétablissement s'est achevé dans les trois mois qui ont suivi l'incident, les autres, dans les deux ans. Les victimes ayant eu le moins peur et ayant le moins souvent revécu le viol en rêve ou en imagination dans les semaines suivantes se rétablissent plus vite. Les conséquences pour celles qui ont été le plus atteintes sont pires. Le degré de violence de l'agression et la gravité des menaces proférées retardent aussi le rétablissement. La mauvaise nouvelle réside dans le fait que 25 p. 100 des femmes violées affirment ne pas être rétablies même au bout de quatre à six ans. Dix-sept ans après les faits, 16 p. 100 souffrent toujours de TSPT.

Dans les cas de viol ou de blessures, la gravité des circonstances ne permet pas de prévoir nécessairement des TSPT. Dans une enquête menée auprès de 48 blessés graves, l'importance de la blessure n'a pas permis de déterminer à l'avance lesquelles des victimes souffriraient de TSPT, ni de prédire le degré de souffrances. C'est plutôt le niveau de souffrances psychologiques ressenties après l'accident qui permettait de prévoir les TSPT. Je crois que ces derniers devraient être déterminés par les réactions des victimes et leur persistance et non par le caractère «exceptionnel» de la perte. «Croient-ils que l'incident a ruiné leur existence?» serait un meilleur critère.

La vulnérabilité

En lisant ce chapitre, vous aurez sans doute la même réaction que moi en l'écrivant: «Bonté du ciel! Faites que cela ne m'arrive jamais.» Le risque que vous courez d'être victime d'un événement vraiment catastrophique est très minime. Celui d'être violée, de voir mourir votre enfant ou votre conjoint est plus grand. Et même en échappant à ces circonstances dramatiques, certains d'entre vous pourraient malgré tout être atteints de TSPT à la suite de traumatismes de moindre importance, comme un procès, un divorce, une agression mineure, un emprisonnement ou la perte d'un emploi. On peut déterminer quelles sont les personnes qui sont le plus enclines aux TSPT grâce à des études qui ont été publiées.

Des psychologues n'ont pas cessé de rechercher les survivants de catastrophes pour voir lesquels résistaient le mieux, sans signe de TSPT, et lesquels s'effondraient le plus facilement. Voici ce qu'ils ont observé:

- Parmi les survivants d'une explosion catastrophique dans une usine norvégienne, ceux qui s'en tirèrent le mieux n'avaient jamais auparavant connu de problème d'ordre mental.
- Parmi 469 sapeurs-pompiers ayant difficilement combattu un feu de brousse catastrophique en Australie, on a établi que ceux qui couraient le plus de risques de développer des TSPT chroniques étaient des individus ayant des tendances certaines aux névroses et dont des membres de la famille avaient déjà souffert de troubles mentaux.
- Après la guerre du Liban, les anciens combattants blessés dont les parents étaient des survivants de l'Holocauste (et

qu'on appelait les «blessés de seconde génération») étaient plus souvent atteints de TSPT que les autres blessés-témoins.

- Parmi les anciens combattants israéliens ayant participé à deux guerres, ceux qui avaient souffert le plus du stress des combats durant le premier conflit étaient les principales victimes de TSPT après le deuxième.

On peut donc conclure que les personnes psychologiquement les plus saines avant de subir un traumatisme risquent le moins de souffrir de TSPT. Si vous avez la chance de faire partie de ces personnes, cela vous rassurera sans doute. Mais si les événements sinistres que vous vivez sont particulièrement affreux, votre bonne santé psychologique précédente ne vous sera pas d'un grand secours.

Une mise en garde impitoyable

Ce que j'ai avancé jusqu'à présent est plutôt sinistre. Les traumatismes extrêmes engendrent des symptômes dévastateurs qui durent pendant des années. Des traumatismes moins sévères sont également destructeurs, mais le pourcentage de leurs victimes est moindre. Et même des traumatismes légers peuvent ravager la vie de certaines personnes.

Ces «faits» soulèvent le scepticisme de certains. Pratiquement toutes les victimes de TSPT, disent les critiques, prêchent pour leur paroisse. Des symptômes prolongés peuvent profiter à leurs «victimes». Il est intéressant de noter que les TSPT ont acquis leur nom et leur statut diagnostique au lendemain de la guerre du Viêt-nam. Les anciens combattants sont revenus au pays en se plaignant de toute une série de maux; pas seulement les blessés, mais également ceux qui avaient participé à des atrocités, comme acteurs et non comme victimes. Un échantillonnage d'hommes interviewés de six à quinze ans après avoir pris part à de violents combats au Viêt-nam menaient maintenant des vies difficiles. Ils avaient été plus souvent arrêtés et condamnés, étaient plus souvent alcooliques, drogués ou stressés que d'autres anciens combattants qui n'étaient pas allés directement au feu. (Avant la guerre, ces deux groupes menaient des vies semblables.) Les hommes qui avaient participé à des atrocités étaient dans une forme particulièrement mauvaise. Tous ces anciens combattants touchent des indemnités d'invalidité, les TSPT ayant été reconnus comme une affection contractée au combat. Les sceptiques prétendent donc que les victimes ont tout intérêt à ce que leurs symptômes se prolongent.

Dans des sociétés procédurières comme les nôtres, ces remarques ne s'appliquent pas seulement aux anciens combattants. Victor et Josée ont intenté une action en justice contre les parents de Suzy. Les survivants des inondations de Buffalo Creek, en 1972 (auprès desquels on a recueilli les données les plus complètes à ce jour sur les TSPT chroniques), ont poursuivi en dommages et intérêts de plusieurs millions de dollars la compagnie Pittston, constructrice du barrage qui, en cédant, a inondé leur vallée.

Ce scepticisme repose probablement sur certaines bases. Il est en effet difficile d'estimer la durée réelle et la gravité des symptômes chez des survivants qui ont intérêt à projeter une image durable de la gravité de leur état. Mais une image semblable est également projetée par des victimes qui n'ont que peu ou rien à gagner: les survivants des camps de concentration et les femmes violées n'ont à attendre qu'un peu de sympathie et cela ne vaut certainement pas le prix d'une vie passée à simuler des TSPT.

Les thérapies

Peut-il exister une forme de thérapie pour des gens dont la vie a été gâchée par «un simple coup de téléphone»? Les thérapeutes ont expérimenté des médicaments. Dans une étude des plus sérieuses, 46 anciens combattants du Viêt-nam souffrant de TSPT furent traités à l'aide d'antidépresseurs et de placebos. Certains symptômes des TSPT s'estompèrent: les cauchemars et les scènes revécues en imagination diminuèrent d'intensité, mais restèrent en dehors de la normale. L'inertie, espèce d'isolement par rapport aux êtres chers, et l'angoisse généralisée demeurèrent inchangées. Plus d'un quart des anciens combattants refusèrent les médicaments et on ne sait pas ce qui advint de ceux qui les prenaient quand on cessa de les administrer. Dans une autre étude, des antidépresseurs apportèrent un certain soulagement mais, au bout du traitement, 64 p. 100 des membres du groupe sous médication et 72 p. 100 de ceux qui recevaient un placebo souffraient toujours de TSPT. Les rechutes sont en outre fréquentes. On peut dire, en général, que les antidépresseurs et les anxiolytiques soulagent certains symptômes chez certains patients, mais les chercheurs en pharmacologie sont arrivés à la conclusion qu'un traitement uniquement médicamenteux «n'est jamais suffisant pour éliminer les souffrances dues aux TSPT».

Plusieurs méthodes de psychothérapie ont été expérimentées, l'une d'elles dérivée des imposants travaux de James Pennebaker sur le silence. Pennebaker, un chercheur en psychologie de la santé, a constaté que les victimes de l'Holocauste et les femmes violées, qui ne parlent à personne après coup des traumatismes subis, sont en plus mauvaise santé physique que celles qui se confient à des tiers. Pennebaker a convaincu 60 survivants de l'Holocauste de décrire ce qui leur était arrivé. Ils ont donc relaté à d'autres des scènes qu'ils avaient repassées des milliers de fois en mémoire durant 40 ans.

> Ils jetaient des bébés par les fenêtres du deuxième étage de l'orphelinat. Je vois encore les mares de sang, et j'entends toujours les cris et le bruit que faisaient les corps en touchant le sol. J'étais là, immobile, sans oser bouger. Les soldats nazis nous tenaient en respect au bout de leurs fusils.

Les intervieweurs firent des cauchemars après avoir entendu ces histoires d'outre-tombe, mais la santé de ceux qui les avaient racontées s'améliora. De même, Pennebaker persuada des étudiants de narrer par écrit leurs traumatismes secrets — une agression sexuelle commise par un grand-père, la mort d'un chien, une tentative de suicide. Le résultat immédiat fut une dépression accrue. Mais, à long terme, le nombre de malaises physiques a baissé de 50 p. 100 chez ces étudiants et leur système immunitaire s'est renforcé.

La psychothérapie suivante est l'*exposition* prolongée. Le traitement par exposition oblige les victimes à revivre leur traumatisme en imagination. Elles le décrivent à leur psychothérapeute à haute voix et au présent. Cet exercice est répété séance après séance. Dans la meilleure étude jamais réalisée sur le traitement par exposition, Edna Foa, une pionnière de la psychothérapie du comportement, et ses collègues ont traité 45 victimes de viol souffrant de TSPT. Ils ont comparé les résultats du traitement à ceux de l'*entraînement à l'inoculation de stress,* qui comporte une profonde relaxation musculaire, censée arrêter les ruminations contrariantes, et une restructuration cognitive. Un autre groupe a suivi une psychothérapie de soutien et un quatrième n'a reçu aucun traitement.

Tous les groupes, même celui n'ayant pas été traité, firent des progrès. Tout de suite après les cinq semaines de traitement, l'entraînement à l'inoculation de stress donna le meilleur résultat au point de vue du soulagement des symptômes des TSPT. Mais après quatre mois supplémentaires de soins, les effets de l'exposition se sont avérés les plus durables.

Le traitement psychologique apporte donc un certain soulagement. Mais un tiers de toutes les patientes ont refusé le traitement ou l'ont abandonné en cours de route et les symptômes de TSPT et de dépression n'ont jamais complètement disparu.

Une étude en cours du Dr Foa donne, cependant, de nouveaux espoirs. Elle est en train de prouver qu'une combinaison d'inoculation de stress et d'exposition prolongée donne de très bons résultats. Après cinq semaines de traitement (neuf séances), 80 p. 100 des victimes de viol ne montraient plus de signes de TSPT et les symptômes étaient sensiblement réduits. Aucune rechute marquante ne s'est manifestée. Ces nouvelles constatations doivent pouvoir enfin redonner espoir aux victimes de viol. Si ces expériences peuvent être reproduites, elles devraient encourager les victimes à se faire soigner au plus vite, elles qui sont si souvent hésitantes à suivre un traitement qui les oblige à repenser constamment au viol.

Les résultats des traitements à l'aide de médicaments et à l'aide de psychothérapies cognitivo-comportementales sont donc généralement encourageants et ne demandent qu'à être explorés plus avant. Mais à l'exception des nouveaux traitements cognitivo-comportementaux pour les victimes de viol, ces résultats n'en restent pas moins fort modestes: un certain soulagement des symptômes, mais de nombreux abandons et pratiquement aucune guérison. De tous les troubles que nous avons examinés, les TSPT sont les moins sensibles à toute forme de thérapie. J'estime que la mise au point de nouveaux traitements des TSPT pour leurs victimes ordinaires est la priorité absolue.

LE TRAITEMENT ADÉQUAT
TABLEAU RELATIF AUX TROUBLES DU
STRESS POST-TRAUMATIQUE*

	Traitement cognitivo-comportemental	Antidépresseurs et anxiolytiques
MIEUX-ÊTRE	▲ ◢	▲
RECHUTES	▲ ▲ ▲	▲ ▲
EFFETS SECONDAIRES	▼ ▼	▼ ▼ ▼
COÛT	économique	économique
PÉRIODE	semaines/mois	jours/semaines
GLOBALEMENT	▲ ◢	▲

MIEUX-ÊTRE

▲ ▲ ▲ ▲ = de 80 à 100 p. 100 de mieux-être évident ou disparition des symptômes
▲ ▲ ▲ = de 60 à 80 p. 100 de mieux-être
▲ ▲ = au moins 50 p. 100 de mieux-être
▲ = mieux sans doute que par effet placebo
o = sans doute inutile

RECHUTES (après abandon du traitement)

▲ ▲ ▲ ▲ = 10 p. 100 ou moins de rechutes
▲ ▲ ▲ = de 10 à 20 p. 100 de rechutes
▲ ▲ = taux de rechutes moyen
▲ = taux de rechutes élevé

EFFETS SECONDAIRES

▼ ▼ ▼ ▼ = sévères
▼ ▼ ▼ = modérés
▼ ▼ = minimes
▼ = aucun

GLOBALEMENT

▲ ▲ ▲ ▲ = excellent, la thérapie la plus adéquate
▲ ▲ ▲ = très bon
▲ ▲ = utile
▲ = accessoire, secondaire
o = sans doute inutile

* Les choses changent rapidement et pour le mieux grâce au traitement cognitivo-comportemental des victimes de viol combinant l'exposition prolongée à l'entraînement à l'inoculation de stress. Si les résultats obtenus par la psychologue Edna Foa sont corroborés et étendus à des victimes de traumatismes différents, ce traitement sera doté de trois étoiles en général.

TROISIÈME PARTIE

Comment changer vos habitudes en mangeant, en buvant et en prenant du plaisir

11

Le sexe

NOTRE VIE ÉROTIQUE est comme une sphère composée de cinq «strates» concentriques se recouvrant l'une l'autre. La strate centrale est notre identité sexuelle. Avez-vous le sentiment d'être un homme ou une femme, une fille ou un garçon? L'identité sexuelle est presque toujours reliée à nos organes génitaux; si nous avons un pénis, nous nous sentons virils, si nous avons un vagin, nous avons le sentiment d'être une femme. Or, les scientifiques savent maintenant que l'identité sexuelle a une existence propre et indépendante à cause de l'étonnante et rare dissociation entre identité et organes sexuels. Certains hommes (nous les appelons ainsi parce qu'ils ont un pénis et 46 chromosomes XY) sont tout à fait convaincus d'être des femmes enfermées dans un corps masculin à la suite d'une quelconque erreur cosmique, et certaines femmes (ayant un vagin et 46 chromosomes XX) sont persuadées d'être des hommes coincés dans des corps féminins. Les uns et les autres sont des transsexuels et nous permettent de comprendre ce qu'est la strate centrale de la véritable identité sexuelle.

La strate qui recouvre celle de l'identité est celle de notre *orientation sexuelle* de base. Aimez-vous les hommes ou les femmes? Êtes-vous hétérosexuel, homosexuel ou bisexuel? Pour répondre à cette question, il ne s'agit pas de considérer votre passé sexuel mais plutôt vos fantasmes. Si vos rêves érotiques ont toujours mis en scène le sexe opposé, vous êtes essentiellement hétérosexuel. Si vos masturbations s'accompagnent de scènes érotiques dont les acteurs sont uniquement du même sexe que vous, vous êtes définitivement homosexuel. Si vous vous êtes fréquemment masturbé en imaginant des partenaires des deux sexes, vous êtes bisexuel.

La *préférence sexuelle* forme la troisième strate. Quelles sont les parties du corps et les situations qui vous excitent? Quel genre de scène vous représentez-vous en vous masturbant? À quoi pensez-vous au moment de l'orgasme? Pour la plupart des hommes, ce sont le visage, les seins, les fesses et les jambes de la femme qui sont les plus érotiques. La plupart des femmes préfèrent chez l'homme sa poitrine, ses épaules, ses bras, ses fesses et son visage. Les situations excitantes les plus courantes consistent à caresser une personne de sexe opposé, à la voir nue, à danser, à échanger des propos intimes; les lumières tamisées et la musique contribuent également à une excitation érotique.

Mais tout cela n'a absolument rien d'universel. Bon nombre de personnes recherchent avidement des objets et des situations hors normes. Parmi les plus courants, on note les pieds, les cheveux, les oreilles, le nombril; les textures soyeuses et caoutchouteuses, les slips, les bas, les jeans; le voyeurisme, l'exhibitionnisme, le sadisme et le masochisme. On trouve, plus rarement, parmi les éléments d'excitation les animaux, les enfants, l'urine et même, bizarrement, les extrémités de membres amputés. Les meurtres sexuels et les autofunérailles sont des activités hyperérotiques heureusement réservées à quelques très rares individus. Si vous êtes vous-même excité par l'une ou l'autre de ces choses, oubliez un instant la bizarrerie de l'objet ou de la situation et posez-vous l'importante question suivante: «La chose qui me passionne pourrait-elle nuire à de bonnes relations amoureuses et érotiques avec une autre personne consentante?» Quand les slips ou le fouet deviennent plus importants que vos partenaires, c'est signe que vous êtes sur une voie dangereuse.

La quatrième strate, celle qui précède la dernière en surface, est celle du *rôle sexuel*. Faites-vous ce que font la majorité des hommes ou des femmes? La plupart des personnes qui ont le sentiment d'être des hommes adoptent des rôles sexuels masculins, celles qui se sentent femmes, des rôles féminins. Mais la dissociation, qui n'a rien d'exceptionnel, entre identité et rôle nous a déjà appris que ces rôles sexuels avaient une existence propre et indépendante. Certaines femmes, par exemple, dominantes, agressives et dures, conduisent des poids lourds. Certains hommes, bienveillants, doux et compatissants, deviennent infirmiers. L'expression *rôle sexuel* fait paraître ce rôle comme quelque chose d'arbitraire, comme un simple habit dont on peut se dépouiller à volonté et le remplacer par un autre, seyant mieux aux circonstances du moment. Cette façon de voir les choses fait penser que les rôles sexuels ne sont que des reflets d'une mode. Les stéréotypes du macho et de la minette sont des accidents dus à l'éducation que reçoivent, de nos jours, les Occidentaux en général, et les Américains en particulier. Et comme ce sont des accidents sociaux, on peut arriver à modifier ces types en changeant simplement les méthodes d'éducation de nos enfants ou par tout autre acte de volonté. Nous allons voir si cela est vrai ou si ce n'est qu'une vue idéologique de l'esprit.

La *performance sexuelle* est la dernière strate, en surface, et est relative à votre bon fonctionnement en présence d'une personne et dans un cadre érotique qui vous conviennent. Une performance normale consiste à créer l'excitation et l'orgasme. Avez-vous des problèmes dans ce domaine? La frigidité et l'impuissance (quels termes péjoratifs!) sont des problèmes courants, de même que l'éjaculation précoce chez l'homme et l'absence d'orgasme chez la femme.

J'ai divisé la vie sexuelle en cinq strates pour une bonne et unique raison, celle de pouvoir répondre aux questions relatives à ce qui peut changer et à quel prix. La difficulté du changement est, à mon avis, une question de *profondeur*. Plus la strate sera éloignée de la surface, plus les changements seront difficiles à obtenir. (Cela n'est qu'un aperçu de ma théorie générale exposée au chapitre 4.) Mon opinion est que la transsexualité est un problème se situant au niveau le plus profond de l'identité et qu'elle ne pourra tout simplement pas être modifiée. L'orientation sexuelle, au niveau de la strate suivante, résistera fortement au changement. La préférence sexuelle, une fois acquise, est bien ancrée mais certaines modifications pourront être provoquées; le rôle sexuel peut, par contre, être sensiblement modifié, mais les changements ne seront d'aucune façon aussi faciles à obtenir que le prétendent les idéologues féministes, ni aussi difficiles à réaliser que veulent le croire les antiféministes. Corriger les performances sexuelles exige de pénibles efforts, mais comme les problèmes de fonctionnement se situent en surface, soyez optimiste, ils pourront être résolus.

Strate n⁰ 1: L'identité sexuelle et la transsexualité: où vous situez-vous?

Les transsexuels sont biologiquement normaux. Un homme transsexuel a un pénis fonctionnant normalement ainsi que 46 chromosomes XY; des poils couvrent son visage et son corps; il est pourvu d'une quantité appréciable de testostérone et a une voix grave. Une femme transsexuelle a un vagin, des ovaires actifs, 46 chromosomes XX, des seins et toutes les autres caractéristiques féminines. Les transsexuels sont physiquement semblables à la majorité des autres hommes et des autres femmes. Ils sont cependant, psychologiquement, on ne peut plus différents. Ils atteignent les sommets de l'anomalie par rapport aux trois critères de l'irrationalité, de la souffrance et de l'inadaptation. Ils sont, irrationnellement semble-t-il, persuadés d'être prisonniers d'un corps du sexe opposé. Ils sont malheureux, dépressifs, suicidaires et ont tendance à l'automutilation. (Certains essaient de se couper les organes sexuels.) Ils ne se marient pratiquement jamais et n'ont pas d'enfants non plus.

Aussi loin que remontent leurs souvenirs, les transsexuels ont toujours eu l'impression d'être d'un «sexe erroné». Et ils sont condamnés à conserver ce sentiment pour le restant de leurs jours. Toutes les méthodes de psychothérapies ont été appliquées aux transsexuels. La réussite des traitements est tellement rare que ce seul cas archivé ci-dessous suffit à démontrer la quasi-insolubilité du problème.

Jean, né en 1952, s'est toujours pris pour une fille. Il était le cadet de la famille, frêle et délicat comparé à sa sœur aînée qui était, elle, un vrai garçon manqué. À l'âge de quatre ans, il commença à se maquiller et fut ravi quand sa sœur entra à l'école, car elle disposait d'une nouvelle garde-robe pleine de vêtements. (Les transsexuels s'habillent toujours comme l'autre sexe. Mais ils ne sont travestis que techniquement. Un travesti mâle ne porte des vêtements de femme que pour provoquer une excitation sexuelle; un homme transsexuel les porte parce qu'il se prend pour une femme.)

Jean enviait sa mère et sa sœur et haïssait sa masculinité. À l'école, il était un mauvais élève. Isolé et solitaire, il passait son temps à cuisiner et à faire le ménage. Adolescent, il se mit à lire des ouvrages sur la transsexualité et s'intéressa aux importantes recherches réalisées à l'école de médecine Johns Hopkins. Il absorba de l'œstrogène et, pour la première fois de sa vie, se sentit calme et détendu. Il était ravi de n'avoir plus d'érection. Il se mit à travailler dans une gargote et à épargner pour se faire opérer en vue de changer de sexe. C'est à cette époque qu'il fut examiné par une équipe de psychiatres qui diagnostiquèrent formellement sa transsexualité.

Il se fit alors appeler Monique et vécut comme une femme, en se préparant à son opération chirurgicale. On le prenait facilement pour une femme et, grâce à un traitement hormonal, il se rendait en bikini à la plage. Au moment où l'opération devait avoir lieu, Monique disparut.

Au bout de quelques mois, elle réapparut dans la gargote. Non en tant que Monique, mais bien en tant que Jean. Quand il se présenta par la suite à l'équipe de psychiatres, il portait un complet-veston, avait les cheveux courts et les ongles coupés et se pavanait comme un vrai mâle. Il raconta avec enthousiasme ce qui lui était arrivé.

Avant de se faire opérer, il avait fait la promesse au patron de la gargote de consulter un médecin de l'endroit, membre d'une congrégation fondamentaliste (Jean était un baptiste non pratiquant, détaché de toute préoccupation religieuse). Le médecin expliqua à Jean qu'il pourrait s'en tirer en tant que femme, mais que son véritable problème était dû au fait qu'il était possédé par des esprits malins. Le médecin pratiqua pendant trois heures un exorcisme accompagné de prières, d'exhortations, d'incantations et d'impositions des mains. Jean s'évanouit plusieurs fois. Quand tout fut fini, le médecin déclara avoir chassé 22 esprits malins et Jean, pour la première fois, se sentit libéré de l'illusion d'être une femme. L'équipe psychiatrique suivit de près le cas de Jean, pendant deux ans et demi, et put constater qu'il était bien un homme, tant physiquement que psychologiquement. Jean a réussi professionnellement, a reçu régulièrement des promotions et a manifesté une ferme intention de se marier... avec une femme.

Le changement de sexe. La psychothérapie n'arrive que rarement, sinon jamais, à changer l'identité sexuelle. La seule chose que l'on puisse faire est de modifier l'organisme afin qu'il soit conforme à l'inébranlable identité sexuelle. C'est pourquoi des chirurgies destinées aux changements de sexe ont été mises au point. Jadis une nouveauté faisant la une des journaux, ce genre d'opération est devenu routinier. On en a déjà pratiqué des dizaines de milliers. Quand les diagnostiqueurs sont convaincus du caractère inébranlable de l'identité transsexuelle de leurs patients, commence alors le long processus consistant à adapter le corps de ceux-ci à leur personnalité. Dans le cas plus courant de la transformation d'un homme en femme (MF), le patient commence pendant plusieurs mois à jouer son rôle féminin, changeant son nom, s'habillant et agissant comme le ferait normalement une femme. On lui fait suivre un traitement hormonal qui lui développe les seins, fait changer sa voix et disparaître sa pilosité faciale. La chirurgie est enfin pratiquée, consistant en l'ablation des testicules et du pénis, dont on conserve la peau pour en garnir le nouveau vagin. Cette dernière phase de l'opération permet de futures relations sexuelles agréables et rend même l'orgasme possible. Dans le cas de la transformation d'une femme en homme (FM), les traitements hormonaux et de multiples actes chirurgicaux (ablation des seins, des ovaires et de l'utérus ensuite et, finalement, création d'un pénis) se poursuivent durant plusieurs années. Le pénis ne sera évidemment pas érectile et des éléments prothétiques devront être prévus pour les relations sexuelles.

Un suivi à long terme de centaines de patients montre que la chirurgie, quoique loin d'être une solution idéale et malgré son caractère radical, est le traitement préféré. La plupart des patients sont beaucoup plus heureux après l'intervention et s'adaptent fort bien à leur nouvelle existence, vivant confortablement dans leur corps reconstitué, draguant, faisant l'amour et se mariant. Les enfants, bien sûr, sont adoptés, car aucune chirurgie n'est capable de transplanter de façon viable des organes sexuels internes. Les patients les plus psychologiquement souffrants sont ceux à qui la chirurgie réussit le moins.

Les origines de l'identité sexuelle. Le transsexualisme est le trouble le plus profond de ceux relevés par la nosologie. Je ne connais aucun autre problème psychologique aussi insoluble. Nous ne savons pas comment changer le psychisme des individus pour le rendre conforme à leur corps, aussi nous résignons-nous à transformer leur corps, en essayant de le rendre conforme au psychisme. La profondeur du trouble prouve bien que l'identité sexuelle se situe dans la première strate de la sexualité et probablement même au cœur de la personnalité de tous les êtres humains.

Pourquoi l'identité sexuelle est-elle si profondément ancrée? Je veux avancer une théorie qui va bien au-delà des

225

données disponibles au sujet des origines de cette identité. Mon opinion est que cette identité, qu'elle soit normale ou transsexuelle, tire ses origines d'un processus hormonal encore inconnu qui prend place entre les deuxième et quatrième mois de la grossesse.

Je commencerai par évoquer une version simpliste de la façon pour un fœtus de devenir mâle ou femelle. L'embryon a le choix. Très tôt, ses deux ensembles, mâles et femelles, sont présents. Le fœtus penche toujours vers le choix féminin mais, à l'étape cruciale suivante, deux hormones sont sécrétées par ses organes mâles. Les organes féminins internes s'atrophient alors que les organes masculins se développent intérieurement et extérieurement. En l'absence d'hormones de virilisation à ce stade, ce sont les organes mâles qui s'atrophient et les organes femelles internes et externes qui se développent. Tout cela se passe à peu près à la fin du troisième mois de grossesse.

Je me demande sérieusement si quelque chose ne se produit pas à ce stade: les hormones virilisantes n'auraient-elles pas des effets psychologiques? Elles engendreraient l'identité sexuelle mâle (ou, en leur absence, c'est l'identité sexuelle féminine qui l'emporterait). Ces hormones commandent aussi le développement des organes sexuels correspondants, mais cela fait partie d'un processus distinct. Selon cette thèse, l'identité sexuelle est déjà présente dans le fœtus. Or cette thèse n'est pas facile à prouver, car il est impossible de questionner un fœtus sur ses aspirations à être mâle ou femelle. Il existe cependant quatre étonnants «essais de la nature» dans lesquels l'identité sexuelle est dissociée des organes sexuels; ils confirment tous ma thèse.

Vous en connaissez déjà deux: les transsexuels MF et FM. Cette théorie veut qu'une perturbation non encore connue de la phase d'identité sexuelle, non de la phase du développement des organes, se produise à un certain moment. Chez le transsexuel MF, la phase psychologique de virilisation ne se présente pas, tandis que l'autre phase, celle de la masculinisation des organes sexuels, se passe normalement. Chez le transsexuel FM, la phase psychologique tourne mal, celle de la féminisation des organes sexuels se déroule de façon normale, et c'est ici que réside sans doute le drame.

Il y a deux situations d'image inversée qui montrent de remarquables phénomènes parallèles aux deux transsexualismes et qui sont, en outre, beaucoup plus faciles à comprendre. Ce sont le *syndrome génito-surrénal (SGS)* et le *syndrome d'insensibilité androgénique (SIA)*. Ils pourraient être la clé permettant de comprendre le transsexualisme.

Le syndrome génito-surrénal a des effets profonds sur le fœtus 46 XX (le fœtus femelle chromosomiquement normal); il le baigne dans un liquide hormonal virilisant. Il en résulte que le fœtus, à la naissance, est un bébé aux organes internes féminins (ils s'étaient différenciés avant le bain) mais pourvu de ce qui ressemble à un pénis et un scrotum. Ces organes ont un aspect convaincant, mais ne sont en réalité qu'un clitoris énormément développé en forme de pénis (avec prépuce et tout le reste). Le scrotum ne contient pas de testicules. De nombreux SGS sont enregistrés comme garçons et élevés en conséquence. Comme le bain hormonal continue ses effets, leur voix devient plus grave, leur pilosité se développe à l'adolescence. Ces SGS *deviennent des hommes normaux*. Ils se sentent mâles, font la cour aux femmes, ont des rapports sexuels normaux, deviennent de bons maris et de bons pères de famille (par adoption ou par insémination artificielle de leur épouse). Ils n'ont aucun fantasme ou conduite bisexuels. Par contre, s'ils subissent, comme cela arrive parfois, une chirurgie de féminisation et sont élevés comme des filles, des problèmes s'ensuivent souvent: «elles» continueront à se considérer et à agir comme des hommes; les fantasmes et les activités bisexuelles deviennent alors courantes.

Dans ma théorie, les SGS élevés comme des mâles sont les «cousins germains» des transsexuelles FM. Ils sont les uns et les autres issus de fœtus 46 XX psychologiquement virilisés. Mais la transsexuelle ne passera pas par la phase suivante de virilisation de ses organes externes. Elle est donc née psychologiquement mâle, mais avec un vagin et sera enregistrée et élevée comme une fille. Sa vie sera une vallée de larmes. Ce sera encore pire au moment de sa puberté car, contrairement à son cousin SGS, ses seins pointeront et elle aura des règles. Son cousin SGS est psychologiquement mâle, mais a eu la chance de naître avec l'apparence d'un pénis et d'un scrotum et aura ainsi été enregistré comme garçon. Sa vie se déroule bien, car ce que tout le monde croit qu'il est (en vertu de l'apparence d'un pénis à sa naissance et, plus tard, de sa voix grave et de sa pilosité faciale) est semblable à ce qu'il croit être, c'est-à-dire un homme.

La tragique différence entre un SGS élevé comme un mâle et une transsexuelle FM est due au fait que, chez celle-ci, une seule phase, celle de la masculinisation psychologique fœtale, est ratée. Toutes les autres phases se déroulent normalement, malheureusement dictées par le sexe chromosomique et non par l'identité sexuelle. Chez les SGS, toutes les phases sont, heureusement, des échecs, ce qui fait que tout correspond, non pas à leur sexe chromosomique, mais bien à leur identité sexuelle.

L'autre phénomène anormal est celui du syndrome d'insensibilité androgénique. Les SIA sont des mâles sur le plan chromosomique; ils ont 46 chromosomes XY. Ils sont cependant insensibles aux hormones virilisantes. Ce qui fait que les SIA sont nés avec des organes internes masculins (qui se différencient avant le bain hormonal virilisant, d'ailleurs inefficace) et un vagin qui se termine cependant en cul-de-sac. Tous les SIA sont enregistrés et élevés comme des filles. Ils grandissent avec le sentiment d'être de sexe féminin, sont attirés par les hommes et ont avec eux des relations sexuelles normales. Selon ma théorie, ils ne sont pas psychologiquement virilisés et leurs organes externes n'ont heureusement rien de masculin. Comme les SGS, ils ont un coup de chance supplémentaire: au moment de la puberté, leurs seins se développent sous l'effet des hormones œstrogènes mâles sécrétés par les testicules (profondément enfouis en eux) et ils prennent ainsi l'aspect d'une femme.

Les SIA sont, eux, les cousins germains des transsexuels MF. Les uns et les autres sont issus de fœtus 46 XY avec des organes internes masculins et qui sont psychologiquement féminisés à la fin du premier tiers de la grossesse. Mais les transsexuels passent par une phase suivante normale, celle de la virilisation de leurs organes externes. Et quoiqu'ils soient psychologiquement de sexe féminin, ils naissent donc avec un pénis utilisable et sont, de ce fait, enregistrés et élevés comme des enfants de sexe masculin. Ils sont, par la suite, irrémédiablement malheureux, à moins de se faire amputer chirurgicalement le pénis. Leurs cousins SIA sont psychologiquement femmes et ont eu la chance de naître avec une apparence de vagin et d'être enregistrés comme appartenant au «beau sexe». Leur vie se déroule bien, car ce que tout le monde croit qu'ils sont (en vertu de l'apparence d'un vagin et, plus tard, du développement de leurs seins) est semblable à ce qu'ils croient être, c'est-à-dire une femme.

Une fois de plus, cette tragique différence entre une femme SIA et un transsexuel MF repose sur le fait que la seule phase de la féminisation psychologique chez le transsexuel a échoué. Toutes les autres phases se sont déroulées normalement, malheureusement encore dictées par le sexe chromosomique et non par l'identité sexuelle. Chez les SIA, toutes les phases tournent mal, ce qui fait que tout correspond, non pas à leur sexe chromosomique, mais bien à leur identité sexuelle.

Si l'identité sexuelle, normale ou non, est si profondément ancrée, c'est, selon moi, qu'elle tire ses origines d'un processus hormonal de base qui advient environ à la fin du troisième mois du développement fœtal. Les hormones fœtales ne sont pas les seuls éléments déterminant l'identité sexuelle. L'éducation, les hormones pubertaires, les organes sexuels et le fait d'être la risée de certains jouent tous un rôle. Mais tous ces éléments ne peuvent, au plus, que renforcer — ou perturber — l'identité primordiale à laquelle nous sommes soudés depuis bien avant notre naissance.

Strate n° 2: L'orientation sexuelle: aimez-vous les hommes ou les femmes?

Les sexologues utilisent l'expression *choix de l'objet* pour expliquer comment nous en arrivons à aimer ce que nous aimons. Les groupements militants de gais prétendent, d'autre part, que nous n'avons aucun choix possible. Je crois, moi, que la vérité se situe entre ces deux extrêmes, mais avec un net penchant pour l'affirmation des gais. C'est pourquoi j'ai donné à cette strate le nom d'*orientation* sexuelle plutôt que de *choix de l'objet* sexuel. L'homosexualité et l'hétérosexualité sont les orientations sexuelles de base. Quand une personne devient-elle hétérosexuelle ou homosexuelle? Comment cela arrive-t-il? Devenue sexuellement active, la personne peut-elle changer d'orientation?

L'homosexualité exclusive. Il faut faire la distinction entre les homosexuels exclusifs et les bisexuels (homosexuels occasionnels). La plupart des hommes qui ont des relations sexuelles avec d'autres hommes sont bisexuels. Quinze pour cent environ des hommes américains avouent avoir eu des orgasmes avec des représentants des deux sexes; ce pourcentage pourrait être plus faible aujourd'hui à cause de la peur du sida. Contrairement aux bisexuels, une importante minorité d'hommes homosexuels ont des relations sexuelles exclusivement avec d'autres hommes. De 1 à 5 p. 100 de toute la population masculine est de ce type. Aussi loin que remontent leurs souvenirs, ils disent n'avoir jamais été érotiquement intéressés que par des hommes. Ils ne tombent amoureux que de leurs congénères. Quand ils se masturbent ou ont des émissions nocturnes, l'objet de leurs fantasmes est toujours un homme. L'orientation des homosexuels exclusifs, de même que celle des hétérosexuels exclusifs, est fermement établie.

Cette orientation pourrait même avoir pour origine une certaine conformation du cerveau. Dans une enquête remarquable et fort bien menée, le chercheur Simon Levay rap-

porte les études effectuées sur les cerveaux d'hommes homosexuels et hétérosexuels et de femmes hétérosexuelles
récemment décédés, généralement des suites du sida. Il a con-
centré ses autopsies sur une petite aire particulière située au
centre de l'hypothalamus antérieur associé au comportement sexuel masculin et dont les tissus sont plus fournis
chez l'homme que chez la femme. Il constata une différence
énorme. Les hétérosexuels avaient deux fois plus de ce tissu
que les homosexuels qui, eux, en avaient une quantité minime, égale à celle des femmes. Ce phénomène est d'autant
plus fascinant qu'il se situe dans la même aire cérébrale que
celle qui contrôle le comportement sexuel des rats mâles;
c'est l'aire qui se développe quand le cerveau des rats est
hormonalement masculinisé avant leur naissance.

Il est donc possible d'avancer que l'homosexualité
exclusive des hommes est une forme atténuée de transsexualité MF, elle-même une forme atténuée du SIA. Selon cette
théorie, les organes, l'identité et l'orientation sexuels chez les
hommes 46 XY pourraient chacun avoir leur propre agent de
virilisation et trois niveaux distincts de défaillance hormonale pourraient ainsi exister. Il pourrait s'agir de trois différentes hormones ou de la quantité d'hormones agissantes.
Une totale défaillance hormonale expliquerait, par exemple,
une absence de virilisation: le bébé est alors un mâle chromosomique avec des organes externes féminins et une identité féminine et son orientation sexuelle sera dirigée vers les
hommes: le SIA type. Une forte insuffisance d'hormones virilisantes produira un bébé chromosiquement mâle, avec des
organes masculins, mais dont l'orientation sexuelle sera
dirigée vers les hommes et dont l'identité sera également
féminine, soit le transsexuel MF type. Une simple insuffisance hormonale donnera un mâle chromosomique, doté
d'une identité et d'organes masculins mais dont l'orientation
sexuelle sera dirigée vers les hommes: le type même de l'homosexuel exclusif.

Dans cette conjoncture, la suite des interventions hor-
monales (non encore connue) se produit ordinairement

pendant la gestation: un mâle (normal) 46 XY est insuffisamment virilisé. Il l'est cependant assez pour avoir une identité et des organes externes masculins. L'effet principal de la faiblesse hormonale est d'empêcher la croissance de la partie interne de l'hypothalamus antérieur et d'ainsi modifier un aspect unique de la vie érotique: l'orientation sexuelle, établie dans le cadre utérin, ne sera plus jamais dirigée vers les femmes.

Il est intéressant de noter que les jumeaux univitellins ont plus souvent les mêmes caractères homosexuels que les jumeaux bivitellins et que ceux-ci ont plus souvent ces mêmes caractères que des frères d'âges différents. Sur 56 paires de jumeaux univitellins dont l'un des deux était un homosexuel reconnu, l'autre l'était également dans 52 p. 100 des cas, à comparer à un pourcentage de 22 p. 100 chez des jumeaux bivitellins. Chez des frères d'âges différents, ce pourcentage tombait à 9 p. 100. La différence entre les jumeaux univitellins et bivitellins signifie qu'il y a une composante génétique à l'homosexualité. Mais les frères d'âges différents et les jumeaux bivitellins se partagent exactement le même pourcentage de gènes (50 p. 100). Que des jumeaux bivitellins, qui se partagent le même cadre utérin, aient plus souvent les mêmes caractères sexuels que des frères d'âges différents prouve donc que des hormones fœtales entrent en jeu. Ce qui pourrait, de toute façon, les mettre en concordance est leur atrophie de la partie interne de l'hypothalamus antérieur.

Il serait tentant d'appliquer la même théorie à l'homosexualité des femmes en la considérant comme une légère virilisation d'un fœtus femelle 46 XX. Je m'en abstiendrai pour l'instant. Trop peu de recherches ont été effectuées auprès des lesbiennes pour savoir ce qu'il en est. Il est possible, mais non encore certain, que le lesbianisme soit une image inversée de l'homosexualité masculine. Une contribution génétique certaine au lesbianisme est cependant prouvée. Sur un échantillonnage de plus d'une centaine de jumelles, dont l'une des deux était lesbienne, la seconde l'était aussi dans 51 p. 100 des cas parmi les univitellines et 10 p. 100 seulement chez les bivitellines. On n'a toutefois pas encore prouvé que l'hypothalamus antérieur des lesbiennes était plus développé que chez les hétérosexuelles. La recherche n'a pas eu lieu, car les lesbiennes mortes du sida ne sont, heureusement, pas nombreuses. Même les preuves établies grâce à l'étude des rats sont plus évidentes chez les mâles que chez les femelles. Enfin, aucune étude n'est disponible sur les résultats de psychothérapie en vue d'un changement d'orientation sexuelle chez les lesbiennes.

Homosexualité et psychothérapies. Peut-on modifier l'homosexualité exclusive chez les hommes? Bon nombre d'homosexuels sont heureux de vivre leur sexualité et ne veulent pas en changer. Par contre, l'homme souffrant de son homosexualité et que l'on qualifie d'*ego-dystonique* s'en remet souvent à la psychothérapie pour changer d'orientation sexuelle. Il est déprimé, veut des enfants, ne supporte plus d'être stigmatisé et considéré comme une «tante» et il hait, en outre, la promiscuité du milieu homosexuel. Il y a vingt-cinq ans, des psychothérapeutes du comportement, ignorant les certitudes cliniques de l'époque voulant que la psychothérapie n'avait aucun effet sur l'homosexualité, se penchèrent sans compter sur le problème.

Ils tentèrent de le résoudre en projetant sur écran des images excitantes d'hommes nus suivies de chocs électriques douloureux et prolongés. Quand ils coupaient le courant, l'image d'une femme attirante apparaissait à l'écran. Il s'agissait de dégoûter les patients des relations sexuelles entre hommes et de leur faire paraître attrayantes les relations hétérosexuelles en associant la femme au soulagement.

Vous penserez probablement que c'était là faire preuve d'une naïveté désespérante. Or, l'expérience donna des résultats étonnamment bons. Cinquante pour cent, environ, des hommes ainsi traités perdirent leur goût pour les hommes et commencèrent à avoir des relations sexuelles avec des femmes. La communauté psychothérapeutique fut balayée par un vent d'enthousiasme à l'idée de pouvoir changer l'orientation homosexuelle. À y voir de plus près, les conclusions s'avérèrent inexactes mais néanmoins révélatrices. La psychothérapie donnait généralement de bons résultats avec les hommes bisexuels, ceux qui avaient parfois des fantasmes sexuels concernant des femmes. Quand le patient était un homosexuel exclusif, le traitement était, la plupart du temps, un échec.

L'homosexualité et l'hétérosexualité exclusives sont très profondément ancrées. Les échecs de la psychothérapie, les fantasmes persistants relatifs à un seul sexe, l'atrophie de l'hypothalamus antérieur, les concordances sexuelles entre jumeaux univitellins et le développement fœtal, tout cela amène à conclure à l'inflexibilité du processus. Mais l'homosexualité n'est, cependant, pas aussi profondément ancrée et immuable que la transsexualité. Les transsexuels MF ne se marient pratiquement jamais et adoptent des enfants s'ils en veulent, alors que les homosexuels prennent parfois femme et font des enfants. Ils réussissent ce tour de force à l'aide de fantasmes. En faisant l'amour avec leur conjointe, ils prolongent leur excitation et arrivent à l'orgasme en imaginant des rapports homosexuels (tout comme le font les hétérosexuels limités à des expériences homosexuelles en prison). Les homosexuels exclusifs ont donc une certaine liberté d'action; ils peuvent choisir les partenaires avec lesquels ils auront des relations sexuelles mais ne pourront pas choisir ceux avec lesquels ils *voudraient* faire l'amour.

Strate nº 3: La préférence sexuelle: les seins, les fesses et les bisexuels

Vous souvenez-vous de la première huître que vous avez vue, s'étalant gluante dans sa demi-coquille? Quelqu'un vous a invité à la goûter et vous avez sans doute pensé avec le désir de rentrer sous terre: «Quoi, me mettre en bouche cette chose répugnante?» Et encouragés, taquinés ou honteux de ne pas essayer, vous l'avez gobée et avez découvert que les huîtres n'avaient pas si mauvais goût. Manger des mollusques, comme bien d'autres formes d'activités humaines, a en soi un côté dégoûtant qui empêche beaucoup de gens de s'y prêter avec désinvolture. La pression sociale, la curiosité ou la simple bravade les poussent cependant à en faire l'essai. Après que vous y avez goûté, toutes les choses agréables associées à la dégustation des huîtres vous deviennent évidentes et vous pourriez bien devenir des accros de la malpèque, de la belon ou de la fine de claire.

Cet important phénomène de *l'enveloppe inhibitrice* ne se limite pas aux seules activités humaines. Il existe deux catégories de rats: celle des rats tueurs de souris et celle des non-tueurs. Quand les tueurs, soit la moitié environ de tous les rats, aperçoivent pour la première fois une souris, ils sautent dessus et la tuent. L'autre moitié, celle des non-tueurs, n'y prête pas attention ou parfois même s'enfuit. Mais un laborantin peut inciter un tel rat à tuer en l'affamant et en faisant passer, ensuite, une souris devant lui. Le non-tueur, en désespoir de cause, la tuera. Quand un non-tueur aura tué pour la première fois, quand il aura perdu sa «virginité d'assassin», il passera définitivement dans la catégorie des tueurs de souris. Qu'il ait faim ou non, dès qu'il en verra une, il sautera dessus et la tuera.

Souvenez-vous maintenant de votre enfance et de l'époque où vous avez, pour la première fois, entendu parler de relations sexuelles et, plus tard, des rapports sexuels buccogénitaux. Vous avez sans doute pensé: «Quelle chose dégoûtante. Mes parents ne font pas cela. Moi, en tout cas, je ne le ferai jamais!» Mais les hormones de l'adolescence se répandant en vous, ou encouragé par vos semblables, par bravade, par curiosité ou par révolte, vous vous êtes finalement laissé entraîner à tenter l'expérience. En vous livrant à ces activités, vous avez découvert ce qu'elles avaient d'agréable. Très vite, vous les avez recherchées et avez même commencé à éprouver pour elles une impérieuse envie. La plupart des préférences sexuelles humaines se constituent de cette façon en un épais revêtement d'inhibitions recouvrant un noyau de «délices». Il en est de même avec ce que nous mangeons, avec ce que nous absorbons immodérément et, je le crains, avec la violence.

Les anecdotes du mangeur d'huîtres et des tueurs de souris nous montrent que l'éventualité de nous attacher érotiquement à une quelconque activité sexuelle parmi tant d'autres s'est peut-être insinuée en nous. Être homme attiré par les seins, ou appréciant les fessées, ou femme excitée par les danses lascives ou les confidences intimes, n'est pas entièrement accidentel et peut relever d'une expérience de jeunesse. Je suspecte que si nous avions, par exemple, fait l'«essai» du voyeurisme ou du port de vêtements en caoutchouc, nous pourrions en être arrivés à éprouver un besoin maladif pour ce genre de fantaisie.

L'histoire des huîtres a deux moralités. La première, celle de la tolérance sexuelle, vient du fait que nous savons qu'en chacun de nous se trouve un moyen d'excitation par l'un quelconque des objets ou des situations érotiques dont il existe une gamme quasi infinie. La seconde moralité appelle à la prudence. Les premières décisions sexuelles que nous prenons, ou que nous sommes encouragés ou poussés à prendre, ont une importance considérable, plus considérable que de décider avec qui se marier ou dans quelle université achever ses études. Car une fois le revêtement d'inhibitions disparu, nous voulons goûter, encore et encore, au «noyau des délices». Nos premières expériences sexuelles d'adolescents sont, en général, ce que nous rechercherons tout au long de nos vies. Or nous prenons ces décisions plus ou moins accidentellement. Les jeunes gens devraient donc être capables de répondre à la question «Pourquoi pas?» par une autre interrogation «Ai-je vraiment le désir de poursuivre ce chemin jusqu'à la fin de mes jours?»

L'orientation sexuelle, qu'elle soit hétérosexuelle ou homosexuelle, est très proche de l'identité sexuelle de par sa profondeur et son inflexibilité; elle est plus profondément ancrée que la préférence sexuelle. Une fois l'orientation prise, les préférences s'installent en fonction d'elle: les seins ou les fesses, le voyeurisme, les culottes en dentelle, les mollets ou les pieds, les tissus caoutchouteux, la position du missionnaire ou le soixante-neuf, le sadisme, les cheveux blonds, la bisexualité, les fessées ou les chaussures à hauts talons. Ces préférences, comme l'envie de tuer les souris, sont difficilement abandonnées une fois adoptées. Contrairement à l'hétérosexualité ou à l'homosexualité exclusives, elles ne prennent certainement pas naissance dans l'utérus (le fœtus peut «connaître la différence» entre hommes et femmes, mais il ne sait certainement rien des talons aiguilles). Nos préférences sexuelles prennent plutôt racine à la fin de l'enfance, lorsque les premières hormones de la puberté réveillent les structures cervicales dormantes formées, elles, dans l'utérus.

C'est l'époque où les jeux perdent de leur innocence et se teintent de sexualité. Les rêves et les fantasmes font de même. Lors d'une enquête auprès d'écoliers de la troisième année du primaire, j'ai pu constater que si 5 p. 100 seulement d'entre eux avaient déjà fait des rêves d'«amour» (il avaient câliné, en rêve, un garçon ou une fille de leur âge), tous se souvenaient par contre d'avoir rêvé de «monstres». D'autre part, la grande majorité des écoliers de sixième année rêvaient d'amour et les monstres se faisaient de plus en plus rares. La plupart des sexologues pensent que les rêves, les fantasmes et les jeux «intenses» de cet âge coïncident avec le développement sexuel ou qu'ils reflètent simplement ce que sont les faits de la sexualité sous-jacente. Mon point de vue est différent; j'estime, en effet, que ces événements forment le creuset à partir duquel se forgent nos préférences sexuelles. J'ai la conviction que ce sur quoi portent les rêves, les jeux et les fantasmes des enfants a un rôle déterminant sur leurs préférences sexuelles futures.

Léon avait huit ans quand sa demi-sœur lui apprit à se masturber, en jouant «au docteur». Alors qu'il jouissait, la pantoufle de la gamine toucha accidentellement son pénis. Dans l'année qui suivit, il commença à se masturber régulièrement. Ses fantasmes avaient alors pour objet les pieds et les souliers de filles. On le réprimanda pour avoir caressé les chaussures de sa maîtresse d'école. Il finit par se marier, mais n'arrivait à faire l'amour qu'en caressant les pieds de sa femme ou en fantasmant à propos de souliers. Léon se fit engager comme vendeur chez un bottier de luxe; il passait ses journées en état d'excitation permanente en aidant les clientes à choisir leurs chaussures.

Simon avait 10 ans quand il vécut sa première émission nocturne, un événement inoubliable. Il avait rêvé que sa copine Suzanne avait retiré la culotte de son maillot de bain deux-pièces et lui avait permis de frotter son pénis entre ses fesses. C'était vraiment bon et il jouit. Il se réveilla gluant, confus et choqué. Jusqu'à ce qu'il fasse ce rêve, il ne s'était jamais imaginé que son pénis servait à autre chose qu'à uriner. Trois ans plus tard, quand il se mit à se masturber, il constata que ses fantasmes se concentraient sur le derrière des filles, surtout quand il était sur le point de jouir. Maintenant, âgé de 35 ans, il n'arrive à jouir qu'en faisant l'amour par derrière. Tout le reste ne sert que de prélude à ses relations sexuelles.

Ces deux anecdotes sont typiques des histoires que racontent les hommes quand on leur demande les préférences sexuelles qui les font jouir. Elles s'adaptent bien à la théorie du conditionnement préparé que nous avons utilisée pour expliquer pourquoi les phobies étaient sélectives et si résistantes au changement. Et comme les phobies, ce qui fait l'objet des préférences sexuelles est exclusif. Les culottes de femmes, les pieds, les cheveux, les seins, le satin, les fessées et une douzaine d'autres éléments sont les plus courants. «Tout ce qui excite» et la «perversité polymorphe» sont de rares exceptions. À peu près tout ce qui fait l'objet des préférences sexuelles masculines est apparenté, de près ou de loin, à une partie du corps de la femme et au coït. Les couleurs, les sons, les fleurs et la nourriture ne font jamais partie des fétiches. À l'occasion, comme avec les phobies, s'insinue une inclination vraiment bizarre comme les cadavres ou les excréments, par exemple. Mais ce sont là, généralement, les fétiches de personnes psychotiques. Tout comme les phobies, les préférences sexuelles, une fois acquises, persistent.

Les tenants du conditionnement préparé soutiennent qu'il existe une «courte liste» de stimuli d'importance évolutionniste qui sont de possibles objets sexuels pour l'homme. Quand un de ces stimuli conditionnels (les pieds pour Léon, les fesses pour Simon) entre en combinaison avec un stimulus inconditionnel (la masturbation chez Léon, l'émission nocturne chez Simon), commence alors le conditionnement. Les jeux sexuels de la préadolescence et les émissions nocturnes fournissent d'amples occasions de combinaisons d'objets préparés avec l'excitation sexuelle. Quand cela arrive, les objets deviennent eux-mêmes sexuellement excitants.

La masturbation explique pourquoi vos préférences sexuelles durent toute votre vie. Quand ces objets sont devenus excitants, vous commencez à vous masturber en les imaginant. Chez les hommes, la masturbation s'accompagne toujours de fantasmes. Vous vous retrouvez en présence du stimulus conditionnel et vous atteignez l'orgasme. Cela représente une épreuve de conditionnement supplémentaire qui se répète, une douzaine de fois par semaine, chez la plupart des garçons adolescents. Voilà beaucoup d'entraînement. Chez l'homme, le coït s'accompagne généralement de variations sur le thème de son fantasme fondamental ou sur sa reproduction systématique seulement. Cela fait beaucoup d'entraînement supplémentaire. À mon avis, l'évolution a choisi la masturbation et son phénomène concomitant, le fantasme, dans le but d'obliger durablement les hommes à s'adonner aux pratiques érotiques de leur tribu, de leur race et de leur culture.

Les femmes et les fétiches. Il semble évident que les femmes acquièrent leurs préférences sexuelles selon un processus plus subtil. Le fait que la plupart des hommes soient «fétichistes» marque la principale différence entre les deux sexes. Quand la préférence est vue d'un mauvais œil, qu'elle est gênante, illégale ou asociale, nous la taxons de «fétichisme». Quand elle est socialement acceptable, pratiquée entre adultes consentants et légale, on ne lui donne aucun nom («secrets d'alcôve»?). Mais le processus est identique. Fétichistes et hommes «normaux» entretiennent, les uns et les autres, des images érotiques très spécifiques. Ces images sont celles de leurs anciens fantasmes «masturbatoires» et de leurs activités sexuelles présentes. Un bon nombre de préférences sexuelles sont acceptables, ce qui fait qu'en maîtrisant raisonnablement leurs impulsions, les hommes que les gros seins, les jolies fesses, les fessées, le lacérage de culottes de dentelles ou le port de dessous en caoutchouc excitent ne courent aucun risque. Les hommes dont les préférences sont socialement inacceptables, immorales, illégales ou dangereuses (ou encore sont acceptables, mais recherchées par des hommes maîtrisant mal leurs pulsions) sont étiquetés «fétichistes», un qualificatif fort péjoratif. Or ces hommes suivent, à mon avis, le même processus de préférence sexuelle que les hommes normaux. Seuls la singularité, la non-acceptabilité ou le caractère dangereux de leurs préférences, ou encore le fait de leur inaptitude à se restreindre ou à ne pas se faire prendre, les distinguent des autres.

Les deux tiers d'un échantillonnage au hasard d'étudiants de sexe masculin et d'origine rurale, en Oregon, ont admis (sous le couvert de l'anonymat) avoir déjà eu des activités sexuelles répréhensibles, comme des rapports sexuels avec des enfants, le viol, le voyeurisme ou le frotti-frotta (action de se frotter sur une ou un inconnu dans une foule). Ils étaient encore plus nombreux à désirer commettre des actes répréhensibles. Ces nombreuses confessions témoignent de la réalité du fétichisme dans la société et de la nature stéréotypée et concrète des préférences sexuelles masculines.

Le fait que *la plupart des hommes* soient fétichistes n'est pas ce qui distingue les préférences masculines des préférences féminines. C'est plutôt le fait que *la plupart des femmes* ne sont pas fétichistes. La tradition clinicienne voudrait qu'absolument aucune femme ne le soit. J'estime que cette affirmation est exagérée. Il existe quelques rares rapports de fétichisme féminin dans les revues médicales et au moins une enquête systématique. Pour cette étude, un groupe d'universitaires entreprenants firent paraître des annonces cherchant des sadiques et des masochistes dans un magazine «sado-maso». Il y eut 182 réponses et, en ne tenant pas compte des «dominatrices professionnelles», 25 p. 100 de ces réponses provenaient de femmes. Tous les intéressés répondirent à un questionnaire sur leur sexualité. De sensibles différences apparurent entre les hommes et les femmes de la discrète communauté sado-maso. Les hommes affirmèrent avoir acquis leurs préférences durant leur adolescence; les femmes déclarèrent en avoir pris conscience à l'âge adulte. Elles avaient été initiées au sado-masochisme par un tiers alors que les hommes y avaient pris goût naturellement et spontanément dès l'enfance. Les hommes étaient hétérosexuels, les femmes avaient une tendance marquée à la bisexualité ou à l'homosexualité (des femmes «androgénisées»?).

J'estime que les préférences érotiques des hommes sont fort dissemblables de celles des femmes et que même le processus de leur acquisition pourrait être différent. Les hommes sont facilement, sinon toujours, fortement excités par des objets spécifiques et concrets. Ce sont l'aspect, la sensation au toucher et l'odeur de ces objets qui provoquent l'excitation. Bon nombre d'hommes les recherchent durant toute leur vie. Les objets des préférences masculines se restreignent à une partie seulement du corps et ne visent pas l'ensemble d'une personne (les fesses de Madonna sont plus excitantes que Madonna elle-même). Ce phénomène est rare, sinon absent, chez les femmes. Celles-ci acquièrent des préférences érotiques qui exigent des scénarios plus subtils, faisant intervenir l'intrigue, l'intimité et le caractère. En bref, les objets sexuels féminins ne sont en rien des objets; ils visent l'ensemble de la personne et se concentrent sur les relations personnelles.

Je ne m'explique pas ce phénomène. Les théories avancées sont quelque peu stupides. D'après l'une d'elles, les hommes, sachant à quel moment ils sont excités (grâce à l'érection), peuvent facilement reconnaître ce qui réveille leurs appétits sexuels. Les femmes, ne disposant pas d'un «avertisseur externe» leur signalant l'excitation, ne sont que difficilement conditionnées. Cette théorie n'explique ni pourquoi les objets qui excitent les hommes sont si particuliers ni pourquoi les femmes choisissent des situations tellement différentes et plus sociables.

Une autre théorie, insatisfaisante mais non stupide, veut que les femmes, destinées à mettre au monde et à élever des enfants, doivent, si elles veulent transmettre leurs gènes, se montrer des plus sélectives quant au caractère de l'homme et à ses aptitudes à devenir un bon père de famille. Les bras musclés, le teint basané, les fesses bien rondes, en un mot l'aspect physique, sont de bien pauvres augures des qualités paternelles. Les échanges compréhensifs, la fortune, les succès, la position sociale (rappelez-vous l'aphorisme d'Henry Kissinger: «Le pouvoir est le meilleur aphrodisiaque au monde»), les chansons d'amour, les serments et les poèmes jurant une dévotion éternelle permettent mieux de prédire qu'un homme contribuera à l'éducation des enfants et ne les abandonnera pas quand la femme ne sera plus en âge d'en avoir. Les femmes qui adoptent une telle stratégie de reproduction ont de meilleures chances de transmettre leurs gènes que celles qu'une allure superficielle excite. La théorie se poursuit, expliquant que les hommes cherchent, tout simplement, à répandre leur semence autour d'eux, aussi abondamment que possible, et que d'être guidés par un visage avenant, de larges hanches, la nubilité et des seins dodus leur assurera une nombreuse descendance. Cela explique les faits, mais non les mécanismes.

Changer les préférences sexuelles. Les préférences sexuelles de l'adolescence subsistent tout au long de la vie, mais de nouveaux goûts peuvent s'y adjoindre. Les bisexuels, par exemple, débutent généralement par des expériences uniquement hétérosexuelles. Dans la vingtaine ou la trentaine, ils commencent à appliquer leurs fantasmes intimes, ont une aventure homosexuelle et deviennent activement bisexuels. Des couples mariés sont initiés à la sexualité de groupe par d'autres «partouzards» et y prennent parfois goût.

Les préférences antérieures, qui ne disparaissent que rarement d'elles-mêmes, peuvent cependant être parfois corrigées à l'aide d'une psychothérapie formelle. Des études poussées ont été menées sur les pouvoirs de la psychothérapie en matière de préférences sexuelles, mais elles ont eu comme sujets des hommes atypiques, ayant commis des agressions et des délits sexuels. Des exhibitionnistes ou des pédophiles sont arrêtés et forcés de suivre une psychothérapie conjointement à ou à la place d'une peine de prison. De même, des hommes accablés de remords et de honte ou qui veulent se défaire de leurs préférences pour éviter la prison demandent à suivre un tel traitement. Dans tous ces cas, les individus sont soumis à d'intenses contraintes externes motivant un changement.

Le traitement réservé aux exhibitionnistes est caractéristique. Toutes les méthodes décrites ci-dessous sont fort répandues et utilisées séparément ou conjointement.

- Les chocs électriques ou les produits chimiques nauséeux: le patient lit à haute voix une suite de courts textes, à la première personne, décrivant des scènes excitantes d'exhibitionnisme. Quand il arrive à un point culminant et expose son pénis en érection, il reçoit un choc électrique douloureux ou sent se dégager une odeur nauséabonde. Le point culminant de son activité devenant ainsi insupportable, le stimulus de répulsion est répété de plus en plus tôt durant la lecture des textes.
- Le reconditionnement orgasmique: l'homme se masturbe en décrivant ses fantasmes à haute voix. Au moment de jouir, il remplace ses fantasmes habituels par des scènes plus acceptables.
- La masturbation à satiété: le patient continue de se masturber pendant une demi-heure après son éjaculation — une activité insupportable — tout en répétant à haute voix toutes les formes de son exhibitionnisme.

Ces traitements ne sont que modérément efficaces. Dans une enquête menée sur une période de six ans, 40 p. 100 seulement des hommes traités continuaient à se livrer à l'exhibitionnisme, alors que 60 p. 100 des non traités récidivaient. Les psychothérapeutes ont, plus récemment, entrepris d'appliquer un traitement cognitif à leurs patients. Ceux-ci portent sur eux des fiches sur lesquelles sont imprimées de petites histoires excitantes au sujet de l'exhibitionnisme. Au verso des fiches sont mentionnées les conséquences épouvantables d'être pris en flagrant délit. Quand l'exhibitionniste est tenté de se livrer à son vice, il lit le texte de sa fiche, la retourne et réfléchit aux terribles suites qui y sont décrites. Ce traitement peut faire tomber la récidive à 25 p. 100 environ.

Les patients admettent qu'il survient des changements dans leurs comportements et dans leur désir de s'exhiber. J'ai toutefois la conviction que leurs *désirs* restent pratiquement inchangés. C'est ce qu'ils *font* qui change. Un délinquant a tout intérêt à convaincre le psychothérapeute, le juge, l'agent de probation et le monde en général, qu'il n'a plus l'intention de commettre de délit. Ses déclarations ne sont donc pas entièrement crédibles. Toujours est-il que l'on constate un ralentissement de ses activités perverses. Je suppose que le délinquant apprend, grâce à la psychothérapie, à se restreindre d'agir selon ses besoins. Cette thérapie ne guérit pas, mais elle n'est donc pas inutile. Elle permet aussi de croire que des changements peuvent survenir dans les préférences sexuelles, sinon dans le désir, du moins dans les activités.

La castration est une méthode beaucoup plus efficace pour freiner les délinquants et les agresseurs sexuels. Elle est utilisée sur les coupables d'agressions sexuelles violentes et de pédophilie. Elle est pratiquée chirurgicalement, par l'ablation des testicules, ou par injection de produits pharmacochimiques qui neutralisent la formation d'hormones testiculaires. Dans quatre enquêtes menées durant de nombreuses années auprès de plus de 2000 délinquants sexuels, le pourcentage de récidive est tombé de 70 à 3 p. 100 environ. La castration pharmacochimique, qui est réversible, donne d'aussi bons résultats que la castration chirurgicale. Dans nos sociétés occidentales, la castration est considérée comme une punition cruelle et insolite qui n'est pas applicable. Quand je pense à toutes les années gaspillées en prison, aux risques certains de récidive et aux traitements odieux réservés aux pédophiles par leurs codétenus, la castration me semble bien moins cruelle que les sanctions «habituelles».

Strate n° 4: Le rôle sexuel: le comportement social, la personnalité et les aptitudes

Les hommes sont-ils différents des femmes? Les garçons diffèrent-ils des filles? Les différences sexuelles peuvent-elles être restreintes? Ce sont là des questions insidieuses, lourdes de sous-entendus politiques. Elles suscitent l'impatience des féministes: elles servent d'écran scientifique afin de prouver l'infériorité des femmes et de justifier l'oppression persistante exercée par les hommes. Elles suscitent également l'impatience des sexistes pour les raisons inverses: ces questions se situent dans le contexte de la longue histoire de manipulation des évidences par les scientifiques gauchisants voulant faire prévaloir leurs théories sociales préférées. En ignorant les évidences déplaisantes, ils se raccrochent à toutes les justifications sympathiques qu'ils arrivent à réunir contre la peine de mort ou les tests de QI, ou en faveur de l'avortement et du transport scolaire, par exemple. C'est dans cet esprit que des tentatives sont faites en vue de justifier l'amoindrissement des différences énormes entre hommes et femmes. Ces différences existent, et doivent exister, car elles sont le fondement de l'ordre social.

Quel que soit le sous-entendu politique de ces questions, elles concernent essentiellement le *rôle* des sexes. Il y a un grand nombre de différences entre les deux sexes, des différences d'anatomie, de santé, de conformation cérébrale, de longévité entre autres. Trois seulement de ces différences ont une relation directe avec le rôle des sexes: les différences sociales, de personnalité et d'aptitude. L'existence ou la non-

existence de certaines de ces prétendues différences est tellement soumise à des preuves contradictoires que je renonce à
vous imposer mon opinion personnelle. D'autres différences
sont cependant évidentes et prouvées par des centaines
d'études portant sur des milliers de sujets. J'exposerai donc
celles qui sont évidentes et sur lesquelles la plupart des
chercheurs en ce domaine, hommes et femmes, s'accordent,
quelle que soit leur incompatibilité avec les opinions politiques et sociales de certains. Il y a, finalement, un consensus
surprenant sur certaines différences entre les sexes.

Un point sur lequel on s'accorde, ce sont les énormes
différences qui existent entre très jeunes garçons et filles au
plan du rôle:

- À partir de deux ans, les garçons veulent comme
  jouets des camions, les filles des poupées.
- À partir de trois ans, les enfants connaissent les stéréotypes
  sexuels relatifs à l'habillement, aux jouets, aux emplois,
  aux jeux, aux outils et aux sujets d'intérêt.
- À partir de trois ans, les enfants veulent des compagnons
  de jeu du même sexe.
- À partir de quatre ans, la plupart des filles veulent devenir
  maîtresse d'école, infirmière, secrétaire et mère; la plupart
  des garçons choisissent des emplois «masculins».

Les jeunes enfants, dans la plupart des cultures, divisent le
monde en catégories d'après les sexes et organisent leur vie
autour d'elles. Personne ne doit leur apprendre les stéréotypes
de rôles des sexes: ils les inventent spontanément. Cela n'est pas
tellement surprenant et l'explication naturelle est qu'ils assimi-
lent ces rôles grâce à leurs parents. Après tout, ces derniers agissent différemment envers leurs enfants qu'il s'agisse d'une fille
ou d'un garçon. Ils décorent la chambre d'une fille en rose et
mettent des poupées dans son berceau. Les garçons dorment
dans de petits lits bleus et reçoivent des armes-jouets.

Ce qui surprend, par contre, c'est le fait que les enfants
élevés de façon androgyne développent et conservent les
mêmes stéréotypes que les autres. Les préférences des jeunes

enfants n'ont aucun rapport avec les attitudes parentales ou avec l'éducation, la classe sociale, la situation professionnelle ou les choix sexuels de leurs parents. Leurs jeux correspondent fortement aux stéréotypes de leur sexe et ne tiennent aucun compte des attitudes et des comportements de leurs parents dans leurs rôles sexuels respectifs.

Les garçons ne sont pas seulement indifférents aux principes unisexes que leurs parents leur enseignent; ils ne font pas qu'ignorer leurs géniteurs qui leur montrent qu'il n'y a rien de mal à jouer avec des poupées: ils se cabrent. Si une institutrice essaie de persuader un enfant à renoncer à un jouet «approprié à son sexe», elle provoquera de la résistance, de l'anxiété et des réactions brutales surtout si c'est un garçon (vous souvenez-vous de l'effet dévastateur du qualificatif «tata»?). Leur faire visionner des vidéocassettes montrant d'autres enfants s'amusant avec des jouets «inappropriés» à leur sexe ne donne aucun résultat. Des programmes intensifs d'apprentissage à domicile avec des jouets, des chansons et des livres unisexes, la mère servant d'animatrice, n'entraînent aucun changement. De semblables programmes approfondis, à l'école cette fois, ne provoquent aucun assouplissement en dehors de la classe.

Ces constatations doivent certainement déranger ceux qui soutiennent obstinément que ce sont avant tout les contraintes sociales qui créent les rôles sexuels. Si ces contraintes les créaient, les efforts intenses des parents et des enseignants attentifs et dévoués devraient réussir à les modifier. Or, il n'en est rien.

Si les contraintes sociales n'interviennent pas de manière déterminante dans la création des rôles sexuels, il se pourrait qu'il s'agisse alors des hormones fœtales, du moins en partie. Deux faits pourraient le prouver. On a mené dans les années 70 une enquête sur 74 mères ayant, durant leur grossesse, pris des médicaments destinés à prévenir les fausses couches. Ces médicaments avaient, entre autres, la propriété de contrarier les effets virilisants des hormones androgènes. Lorsque leurs enfants eurent 10 ans, on compara leurs jeux préférés à ceux d'enfants témoins. Ceux des garçons étaient moins virils et ceux des filles plus féminins. La seconde preuve possible concerne une maladie (l'hyperplasie surrénale congénitale [HSC] qui provoque un apport supplémentaire d'hormones androgènes aux fœtus des filles. Ces dernières, dans leurs jeunes années, préfèrent les jouets de garçon et les jeux mouvementés et ont des manières plus masculines que d'autres filles témoins. Ces constatations sont séduisantes. Elles suggèrent que le désir des garçons de jouer au gendarme et au voleur, et celui des filles à la ménagère, puise une partie de ses sources dans l'utérus.

Vous pourriez en conclure que les rôles sexuels sont profondément ancrés et immuables. Vous auriez tort. Au fur et à mesure que les enfants grandissent, leurs stéréotypes perdent de leur résistance et sont plus facilement combattus. Vers la fin de l'enfance, apparaissent de nouveaux stéréotypes relatifs aux pleurs, à la dominance, à l'indépendance et à la gentillesse. Mais ils sont beaucoup moins résistants que ceux de la petite enfance concernant les jouets ou les emplois futurs. En fait, la seule véritable différence entre le comportement des filles et celui des garçons avançant en âge a trait à leur agressivité, bien plus marquée chez les derniers. Et même cette différence d'agressivité tend à s'amoindrir avec les années. Son surcroît chez les garçons pourrait être un phénomène de socialisation (l'agressivité et la compétition rapportent plus aux garçons qu'aux filles). Mais il peut aussi être dû aux hormones fœtales; les fils et les filles des femmes ayant pris des médicaments androgènes contre les fausses couches sont, en effet, plus querelleurs et plus combatifs que leurs semblables n'ayant pas subi d'exposition.

Curieusement, le fait de contraindre les enfants à adopter des comportements unisexes, tout en n'ayant pas d'effets immédiats, peut en provoquer à plus long terme. Les stéréotypes de rôles sexuels commencent à s'estomper chez les adolescents approchant de l'âge adulte. Les enfants élevés par des parents ayant des attitudes unisexes tendent à les adopter eux-mêmes. Les encouragements apportés aux activités et aux intérêts intellectuels chez les filles et à la compassion et à la cordialité chez les fils, ainsi que la distribution de tout un éventail de rôles peuvent donner des résultats, mais à long terme seulement.

Cela est important, a du bon sens et est prometteur. Les jeunes enfants ne font guère de nuances: «Je suis soit un garçon, soit une fille. Il n'y a pas de milieu. Si j'aime les poupées, je suis une fille. Tout le monde déteste les filles manquées.» Ce sont là des convictions profondément ancrées. Les petits enfants semblent appliquer un programme de rôles sexuels alimenté par un instinct de conformité qui pourrait bien avoir pris racine dans le cerveau fœtal. Avec le temps, des considérations de moralité, de justice, d'impartialité entrent cependant en jeu et la conformité aveugle peut commencer à faire place à une certaine tolérance. Il ou elle *choisit* alors la façon de se comporter. Les décisions concernant les attitudes unisexes, le non-conventionnalisme, la révolte sont conscientes et fondées sur la notion du bien et sur la vision de l'avenir de l'adolescent. En tant que tel, le choix d'attitudes unisexes requiert toute une maturité d'esprit et de conscience; il n'est pas le résultat d'une simple formation.

En plus des différences de personnalité et de comportement social existant entre hommes et femmes, il y a également des différences d'aptitudes. L'énorme quantité d'informations sur les aptitudes scolaires a permis de dégager trois considérations générales auxquelles tous les chercheurs adhèrent:

- Les garçons obtiennent de meilleurs résultats pour les exercices mathématiques et spatiaux.
- Les filles obtiennent de meilleurs résultats pour les exercices relatifs aux émotions et, peut-être, pour les exercices verbaux.
- Les garçons obtiennent plus souvent que les filles des scores extrêmes (très élevés ou très bas).

Les aptitudes spatiales, mathématiques et verbales. Deux cents études, au moins, ont été réalisées sur les différences entre sexes dans ces trois composantes fondamentales de l'«intelligence» que sont les aptitudes spatiales, mathématiques et verbales. Les scores spatiaux s'obtiennent, entre autres, en donnant mentalement un mouvement rotatif à des objets en trois dimensions. Les scores mathématiques résultent d'exercices d'arithmétique, d'algèbre et de géométrie; les scores verbaux, d'exercices de vocabulaire, d'analogies et de compréhension de textes. Les scores spatiaux et mathématiques donnent presque toujours les mêmes résultats: les garçons obtiennent, en moyenne, de meilleurs pointages, mais la différence d'avec les filles n'est que légère. Pour évaluer ce qu'est une «légère» différence, présumez que pour devenir ingénieur, il faille se classer parmi les premiers 5 p. 100 en aptitudes spatiales. Les scores montrent que 7,4 p. 100 des garçons et 3,2 p. 100 des filles obtiennent un semblable résultat. Cela voudrait dire que l'on devrait compter deux hommes pour une femme dans la profession. Le rapport est, en réalité, de 20 hommes pour 1 femme!

Les filles sont, semble-t-il, plus fortes dans les exercices verbaux. Cent soixante-cinq études récentes montrent une petite mais constante différence. Il y a vingt ans, cette différence était nettement à l'avantage des filles mais de récentes statistiques prouvent que les garçons ont rattrapé du retard.

En moyenne, les femmes sont bien meilleures que les hommes en ce qui concerne les problèmes émotionnels. Elles perçoivent avec plus d'exactitude les expressions du visage, décodent plus facilement les signaux non verbaux, sont plus physionomistes et expriment mieux, en silence, leurs sentiments. Elles ont aussi des mines plus expressives. L'importance de toutes ces différences est modérée (elle est toutefois plus prononcée que pour les aptitudes spatiales). N'oubliez pas que les différences, même les plus marquées, entre hommes et femmes dans le domaine des aptitudes sont en dessous de la différence entre leurs tailles moyennes. Ceux qui pensent que les scores mathématiques et spatiaux supérieurs des hommes les désignent pour occuper les premières places dans les professions d'ingénieurs et de scientifiques devraient être prêts à accepter la situation inverse dans celles de la psychiatrie, de la psychologie et de la gestion de personnel.

La différence la plus étrange entre les aptitudes des hommes et des femmes est une différence subtile mais, à mon avis, importante. Lorsque l'on compare les différences d'aptitudes, on tient généralement compte de la moyenne. La moyenne des femmes est par exemple plus apte que la moyenne des hommes à décoder les émotions. Or, en général, les différences entre moyennes sont minimes. Qu'en est-il, alors, des extrêmes? Si vous voulez savoir qui deviendra très bon ou très mauvais dans une quelconque spécialité — un scientifique exceptionnel, un grand poète, un criminel violent ou un débile profond —, les différences moyennes ne vous donneront pas la réponse. Les scores extrêmes, eux, le feront. Et il y a d'étonnantes différences entre les sexes dans les scores extrêmes. Les tests d'aptitudes des hommes donnent plus souvent des résultats extrêmes que ceux des femmes. La courbe de ces résultats est en forme de cloche pour les deux sexes, mais celle des femmes se ramasse vers le milieu, tandis que celle des hommes se prolonge loin vers les deux extrémités. Un test de mesure du niveau des étudiants californiens a donné un très léger avantage aux filles, mais le nombre de garçons était de loin supérieur aux deux extrémités des courbes. Les gens se demandent souvent pourquoi il y a tellement plus d'hommes que de femmes parmi les génies mathématiques, les PDG, les lauréats du prix Nobel, les champions d'échec, les violonistes virtuoses ou les chefs de cuisine de niveau international. La réponse pourrait se trouver dans le fait qu'il y a plus d'hommes à l'extrémité supérieure de la courbe de distribution des aptitudes concernées. Quand nous nous demandons pourquoi il y a tellement plus de garçons arriérés que de filles et plus de «décrocheurs» parmi les étudiants que parmi les étudiantes, la réponse pourrait se trouver dans le fait qu'il y a plus d'hommes à l'extrémité inférieure de la courbe.

Ces réponses, bien que basées sur des faits réels, sont cependant loin de clore le débat. Certains prétendent qu'il y a plus d'hommes aux extrêmes à cause de l'apprentissage social, les meilleurs et les plus talentueux recevant une attention particulière de la part de leurs mentors alors que les filles sont ignorées, découragées ou ont des responsabilités familiales concurrentes. Cela se peut, mais n'explique pas pourquoi il y a plus d'hommes arriérés. D'autres avancent que l'évolution biologique explique les différences. Les femmes ont été sélectionnées afin d'être stables et constantes, les hommes l'ont été en fonction du pouvoir de se distinguer. Cette explication ne tient plus dès que l'on compare les cultures. Il y a plus de «variabilité» parmi les hommes américains, mais autant chez les femmes aux Philippines ou en Afrique du Sud, par exemple. Si la variabilité était une caractéristique de l'évolution, elle devrait être universelle. Je pense que l'explication de cette différence aux extrêmes demeure la principale inconnue dans l'étude des distinctions entre les deux sexes.

Peut-on changer ces différences d'aptitudes? Ma réponse est catégoriquement affirmative. Au niveau *individuel*, les aptitudes verbales, mathématiques et spatiales peuvent être développées. C'est toute la raison d'être des écoles et des émissions de télé éducatives. Les aptitudes spatiales de n'importe quelle fille peuvent être développées à l'aide d'un enseignement adéquat; il en est de même des aptitudes verbales d'un garçon. Les aptitudes émotionnelles peuvent également être formées. C'est d'ailleurs ce que je fais en tant que directeur de la formation de la clinique de psychologie de l'Université de Pennsylvanie. Notre but est d'aider de jeunes psychologues talentueux à se perfectionner dans le domaine de la solution de problèmes émotionnels, pour leur bien propre et celui de leurs futurs patients.

Mais les différences entre *groupes* sexuels peuvent-elles être réduites? Les femmes, en moyenne, rattraperont-elles leur retard sur les hommes en appliquant mentalement une rotation à des objets tridimensionnels? Les hommes rattraperont-ils les femmes dans l'art de déceler une colère contenue? Je n'en sais rien. Il y a cependant trace d'un changement en cours. Bon nombre de différences d'aptitudes entre sexes tendent à diminuer depuis vingt-cinq ans. Ce phénomène coïncide avec le traitement plus semblable que nos sociétés occidentales réservent aux filles et aux garçons.

Pour résumer cette section consacrée à la strate n° 4, disons que les rôles sexuels peuvent changer, dans certaines limites. Les rôles qu'adoptent les jeunes garçons et filles sont radicalement différents. Ils sont fixes et stéréotypés. Élever les garçons de façon qu'ils ne diffèrent pas trop des filles, et vice versa, est une vaine tentative, à court terme. Cela peut cependant porter fruit, à long terme. En mûrissant, les enfants des deux sexes élevés par des parents tolérants envers les rôles sexuels deviennent plus proches dans leurs caractéristiques. Il y a toujours de nettes différences d'aptitudes entre les sexes: les filles sont en moyenne inférieures aux garçons dans les disciplines mathématiques et spatiales, mais supérieures en ce qui touche aux émotions. Toutes ces aptitudes peuvent cependant être améliorées à l'aide d'un enseignement adéquat. Il est prouvé, de plus, que les différences entre *groupes* sexuels se réduisent quand filles et garçons sont traités de façon semblable.

Strate n° 5: Les performances sexuelles: la correction des dysfonctionnements sexuels

Présumons que les quatre premières strates de votre sexualité répondent aux attentes: vous avez une identité, une orientation définie, des préférences marquées et un rôle sexuel distinct. Vous êtes en compagnie d'une personne qui répond à vos désirs et l'ambiance est érotique. C'est ce soir ou jamais! Qu'est-ce qui pourrait aller mal? Un tas de choses. Vos performances sexuelles pourraient subitement vous trahir. Si vous êtes un homme, vous pourriez:

- ne pas vous maintenir en érection (impuissance);
- jouir immédiatement (éjaculation précoce).

Si vous êtes une femme, vous pourriez:

- ne pas être excitée (frigidité);
- ne pas atteindre l'orgasme.

Ces problèmes sont qualifiés de *dysfonctionnements* sexuels. Ce sont des situations fort angoissantes et tout à fait courantes. Jusqu'il y a une vingtaine d'années, ils étaient insolubles: les gens devaient les endurer. Les relations de couple étaient tendues jusqu'au point de rupture. Les amours tournaient au vinaigre. Le dégoût de soi et de profondes dépressions en résultaient. Le désespoir devenant insupportable, on s'en remettait à la psychologie qui ne donnait généralement aucun résultat. Mais, de nos jours, ces problèmes sont, en grande partie, résolubles grâce à une découverte capitale.

Les performances sexuelles adéquates sont parfaitement parallèles entre hommes et femmes. Elles comportent deux phases: l'excitation et l'orgasme. Quand la femme est excitée, son vagin se lubrifie et se dilate suffisamment pour «ganter» le pénis. Son clitoris se met en érection. Son utérus s'élargit. Ses mamelons se gonflent. Quand l'homme est excité, son pénis durcit (les vaisseaux sanguins du pénis s'élargissent considérablement, le sang afflue et une série de valvules se referment pour l'empêcher de refluer).

L'excitation est le prélude naturel de l'orgasme. L'homme, à la suite d'une stimulation suffisante du pénis, atteint un niveau d'excitation où l'orgasme devient inévitable. Si aucune interruption n'intervient, le sperme est bientôt libéré *(émission)* et est immédiatement pompé vers l'extérieur par une série de contractions rythmiques (à intervalles de 0,8 seconde) des muscles puissants situés à la base du pénis *(éjaculation)*. Tout cela est accompagné d'une sensation très intense et spasmodique de plaisir. Chez la femme, l'orgasme est déclenché par le clitoris et s'exprime par une série de contractions rythmiques (vous l'aurez deviné, à intervalles de 0,8 seconde) des muscles situés autour du vagin. Il s'accompagne de sensations d'extase et de reconnaissance.

Hommes et femmes peuvent «tomber en panne» au cours d'une des deux phases et le moment de la «panne» déterminera le genre de dysfonctionnement sexuel en cause. Et quel que soit le problème particulier de l'individu, il sera toujours compliqué par l'*observation* du phénomène. Quand les choses tournent mal, ou que vous craignez qu'elles tournent mal, vous vous mettez à observer votre accouplement, en spectateur. Cela vous empêche de vous fondre dans l'action et aggrave votre problème particulier. L'observation crée une angoisse supplémentaire et vous voilà dans un cercle vicieux. Cela explique en partie ce qui se produit dans tout dysfonctionnement sexuel. L'excitation et l'orgasme sont le résultat de processus biologiques qui peuvent être interrompus par des émotions négatives. L'angoisse, la colère et la dépression contrarient toutes l'excitation et l'orgasme et l'observation aggrave tous les dysfonctionnements sexuels en exacerbant l'angoisse.

Si une femme a peur ou est fâchée en faisant l'amour, son excitation ou son orgasme peuvent être bloqués. Ses sentiments peuvent avoir diverses sources. Elle pourrait craindre de ne pas atteindre l'orgasme, se sentir sans défense et exploitée, être gênée par son excitation, avoir peur de ressentir des douleurs durant le coït, craindre d'être mise enceinte, ne pas trouver le partenaire à son goût ou penser qu'il n'est pas l'homme qu'il lui faut. Les sources d'un blocage sexuel sont semblables chez les hommes.

William Masters et Virginia Johnson ont, à la fin des années 60, inventé une *thérapie sexuelle directe* pour venir à bout de ces problèmes jusqu'alors insolubles. Leur thérapie était révolutionnaire en cela qu'elle différait de trois façons des psychothérapies précédentes:

- Elle ne vous traite pas en tant que «névrosé» ou en tant que personne gravement perturbée si vous êtes frigide ou éjaculateur précoce. Elle considère ces problèmes sous un angle local (ma strate n° 5) et non global.
- Elle traite les problèmes comme étant ceux d'un couple et non d'un individu. Les cas sont traités par paire. (Si un des deux partenaires n'est pas disponible, on le remplace par une autre personne.)
- Le couple a des relations sexuelles selon les directives et les conseils du psychothérapeute. La thérapie se prolonge tous les jours durant une ou deux semaines. Les instructions sont prodiguées le jour et le couple se retire ensuite dans l'intimité d'une chambre d'hôtel pour les mettre en pratique. Le lendemain, les progrès font l'objet d'un rapport.

La thérapie sexuelle directe n'est pas une affaire de bricolage à la portée de tous. Elle nécessite l'intervention de psychothérapeutes que l'on trouve actuellement dans la plupart des grandes villes occidentales. Demandez aux «psys» que vous approchez s'ils utilisent les techniques de Masters et Johnson. Le traitement étant le même pour tous les dysfonctionnements, je me contenterai de l'illustrer à l'aide d'un seul exemple.

Colette n'a jamais atteint l'orgasme et le couple qu'elle forme avec Robert bat de l'aile. Ils se rendent à Montréal pour consulter deux psychothérapeutes, spécialistes en conseils matrimoniaux. Lors de la deuxième séance, Colette apprend à se masturber à l'aide d'un vibrateur. Un peu plus tard, laissée seule, elle atteint son premier orgasme. Cela lui redonne confiance et fait disparaître sa peur de l'inconnu. Robert est ensuite invité à participer progressivement. Ce soir-là, il ne fait qu'observer Colette en train de jouir. Le soir suivant, il tient le vibrateur. Le lendemain soir, pendant que Colette se masturbe, il touche légèrement son clitoris de son doigt préalablement lubrifié. À ce stade, Colette commence à observer et est encouragée à élaborer des fantasmes sexuels débridés en guise de distraction. Une fois cet obstacle franchi, Colette et Robert se mettent à se concentrer sur leurs sensations et entreprennent une suite progressive de caresses récipro-

ques durant lesquelles on insiste sur l'échange. On en arrive alors à l'étape culminante des relations sexuelles non sollicitées où un orgasme n'est ni espéré ni requis. Au cours de la première séance de ce genre, Colette atteint deux fois l'orgasme. Six ans après cette psychothérapie, Colette jouit presque chaque fois qu'elle fait l'amour.

La thérapie sexuelle directe traite tous les principaux dysfonctionnements sexuels, sauf l'éjaculation tardive chez l'homme. Elle donne de très bons résultats dans 70 à 95 p. 100 des cas et les rechutes sont rares.

Conclusion

Notre vie érotique et les changements qu'on peut lui apporter sont régis par l'idée de *profondeur*. L'identité et l'orientation sexuelles sont profondément ancrées et ne peuvent changer que peu ou prou. Les préférences et les rôles sexuels sont moins profonds et peuvent ainsi être moyennement modifiés. Les dysfonctionnements sexuels sont des problèmes de surface qui peuvent être résolus facilement avec un traitement approprié. Ces constatations sont les prémices d'une théorie générale; ce que signifie réellement la profondeur et ce que sont ses répercussions sur tous les aspects de notre vie feront le sujet du chapitre 14.

Je veux conclure ici par le problème sexuel le plus courant et le moins compris de tous. Il est si répandu qu'il passe inaperçu et il est fort probable que vous ayez à en souffrir. Il n'a même pas de nom. L'écrivain Robertson Davies le désigne sous le mot latin *acedia*. C'était un péché mortel, un des sept péchés capitaux que les théologiens du Moyen Âge ont traduit par «paresse». Mais ce n'est pas l'indolence physique qui fait que l'*acedia* soit mortelle. C'est l'apathie de l'esprit, c'est l'indifférence qui nous gagne avec l'âge et l'habitude que nous prenons des êtres que nous chérissons qui empoisonnent si souvent nos vies d'adultes.

Sortis des problèmes de l'adolescence et des premières années de l'âge adulte, nous constatons souvent que les contretemps et les échecs qui avaient perturbé notre jeunesse ne sont plus aussi angoissants. Nous en éprouvons du soulagement, mais devons en payer le prix. Tout ce qui atténue les peines et les bouleversements qu'une perte nous occasionne amoindrit aussi nos sentiments de joie. Il est facile de prendre à tort l'indifférence qui nous gagne avec l'âge et l'expérience pour le début de la sagesse. L'indifférence n'est pas de la sagesse. C'est de l'*acedia*.

Le symptôme de cet état qui me préoccupe est la diminution de l'attirance sexuelle qui survient si fréquemment entre amants quand ils vivent en couple et se rangent. Il est désolant de voir l'attirance passionnée qu'ils éprouvaient l'un pour l'autre, aux premiers temps de leurs amours, s'atténuer au fur et à mesure qu'ils apprennent à se connaître bien. La flamme s'éteint, ne laissant qu'une braise qui finit souvent en cendres. En quelques années, la passion sexuelle disparaît dans la plupart des ménages et bon nombre de partenaires commencent à chercher ailleurs pour retrouver ces bons côtés de la vie. C'est facile avec une nouvelle maîtresse ou un nouvel amant, mais l'*acedia* refera surface et tout le cycle se reproduira tôt ou tard. Tout cela contribue aux divorces de notre époque et c'est le dérèglement sexuel auquel vous avez le plus de chances d'être exposé. Je le qualifie de dérèglement, car il répond aux critères de définition du corps médical. Comme la transsexualité, le sado-masochisme ou l'impuissance, l'*acedia* «détériore considérablement les relations affectives et sexuelles existant entre deux personnes».

Les chercheurs et les psychothérapeutes n'ont pas encore cru bon s'attaquer au problème de l'*acedia*. Vous ne la trouverez répertoriée dans aucune étude de nosologie, sur aucune liste de problèmes prioritaires des fondations, dans aucun budget gouvernemental de santé mentale. On n'y fait allusion que dans les articles de remplissage des magazines pour femmes ou dans les livres de poche de quatre sous du genre «Comment retenir votre partenaire». Les gens qui pourraient découvrir les mécanismes de l'*acedia* et les moyens de la soigner la considèrent avec négligence et indifférence.

Je veux, moi, la signaler comme le dérèglement sexuel le plus pénible, le plus appauvrissant, le plus mystérieux et le moins compris de tous. Et, de ce fait, comme le problème sexuel le plus urgent à résoudre.

12

La ligne, une chose terriblement préoccupante: les régimes

JE VIENS DE DÉJEUNER. Un buffet somptueux; des plats à volonté pour 22 $; je suis vaincu d'avance. Je ne peux pas résister, je goûte à tout et me ressers de ce que j'ai apprécié le plus. J'ai tout de suite réalisé que mon estomac était plein et que je n'avais plus besoin d'un extra après avoir dégusté ma première assiette garnie de crevettes, de sashimis et de salade de pommes de terre. Mais je suis retourné me servir de viandes froides, de petits pains et de beurre, et puis d'un supplément de crevettes et de saumon fumé avant d'attaquer les plats chauds, du canard aux oignons, du poulet grillé, de la saucisse, le tout garni de légumes. Ensuite, les salades (celle d'avocats et de lardons était fameuse) et les fruits frais. Pour finir, j'ai englouti trois desserts, la mousse au chocolat blanc, les profiteroles et la tarte aux cerises.

Comment je me sens? Gavé, ça c'est sûr. Mais gros, laid, en mauvaise forme et également honteux.

Je surveille mon poids et je contrôle mon appétit depuis l'âge de 20 ans, sauf en de rares occasions comme celle-ci. Je pesais à l'époque environ 80 kg, de 5 à 6 kg de plus que mon poids «idéal» (je trouvais comme excuse «ma forte carcasse et mon torse puissant»). Je pèse maintenant, trente ans plus tard, quelque 90 kg, soit une bonne dizaine de trop. Je me dis que ma vie d'adulte a été essentiellement sédentaire, qu'elle s'est passée à écrire, à faire de la recherche, à recevoir des patients, à enseigner et que je n'ai commencé à faire de l'exercice que depuis un an, en nageant chaque jour de 500 à 600 mètres. J'ai expérimenté une douzaine de régimes, depuis le jeûne jusqu'à la diète «californienne», en passant par le régime sans glucides, le «Metrecal» en guise de lunch, les 1200 calories par jour; j'ai renoncé aux matières grasses, aux féculents, aux repas de midi ou à un repas sur deux. J'ai chaque fois perdu de 4 à 6 kilos au bout d'un mois.

J'ai menti: j'ai dû abandonner le truc californien à cause des terribles diarrhées que me donnaient tous les ananas et les melons d'eau que j'étais censé avaler à satiété. Les kilos en trop revenaient toujours et j'ai pris en moyenne et inexorablement un bon demi-kilo de plus chaque année.

C'est là un des échecs les plus cuisants de mon existence. Et c'est aussi un échec que je n'arrive pas à assumer comme mes tentatives infructueuses de corriger mes effets en jouant au golf. Trop de choses me le rappellent; il me suffit de me regarder dans un miroir ou de voir l'un de mes plats préférés à la carte. En trente ans de régimes, voici ce à quoi je voulais arriver:

- Je veux être plus séduisant. Je déteste ce pneu qui me déforme la taille.
- Je veux me maintenir en forme. À mon âge, mon père a eu une attaque d'apoplexie.

- Je veux être plein d'entrain. Je suis souvent fatigué et irritable.
- Je veux être maître de la situation et non être un adulte à la merci de quelques profiteroles au chocolat.

Voilà de saines résolutions. Je devrais m'y tenir. Très bien! Pas de dîner ce soir, seulement du café (avec de la saccharine) demain matin et plus de dessert cette semaine.

Pas si vite! Au cours de ces dernières années, j'ai consacré pas mal de temps à lire des études scientifiques et certainement pas les trop nombreux best-sellers bon marché sur les régimes alimentaires et les innombrables articles de magazines féminins sur les plus récentes recettes amaigrissantes. Les opinions scientifiques me semblent claires, mais elles n'ont pas encore obtenu un consensus général. Je vais, dans ce chapitre, prendre le risque de m'avancer, car je vois de nombreux signes pointant dans une même direction. Mes conclusions personnelles seront, je crois, bientôt admises par la majorité du monde scientifique. Ces conclusions m'étonnent moi-même. Elles vous étonneront sans doute aussi, et marqueront peut-être un tournant dans votre existence.

Voici comment je vois les choses:

- Les régimes ne servent à rien.
- Les régimes pourraient bien aggraver vos excès de poids, et non vous faire maigrir.
- Les régimes seraient mauvais pour la santé.
- Les régimes pourraient être la cause de certains troubles, comme la boulimie ou l'anorexie.

Êtes-vous affligé d'un excès de poids?

Voici un tableau des «poids idéaux». Avez-vous dépassé le poids «idéal» d'une personne de votre sexe, de votre taille et de votre âge? Si oui, votre poids est excessif. Qu'est-ce que cela signifie en réalité? Le poids «idéal» est déterminé fort simplement. Quatre millions de personnes, aujourd'hui décédées, et qui étaient assurées par les principales compagnies américaines d'assurance-vie ont, un jour ou l'autre, été pesées et mesurées. Quel est le poids, en moyenne, qui permet aux gens de vivre le plus longtemps possible? Ce poids est qualifié d'«idéal» ou de «souhaitable». Y a-t-il quelque chose à redire à cela?

TABLEAU DES TAILLES ET POIDS
DE LA METROPOLITAN LIFE – 1983

Taille	Petite stature	Stature moyenne	Grande stature
HOMMES (âgés de 25 à 59 ans, portant 5 livres de vêtements)			
		POIDS	
5'2"	128-134	131-141	138-150
5'3"	130-136	133-143	140-153
5'4"	132-138	135-145	142-156
5'5"	134-140	137-148	144-160
5'6"	136-142	139-151	146-164
5'7"	138-145	142-154	149-168
5'8"	140-148	145-157	152-172
5'9"	142-151	148-160	155-176
5'10"	144-154	151-163	158-180
5'11"	146-157	154-166	161-184
6'0"	149-160	157-170	164-188
6'1"	152-164	160-174	168-192
6'2"	155-168	164-178	172-197
6'3"	158-172	167-182	176-202
6'4"	162-176	171-187	181-207
FEMMES (âgées de 25 à 59 ans, portant 3 livres de vêtements)			
4'10"	102-111	109-121	118-131
4'11"	103-113	109-121	120-134
5'0"	104-115	113-126	122-137
5'1'	106-118	115-129	125-140
5'2"	108-121	118-132	128-143
5'3"	111-124	121-135	131-147
5'4"	114-127	124-138	134-151
5'5"	117-130	127-141	137-155

5'6"	120-133	130-144	140-159
5'7"	123-136	133-147	143-163
5'8"	126-139	136-150	146-167
5'9',	129-142	139-153	149-170
5'10"	132-145	142-156	152-173
5'11"	135-148	145-159	155-176
6'0"	138-151	148-162	158-179

1 livre = 0,4536 kg; 1 pied = 0,3048 m; 1 pouce = 2,54 cm

Un peu! La véritable raison d'être du tableau, celle qui motive votre médecin à le prendre au sérieux, est le fait qu'en général, si vous atteignez votre poids «idéal», vous vivrez plus longtemps. Tout est là. Le fait est que les personnes minces vivent, en moyenne, plus longtemps que les personnes fortes, mais l'étendue de ce temps de vie supplémentaire donne toujours lieu à controverse.

Mais le principe est faussé, car ce poids (correspondant à une taille donnée) est normalement réparti, statistiquement comme biologiquement. Pourquoi y a-t-il une telle répartition? Pourquoi les femmes âgées de 35 ans et mesurant 1,62 m ne pèsent-elles pas toutes 59 kg? Certaines vont peser plus parce qu'elles ont une forte ossature, des formes généreuses ou un faible métabolisme; d'autres parce qu'elles mangent trop et ne font jamais d'exercice. Biologiquement, on peut dire des grosses mollassonnes qu'elles ont un excédent de poids, mais les femmes bien en chair, à la solide ossature et de nature calme, même si elles dépassent les normes idéales du tableau, ont un poids normal et sain. Si vous êtes une femme pesant 70 kg et mesurant 1,62 m, vous pesez 11 kg «de trop». Cela signifie seulement que la moyenne des femmes de 1,62 m et pesant 59 kg vivront un peu plus longtemps que la moyenne de celles de votre taille pesant 70 kg. Cela ne veut en aucun cas dire que si vous perdez du poids et atteignez les 56 kg, *vous* aurez de bonnes chances de vivre plus longtemps.

Prenons un exemple analogique. Imaginons que les hommes de 55 ans qui ont des cheveux blancs meurent plus jeunes que ceux qui n'en ont pas. Si vous êtes grisonnant et avez 50 ans, devriez-vous teindre vos cheveux? Non, et pour deux bonnes raisons. D'abord, ce qui cause le grisonnement pourrait également être à l'origine d'une mort précoce et le fait de teindre vos cheveux ne prolongera pas vos jours, car cela n'aura aucun effet sur la cause sous-jacente de votre décès. Ensuite, la teinture répétée de votre chevelure à l'aide de produits chimiques pourrait nuire à votre santé et, de ce fait, raccourcir elle-même votre espérance de vie.

Malgré l'insouciance avec laquelle sont dispensées les recettes de régimes, personne ne s'est sérieusement posé la question de savoir si le fait de maigrir au point d'atteindre un poids «idéal» prolonge l'existence. Une étude sérieuse devrait comparer la longévité des personnes ayant un poids idéal, sans recours à un régime, à celles qui atteignent ce poids en en suivant un. En l'absence d'une telle recherche, les conseils médicaux vous prescrivant un régime amaigrissant en vue d'atteindre un poids «idéal» sont sans fondement.

Ce ne sont pas là des arguties; il est en effet prouvé que les régimes détériorent la santé et pourraient ainsi raccourcir vos jours.

Les mythes du poids excédentaire

Le conseil que l'on vous donne de suivre un régime amaigrissant pour atteindre un poids «idéal», condition d'une vie plus longue, fait partie des mythes relatifs aux kilos excédentaires. En voici quelques autres.

Les gros mangent trop. Faux. Dix-neuf études sur 20 démontrent que les obèses ne consomment pas plus de calories par jour que les personnes de poids normal. Au cours d'une expérience remarquable, des personnes très obèses ont suivi un régime les ramenant à 60 p. 100 seulement au-dessus d'un poids normal et elles s'y sont maintenues. Pour cela, elles ont eu besoin de 100 calories de moins par jour que des personnes normales pour se maintenir au leur. C'est mentir que de dire à une personne trop grosse qu'elle devrait changer ses habitudes alimentaires et manger «normalement» si elle veut maigrir. Pour perdre des kilos et se maintenir à un certain poids, elle devra manger ridiculement moins qu'une personne normale et cela, probablement pour le restant de ses jours.

Les gros ont une personnalité de gros. Faux. Des études poussées sur la personnalité et la corpulence n'ont pas prouvé grand-chose. Les obèses ne montrent pas de différences marquées de personnalité avec les gens de poids normal. Ils ne sont pas plus sensibles que d'autres aux attraits de certains aliments (comme l'odeur du pain à l'ail).

L'inactivité physique est une des causes principales de l'obésité. Cela reste à prouver. Les gros sont moins actifs que les personnes sveltes, mais leur inactivité est probablement due à leur forte taille et non l'inverse.

L'excès de poids indique un manque de volonté. Voilà l'ancêtre de tous les mythes. Quand je suis sans défense devant ces quelques profiteroles, je me sens vaincu. Je devrais être capable de me maîtriser et, si j'y renonce, je suis moralement coupable. On considère comme honteux le fait d'être gros parce qu'on tient les gens responsables de leur poids. Être gros, c'est être un rustaud qui manque de volonté. Nous en sommes convaincus, car nous connaissons un tas de gens qui ont décidé de maigrir et qui y sont parvenus en quelques semaines.

Mais à peu près tout le monde regagne son ancien poids après avoir perdu quelques kilos. Notre corps a un poids naturel qu'il protège vigoureusement contre les régimes. Plus on expérimente de régimes, plus l'organisme se prépare à combattre le suivant. Le poids est surtout d'origine génétique. Tout cela dément l'assertion voulant que l'excès de poids soit le résultat d'un manque de volonté. Plus exactement, dans un régime, la volonté consciente des individus se mesure à un adversaire plus profondément établi et vigilant: les défenses biologiques de l'espèce contre l'inanition. La volonté consciente peut parfois gagner des batailles — pas de profiteroles ce soir, moins d'hydrates de carbone ce mois-ci —, mais elle perd presque toujours la guerre.

La démographie des régimes

Notre culture est obsédée par la sveltesse. Combien de fois par jour vous préoccupez-vous de votre poids? Chaque fois que vous vous apercevez nu ou que vous voyez votre double menton dans un miroir? À chacun de vos repas? Chaque fois que vous caressez votre ventre proéminent? Chaque fois que vous goûtez à un plat qui vous plaît et voudriez vous en resservir? Chaque fois que la faim vous tenaille? J'estime personnellement que la moyenne des adultes un peu trop gras (la majorité d'entre nous) se morfondent à propos de leur poids au moins cinq fois par jour. Par contre, combien de fois vous préoccupez-vous journellement de votre salaire? Une fois par jour, sans doute, à moins d'être vraiment serré, alors cinq fois au maximum. Le fait d'avoir des kilos en trop serait-il donc plus préoccupant que d'être fauché?

Vous, moi et 100 millions d'Américains, et probablement autant d'autres Occidentaux, éprouvons ce malaise tenace. En 1990, les Américains ont dépensé plus de 30 milliards de dollars pour perdre du poids, presque autant que le gouvernement fédéral pour l'éducation, l'emploi et les services sociaux réunis. Ces milliards de dollars ont été déversés dans des cliniques diététiques et des organisations commerciales vouées à l'amaigrissement, des établissements de cure et des clubs de santé et de musculation; ils ont servi à acheter 54 000 000 d'exemplaires de livres sur les régimes. Dix millions de dollars ont été dépensés pour acheter des boissons gazeuses diététiques. Cent mille opérations de ligature des mâchoires et de liposuccion, à 3500 dollars chacune, ont été pratiquées. Chaque Américain adulte «trop bien portant» a dépensé, en moyenne, plus de 500 dollars pour perdre du poids. Nous pourrions facilement économiser une telle somme si nous pouvions nous convaincre que nous ne sommes pas trop «enrobés» ou que nous ne pouvons rien faire contre le fait d'être gros.

L'industrie de la mode, celle du spectacle et les magazines nous bombardent de femmes si sveltes, modèles de beauté et de talent, qu'elles ne représentent pratiquement aucun membre de la gent féminine. Nous n'avons pas cessé de grossir alors que les mannequins n'ont pas arrêté de maigrir. De 1959 à 1978, les filles apparaissant en page centrale du magazine *Playboy* sont devenues de plus en plus émaciées et les concurrentes au titre de Miss États-Unis ont perdu au moins un sixième de kilo, d'année en année. Durant cette même période de vingt ans, la jeune Américaine type a grossi d'autant. Ces deux tendances se sont maintenues depuis le début des années 90.

Les vendeurs de cures d'amaigrissement sont les descendants des pionniers de campagnes publicitaires de la première moitié du siècle qui ont créé et ensuite exploité l'insécurité («Dents blanches, haleine fraîche, sinon...»). L'influence de «l'industrie de l'amaigrissement» ne devrait pas être sous-estimée. Elle a accaparé la majeure partie du marché des «progrès personnels» et un pourcentage considérable des dépenses américaines en matière de santé. Elle ne recherche que son propre intérêt et est fort puissante. Elle est particulièrement satisfaite que les tableaux de «poids idéaux» nous classent si nombreux dans la catégorie des gens à problèmes. Elle est enchantée que les Américains s'imaginent que quelques kilos de trop mettent leur santé en danger. Elle s'extasie du fait que les hommes d'aujourd'hui trouvent la femme mince plus érotique que celle bien en chair. Elle prospère du fait que les Américains se sentent tellement mal dans leur peau et insécurisés. Elle compte parmi ses salariés bon

nombre de scientifiques connus dans le domaine de l'appétit qui pondent sans relâche des articles vantant les mérites
de nouveaux régimes miracle et exagérant les risques de
l'embonpoint.

Tout cela entraîne le public en général à dénigrer son
physique jusqu'au désespoir. Ces gens sont prêts à dépenser
une bonne partie de leurs revenus, persuadés qu'ils sont de
pouvoir et de devoir perdre le poids qu'ils auraient en trop.
Il est grand temps que cela cesse.

L'«effet Oprah»

Deux faits sont unanimement reconnus par les professionnels de la santé:

- À peu près tous les régimes font perdre du poids en un ou
  deux mois.
- En peu d'années, ce poids perdu sera retrouvé.

Le public américain, fasciné et plein d'espoir, a observé
les progrès d'une présentatrice de la télévision, Oprah Win-
frey, dès qu'elle s'est mise à suivre un régime. Elle avait opté
pour l'*Optifast,* qui est techniquement un *RFTC (régime à faible
teneur en calories).* Elle a perdu du poids à vue d'œil, passant
en quelques mois de 80 à 50 kg. Ayant perdu ces 30 kg, elle
était devenue mince et mignonne. Oprah chanta les louanges du régime et les bénéfices d'Optifast grimpèrent en
flèche. L'année suivante, les téléspectateurs, fascinés mais
atterrés, suivirent la reprise progressive de kilos de leur
héroïne, passant cette fois de 50 kg à ses 80 kg d'origine. Fort
amère, Oprah condamna le régime et les bénéfices d'Optifast
fondirent comme neige au soleil.

L'«effet Oprah» ne surprit nullement les milieux scientifiques. Avant même qu'Oprah ne se mette à son RFTC, une
étude décisive avait été publiée sur ce régime. Cinq cents
patients ayant en moyenne un poids dépassant de 50 p. 100
leur poids «idéal» se mirent à l'Optifast. Plus de la moitié

d'entre eux abandonnèrent avant la fin du traitement. Les autres, comme Oprah, perdirent de nombreux kilos, en moyenne 84 p. 100 de leur excédent de poids. Un résultat excellent. Au cours des trente mois suivants, les patients, toujours comme Oprah, reprirent en moyenne 80 p. 100 de ce qu'ils avaient perdu. Dans une autre enquête sur les RFTC, 3 p. 100 seulement des patients ont connu un résultat considéré comme un succès au bout de cinq ans. Une autre étude des RFTC a suivi pendant plusieurs années 121 patients ayant perdu 25 kg en moyenne. La moitié d'entre eux avaient repris leur poids d'origine après trois ans, 90 p. 100 après neuf ans. Cinq pour cent seulement conservèrent leur poids réduit. Le meilleur résultat que j'ai pu trouver est donné par une enquête où 13 p. 100 des patients n'avaient pas repris de poids après trois ans.

Aucun autre régime n'a donné de bons résultats à long terme. Il existe une douzaine d'études sérieuses à long terme concernant des milliers de personnes ayant suivi des régimes amaigrissants et toutes arrivent aux mêmes conclusions décevantes: la plupart des gens retrouvent leur poids de départ au bout de quatre à cinq ans; 10 p. 100 seulement conservent leur sveltesse. Plus le suivi des patients se prolonge, plus les résultats sont mauvais. S'il s'écoule suffisamment de temps, le parcours aboutit à un échec total. Les silences en la matière sont plus éloquents que les rapports officiels. Les promoteurs de régimes commerciaux ont toujours été muets comme des carpes. Ils conservent des statistiques sur le poids de dizaines de milliers de leurs clients, mais elles demeurent rigoureusement secrètes. Pas besoin d'être Sherlock Holmes pour en comprendre la raison.

Quelques experts en diététique sont d'avis que tout cela a assez duré; les régimes sont, à leurs yeux, une douloureuse plaisanterie et il serait temps que les autorités interviennent pour y mettre fin. Beaucoup d'autres s'abstiennent de prendre position, attendant sans doute le jour du Jugement. Mais un petit nombre de spécialistes reconnus réclament de nouveaux régimes plus novateurs et portant surtout sur le maintien du poids. Les Drs Kelly Brownell et Tom Wadden, deux chercheurs de premier plan dans le domaine de l'obésité, ont souhaité que soit organisée une campagne à l'échelle nationale ayant pour but de faire perdre cinq kilos à tous les Américains trop corpulents. Ces optimistes ont un argument en leur faveur. À peu près tous les échecs à long terme sont relevés chez des *patients,* des obèses qui se font soigner en milieu hospitalier. Ce sont les cas les plus désespérés. Peut-être que les régimes amaigrissants auront de meilleurs effets sur des gens légèrement trop gros, qui n'ont pas besoin de traitement en clinique, qui n'ont pas essayé sans cesse et sans succès de maigrir.

J'en doute. Les interventions par correspondance ou sur les lieux du travail ont donné d'aussi mauvais résultats qu'en clinique. Quelqu'un découvrira peut-être un moyen de filtrer les personnes corpulentes afin de ne soumettre à un régime amaigrissant que celles qui ont une chance de réussir. Quelqu'un trouvera peut-être le remède, encore inconnu, permettant de se maintenir à un poids fixe. Entre-temps, et malgré les années de recherches, les dizaines de millions de personnes intéressées, les nombreux milliards de dollars dépensés, le seul fait évident concernant les régimes est que *personne n'en a encore trouvé un qui maintienne la sveltesse acquise chez qui que ce soit, sauf à quelques très rares exceptions près.*

Les régimes «yoyo»

Les rats, dès qu'ils ont connu la famine, changent leurs habitudes alimentaires. Quand ils retrouvent leur poids, leur métabolisme ralentit. Ils préfèrent les nourritures grasses. Ils accumulent plus de graisse. Plus on les soumet à des cycles de disette et d'abondance, plus ils deviennent experts pour emmagasiner de l'énergie. Ils peuvent même, après avoir connu la famine, atteindre un poids plus important que jamais dès que leur nourriture redevient abondante.

Il semble que nous réagissions de la même façon. Après avoir suivi un régime amaigrissant, les gens changent radicalement d'attitude envers les aliments. Ceux et celles qui se soumettent à un régime deviennent pratiquement obsédés par la nourriture; ils y pensent toute la journée et arrivent même à en rêver la nuit. Leur corps se transforme, stockant de l'énergie. Les activités normales, au repos comme durant l'exercice, exigent moins de calories chez les obèses ayant maigri que chez des femmes témoins qui n'ont jamais suivi de régime. Même le sommeil consume 10 p. 100 de moins de calories chez les obèses amaigries. La chaleur réclame d'elles une moindre dépense d'énergie. La léthargie qui fait véritablement épargner force et vigueur est un état courant chez ces personnes. Les caramels au beurre semblent plus savoureux qu'auparavant! Il faudra moins de calories à une personne soumise à un régime pour grossir d'un kilo. Ce qui fait qu'un nombre important de patients ne se contentent pas de rechuter: ils deviennent plus gros qu'avant leur cure.

Une étude montre que les 10 p. 100 de «privilégiés» qui sont restés minces après un régime n'absorbaient, en moyenne, que 1298 calories par jour pour conserver leur nouvelle ligne alors que des personnes témoins pouvaient en consommer 1950 sans se mettre à grossir. Cela démontre que les personnes qui se soumettent à un régime pourraient bien n'être plus jamais capables de manger normalement si elles veulent rester minces. Les régimes yoyo consistant à maigrir, à rattraper ensuite son poids initial et à reperdre ces kilos excédentaires font penser aux vains efforts de Sisyphe. Quand des obèses se soumettent pour la deuxième fois à un RFTC, ils perdent plus lentement du poids en absorbant exactement le même nombre de calories qu'à leur premier essai.

Cela est biologiquement logique. Imaginez un instant une espèce récemment sortie d'une période de famine de 100 000 ans. Pendant tout ce temps, il s'est passé des semaines et même des saisons entières sans la moindre chose à se mettre sous la dent. Et soudain, voilà une chasse miraculeuse ou une récolte exceptionnelle. Tout le monde se gave et rationne ensuite ce qui reste, jusqu'à la prochaine chasse inespérée. Une ère de famine et d'abondance provoque de fortes tensions évolutionnistes chez des créatures qui se gavent et accumulent beaucoup de graisses durant les périodes d'abondance et qui libèrent à contrecœur l'énergie nutritive de ces graisses pendant les disettes. Plus ces créatures poursuivent le cycle abondance-famine, plus elles s'habituent à stocker de la graisse et à conserver de l'énergie.

Imaginez maintenant que cette ère prenne subitement fin et que la nourriture devienne abondante. Ces créatures mangent énormément et grossissent. Quelqu'un conçoit alors un système pour limiter la prise de poids et les créatures acceptent de ne plus manger à leur faim. Mais leur organisme ne peut faire la distinction entre la faim librement consentie et la famine réelle. Il met en route ses mécanismes de défense: le corps sauvegarde son poids en refusant de libérer ses graisses, en ralentissant son métabolisme et en réclamant avec insistance d'être nourri. Plus les créatures résisteront à l'envie de manger, plus leurs mécanismes de défense deviendront exigeants.

Ces créatures sont des *Homo sapiens,* l'ère révolue est le pléistocène, nous sommes rendus à l'époque actuelle et le système voué à l'échec est le régime amaigrissant.

La boulimie et le poids naturel

Les exigeants et vigoureux mécanismes de défense de votre organisme contre l'amaigrissement s'expliquent grâce au concept du *poids naturel.* Quand votre organisme crie famine, ralentit son métabolisme, vous rend léthargique, accumule les graisses, réclame des sucreries et les fait paraître plus succulentes que jamais tout en faisant de vous des obsédés de la «bouffe», il ne fait que défendre votre poids naturel. Il vous signale que vous êtes tombé sous les limites acceptables pour lui. Le poids naturel prévient la prise de poids et l'amaigrissement excessifs. Quand vous mangez trop pendant longtemps, il se déclenche dans votre corps des mécanismes de défense qui vous empêchent à long terme de prendre plus de poids. On a payé un groupe de détenus pour qu'ils atteignent 125 p. 100 de leur poids en absorbant, quotidiennement pendant six mois, deux fois leur nombre habituel de calories. Ils ont facilement pris quelques kilos et ont ensuite cessé de grossir.

Notre poids naturel est également fortement influencé par nos gènes. Des jumeaux identiques élevés séparément auront à peu près tous deux le même poids tout au long de leur vie. Quand de tels jumeaux sont «gavés», ils grossissent et accumulent de la graisse au même rythme et aux mêmes endroits. L'embonpoint ou la sveltesse des enfants adoptés sont semblables à ceux de leurs parents biologiques, et surtout de leur mère, et n'ont rien à voir avec celui ou celle de leurs parents adoptifs. Cela suggère que vous êtes doté d'un poids naturel, d'origine génétique, que votre organisme veut maintenir. Je ne connais pas de formule permettant de calculer votre poids naturel, mais il est probablement de loin supérieur à votre poids «idéal».

L'idée même de poids naturel pourrait aider à guérir la jeune génération occidentale de sa nouvelle maladie. Des centaines de milliers de jeunes femmes l'ont contractée. Plus de 5 p. 100 de mes étudiantes en «psychologie d'exception» s'en plaignent à chaque session automnale. Deux pour cent des femmes adultes en souffrent probablement sous forme aiguë. Elle consiste en des crises d'appétit boulimique alternant avec des périodes de jeûne. Ces jeunes femmes sont constamment préoccupées par leur image corporelle. Elles sont généralement d'un poids normal, ou même légèrement en dessous, mais elles sont terrifiées à l'idée de grossir. Alors, elles suivent des régimes. Elles font de l'exercice. Elles prennent des laxatifs en abondance. Deux fois par semaine, on les retrouve devant le buffet d'un restaurant ou dans une pâtisserie. Elles se gavent de quatre desserts garnis de crème fouettée et de sauce au chocolat. Ensuite, elles vomissent et reprennent des laxatifs. On appelle cette maladie *bulimia nervosa* ou, plus simplement, «boulimie».

La boulimie, ses causes et ses remèdes déroutent les psychothérapeutes. La polémique fait rage autour de la question de savoir s'il s'agit d'une forme de dépression, ou de l'expression d'un désir contrarié de maîtrise de soi ou, encore, d'un rejet symbolique du rôle féminin. À peu près toutes les psychothérapies ont été appliquées pour la guérir. Des antidépresseurs et d'autres produits pharmaceutiques ont donné certains résultats mais, à une exception près que j'exposerai brièvement, fort peu de ces traitements se sont avérés probants.

Je ne pense pas que la boulimie soit une maladie mystérieuse et j'ai la conviction qu'on arrivera à la guérir. Je suis persuadé qu'elle est causée par les régimes amaigrissants. Les boulimiques se soumettent à un régime et leur organisme réagit en défendant leur poids naturel. Avec la répétition des régimes, les mécanismes de défense deviennent plus offensifs. L'organisme est en révolte, il réclame plus de nourriture, il emmagasine des graisses, il redemande des sucreries et ralentit le métabolisme. Ces défenses biologiques vont périodiquement vaincre la volonté extraordinaire des obèses (et elle doit, en effet, être «extraordinaire» pour qu'ils puissent ne fût-ce qu'approcher le poids «idéal», à 10 kilos environ de moins que le poids naturel). Les obèses vont alors se goinfrer. Horrifiés par les effets possibles de cet acte sur leur ligne, les boulimiques vont vomir et prendre des laxatifs pour se purger des excès de calories. La boulimie est donc une conséquence naturelle d'une famine qu'on s'impose pour maigrir alors qu'on est entouré d'une pléthore d'aliments.

Tous les boulimiques que j'ai rencontrés suivaient un régime. Des enquêtes systématiques auprès de ces personnes indiquent que 80 p. 100 d'entre elles en suivaient un juste avant que se déclare leur boulimie. L'épidémie ravage actuellement les États-Unis du fait que l'idéal de minceur se rétrécit de plus en plus alors que le corps de la femme moyenne s'épaissit. L'idéal est devenu si difficile à atteindre que l'écart entre poids naturel et poids «idéal» s'est accru au point de provoquer la goinfrerie à grande échelle. Les femmes dont le poids naturel diffère le plus de leur poids «idéal» sont les plus vulnérables.

Une étude a été menée auprès de 20 femmes boulimiques qui se goinfraient, en moyenne, trois fois par semaine. Dix d'entre elles furent soumises, pendant huit semaines, à un régime diététique nutritionnellement adéquat, comprenant, à leur insu, un minimum de 1400 calories par jour. Toutes cessèrent de se goinfrer. Un groupe témoin composé de 10 autres femmes fut soumis à une simulation de régime alimentaire équivalant à ce qu'elles avaient l'habitude de manger. Elles continuèrent à bâfrer mais cessèrent complètement de le faire dès qu'on les soumit au régime nutritionnellement adéquat. On peut en conclure que les régimes amaigrissants sont une cause de la boulimie et en déduire la stratégie thérapeutique suivante.

La tâche du psychothérapeute sera de convaincre les patients d'abandonner leur régime amaigrissant et de se familiariser avec leur poids naturel. Il devra d'abord les convaincre que leur goinfrerie est due à une réaction de leur organisme au régime. Il leur soumettra ensuite la question suivante: «À quoi attachez-vous le plus d'importance? À rester mince ou à vous débarrasser de votre boulimie?» Il leur expliquera qu'en arrêtant le régime, ils ou elles sortiront du cycle incontrôlable «goinfrerie-purge». Leur poids se stabilisera au niveau naturel et ils ne devront plus craindre de dépasser ce stade. Certains patients arrêteront là leur psychothérapie, préférant être boulimiques que «détestablement gros». Pour ces patients, le problème du poids idéal et poids naturel pourra du moins devenir le centre d'attention de la thérapie. Il sera possible aux autres de défier les contraintes sociales et sexuelles de minceur; ils abandonneront leur régime, prendront du poids et leur boulimie cessera rapidement.

Ce sont là les principales démarches du traitement cognitivo-comportemental de la boulimie. Il existe plus d'une douzaine d'études de résultats de cette méthode et leurs conclusions sont favorables. Les goinfreries suivies de purges sont réduites de 60 p. 100 (résultats fort semblables à ceux obtenus par traitement aux antidépresseurs). Mais contrairement à ce qui se produit avec les traitements pharmacochimiques, les rechutes sont rares. Les attitudes et réactions envers le poids et la ligne s'apaisent et on met peu à peu fin aux régimes. Deux études comparatives sur les traitements par médicaments par rapport aux traitements par psychothérapie cognitivo-comportementale ont prouvé la plus grande efficacité de cette dernière.

Les régimes amaigrissants ne sont pas la seule explication de la boulimie. Bon nombre de personnes qui suivent des régimes ne deviennent pas boulimiques. Certaines l'évitent, car leur poids naturel est proche de leur poids idéal et le régime qu'elles adoptent ne les affame pas. De plus, les boulimiques sont souvent dépressifs, car le cycle «goinfrerie-purge» mène à l'autorépugnance. La dépression peut aggraver la boulimie du fait que l'on cède facilement aux tentations. De plus, se soumettre à un régime pourrait n'être qu'un autre symptôme de la boulimie et non une de ses causes. Mis à part les autres facteurs, je me permets de croire que le fait de suivre un régime qui vous permet de descendre sous votre poids naturel est une condition nécessaire pour être atteint de boulimie et que le fait de regagner ce poids et de l'accepter guérira votre maladie.

Il y a depuis peu des développements décourageants relatifs aux «maladies de l'alimentation». Le Dr Robert Spitzer, un psychiatre new-yorkais qui a présidé à la rédaction du très utile manuel de diagnostic et de statistique de l'Association psychiatrique des États-Unis (DM-3 et DSM-3-R), essaie actuellement de faire ajouter au manuel (DSM-4) la «maladie de la goinfrerie». Il a constaté cette nouvelle maladie chez 30 p. 100 des patients soumis à des régimes dans le cadre de programmes hospitaliers d'amaigrissement. Ces patients se goinfrent occasionnellement mais ne se purgent pas et, de ce fait, grossissent. À mon avis, ces malheureux essaient de maigrir bien en deçà de leur poids naturel. Leurs organismes, comme ceux des boulimiques, crient famine. Peut-être que leur maladie n'est pas de se gaver, mais de se soumettre à un régime inapproprié?

En fait, nous devrions considérer d'ajouter au DSM-4 une nouvelle catégorie, celle des «maladies reliées à un régime», qui se caractériserait par le fait d'avoir 20 p. 100 de plus que son poids «idéal» et de ruiner sa vie et sa santé en se soumettant à des régimes amaigrissants.

Le concept de poids naturel a une autre implication d'importance. À l'instant même, je suis en train de boire mon café matinal dans lequel j'ai versé le contenu de trois sachets d'édulcorant de synthèse. J'adore le café sucré mais je hais les 50 calories que contient une cuillerée de sucre. J'ai estimé, jusqu'à présent, que pour chaque dose d'édulcorant consommée, j'absorberais quotidiennement d'autant moins de calories. J'ai peur aussi de grossir si j'arrête de boire des boissons artificiellement sucrées! C'est la logique cachée inspirant la foule des consommateurs qui encouragent l'industrie des boissons gazeuses diététiques, avec son marché annuel de 10 milliards de dollars. En utilisant des édulcorants dans trois tasses de café, je m'épargne environ 150 calories; deux boissons gazeuses diététiques m'évitent encore d'absorber environ 400 calories. Cela fait 550 calories éliminées par jour, soit 4000 par semaine, plus que l'équivalent d'une livre de poids en plus. Pourquoi alors n'ai-je pas perdu une livre par semaine depuis que j'ai commencé à n'absorber que des édulcorants de synthèse? (J'ai calculé que je devrais maintenant peser un poids négatif et devrais m'élever dans les airs comme un ballon gonflé à l'hélium!)

La réponse est donnée, d'après moi, par le poids naturel. J'absorbe probablement 550 calories de plus, chaque jour, en mangeant autre chose, pour compenser celles du sucre que j'évite. Ces calories ne sont pas contenues dans du sucre, ce qui permet à mes dents de ne pas pourrir, mais elles pourraient être fournies par des matières grasses. Je ne sais pas ce qu'il en est, mais je vais faire en sorte de le savoir.

LE TRAITEMENT ADÉQUAT
TABLEAU RELATIF À LA *BULIMIA NERVOSA*

	Antidépresseurs	Psychothérapie cognitivo-comportementale
MIEUX-ÊTRE	▲ ▲	▲ ▲
RECHUTES	▲	▲ ▲
EFFETS SECONDAIRES	▼ ▼ ▼	▼
COÛT	bon marché	bon marché
PÉRIODE	semaines	semaines/mois
GLOBALEMENT	▲ ◢	▲ ▲

MIEUX-ÊTRE

▲ ▲ ▲ ▲ = de 80 à 100 p. 100 de mieux-être évident ou disparition des symptômes
▲ ▲ ▲ = de 60 à 80 p. 100 de mieux-être
▲ ▲ = au moins 50 p. 100 de mieux-être
▲ = mieux sans doute que par effet placebo
o = sans doute inutile

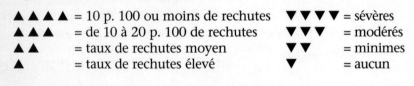

RECHUTES
(après abandon du traitement)

EFFETS SECONDAIRES

▲ ▲ ▲ ▲ = 10 p. 100 ou moins de rechutes   ▼ ▼ ▼ ▼ = sévères
▲ ▲ ▲ = de 10 à 20 p. 100 de rechutes   ▼ ▼ ▼ = modérés
▲ ▲ = taux de rechutes moyen   ▼ ▼ = minimes
▲ = taux de rechutes élevé   ▼ = aucun

GLOBALEMENT

▲ ▲ ▲ ▲ = excellent, la thérapie la plus adéquate
▲ ▲ ▲ = très bon
▲ ▲ = utile
▲ = accessoire, secondaire
o = sans doute inutile

Les remèdes pharmaceutiques pour maigrir

Les remèdes vendus en pharmacie suppriment l'appétit et ont un avantage: contrairement aux régimes, leur absorption ne requiert aucune discipline. Mais ces médicaments soulèvent le même problème que les régimes, c'est-à-dire un rapide regain de poids, et ils sont plus dangereux. En 1973, l'Office américain du contrôle pharmaceutique et alimentaire (FDA) a sévèrement limité leur usage à cause du peu de poids qu'ils faisaient perdre (environ un kilo par semaine) et des risques graves pour la santé qui vont de la dépendance à la mort, en passant par les psychoses et les crises cardiaques.

De nouveaux produits sont régulièrement mis sur le marché. Les plus récents, la fenfluramine et la phentermine, sont plus prometteurs. Ils provoquent des chutes de poids conséquentes et, contrairement à leurs prédécesseurs, ils permettent un réajustement du poids naturel plutôt que de supprimer l'appétit.

Michael Weintraub, un chercheur dans le domaine de l'obésité, a coordonné une étude bien menée sur ces deux produits pharmaceutiques. Cent vingt et une personnes pesant une centaine de kilos, pour la plupart des femmes, ont participé à l'étude qui a duré quatre ans. Les femmes qui absorbaient les médicaments (et qui étaient soumises à une psychothérapie comportementale et à des exercices) perdirent en moyenne une quinzaine de kilos et se maintinrent à leur nouveau poids tout au long de l'expérience. Mais aussitôt qu'elles cessèrent de prendre les médicaments, elles reprirent du poids.

Ces deux produits pharmaceutiques ont certains effets secondaires — bouche sèche, nervosité, effets sédatifs, rêves impressionnants, dépression —, mais ces effets sont moins prononcés que dans le cas des médicaments suppresseurs d'appétit. Ils ne sont cependant pas négligeables et, à cause de ces effets, plus d'un tiers des patients ont abandonné l'expérience sans en avoir beaucoup profité. Un autre tiers des participants a perdu, malgré tout, un bon nombre de kilos et ils se sont maintenus à leur nouveau poids, ce qui est un bien meilleur résultat que celui obtenu par tous les autres traitements. De futures recherches sur les deux médicaments devraient permettre de déterminer les effets à long terme du traitement et la façon d'atténuer les effets secondaires et, partant, le taux d'abandons. Le perfectionnement de ces produits promet d'encore meilleurs résultats mais, tant que les recherches n'auront pas abouti, je les considère toujours comme expérimentaux.

Embonpoint contre régimes: les dommages à la santé

Être gros présente certains risques. Il y a tant d'études contradictoires en la matière qu'il est difficile d'en évaluer le danger. Il est également hasardeux de faire une synthèse de ces études, mais je vous donne néanmoins mon opinion:

- L'extrême obésité (deux fois le poids «idéal» ou plus) pourrait bien être la cause d'une mort prématurée.
- L'obésité certaine (de 30 à 100 p. 100 de plus que le poids «idéal») est probablement dommageable pour la santé et pourrait être associée dans certains cas au décès de ses victimes.
- L'embonpoint léger ou modéré (de 10 à 30 p. 100 de plus que le poids «idéal») accroît possiblement les risques de décès surtout s'il est associé au diabète.
- La maigreur est catégoriquement associée à un taux accru de mortalité.

Si vous êtes «gros», ignorez les tactiques publicitaires apeurantes du genre «l'obésité est une condamnation à mort» que lancent les fabricants de produits diététiques comme l'Optifast. Même si vous souhaitez perdre quelques kilos à jamais, il n'est pas évident que vous deviez le faire. Être quelque peu au-dessus de votre poids «idéal» pourrait même être signe d'une bonne condition physique particulière et convenir mieux à votre constitution et à votre métabolisme. Vous ne pouvez pas, bien sûr, maigrir sur un simple souhait, mais n'importe quel régime populaire, choisi au hasard, vous fera perdre des kilos. Il y a cependant toutes les chances au monde pour que vous repreniez le poids perdu et que vous ayez à vous soumettre à nouveau et sans cesse à des régimes. Devriez-vous, au point de vue santé et longévité, suivre un régime amaigrissant? *Il y a très probablement de sérieux risques pour la santé à perdre et à reprendre du poids.*

Trois études à grande échelle ont été menées sur les variations de poids et leur incidence sur la mortalité. La première, touchant un million d'Américains, est souvent ignorée, car elle démontre une mortalité accrue due à un poids exagéré. Mais elle démontre aussi que les hommes et les femmes qui perdent plus de cinq kilos en cinq ans sont considérablement plus souvent victimes de crises cardiaques et de congestions cérébrales que la moyenne des gens. Cela se vérifie aussi bien chez ceux et celles qui perdent volontairement du poids (en suivant un régime) que chez les gens qui en perdent involontairement pour cause de maladie. La deuxième étude prouve que les hommes qui sont passés par au moins un cycle de perte et de reprise de poids courent deux fois plus de risques de mourir d'une affection cardiaque que ceux qui grossissent progressivement sur une période de vingt-cinq ans. Les responsables de la troisième étude ont suivi plus de 5000 hommes et femmes de la ville de Framingham, au Massachusetts, pendant trente-deux ans. Les personnes dont le poids fluctuait au cours des années couraient de 30 à 100 p. 100 plus de risques de mort, à la suite d'une maladie du cœur, que celles dont le poids était stable. Après correction, en tenant compte du tabagisme, des niveaux de cholestérol et de la tension artérielle, les conclusions de l'enquête devinrent encore plus convaincantes: elles suggéraient que les fluctuations de poids (surtout causées par les régimes) accroissaient les risques de maladies cardiaques.

L'embonpoint présente des risques. Mais les régimes amaigrissants en présentent également. Lesquels sont les plus dangereux? Sur le plan de la santé, devriez-vous ou non suivre des régimes?

J'ai l'impression, sans en avoir la certitude, que le danger des fluctuations de poids est plus grand que celui d'être trop gros. Dans la seule étude qui ait comparé les deux risques, celle menée à Framingham, les risques présentés par les fluctuations cycliques de poids étaient sensiblement plus importants que ceux de l'embonpoint. Si les résultats de l'enquête se confirment et si on constate que les régimes sont la cause desdites fluctuations, je serai convaincu du fait que vous ne devriez pas suivre ces régimes et éviter ainsi les accidents cardiaques.

Si vous approchez d'un âge moyen et avez pris progressivement du poids depuis vos 20 ans, vous êtes probablement tenté de suivre un régime pour des raisons de santé. Résistez à cette tentation. Deux études exemplaires démontrent que vous courez moins de risques que ceux ou celles qui n'ont pas grossi. Les gens de Framingham qui ont progressivement accumulé quelques kilos au cours des ans couraient moins de risques que ceux dont le poids était stable et beaucoup moins que ceux dont le poids fluctuait. Selon une étude menée auprès de 17 000 anciens étudiants de l'Université Harvard, les hommes qui avaient pris sept kilos ou plus, après la fin de leurs études, couraient un risque de mourir prématurément diminué du tiers par rapport aux autres. Personne n'explique ce fait, mais il semble donc que prendre progressivement du poids en mûrissant soit normal et sain.

La dépression et les régimes amaigrissants

Deux de ses causes premières étant l'échec et l'incapacité à s'en sortir, la dépression est un autre des prix à payer lorsqu'on se soumet à des régimes. Les échecs sont pratiquement inévitables, car votre objectif de poids «idéal» fait se mesurer votre volonté faillible à des défenses biologiques intraitables. Vous commencerez à perdre du poids et vous vous en réjouirez. Toutes les déprimes relatives à votre ligne s'estomperont. Mais vous n'arriverez probablement pas, en fin de compte, à atteindre votre objectif et vous serez désemparé dès que vous vous remettrez à grossir. Chaque fois que vous vous apercevrez dans un miroir ou que vous chavirerez devant une mousse au chocolat, votre échec vous sautera aux yeux et vous recommencerez à déprimer. Si vous faites, par contre, partie des rares privilégiés qui arrivent à ne pas reprendre de poids, vous serez probablement condamné à suivre toute votre vie un régime insatisfaisant à faible teneur en calories. Or la dépression est un des effets secondaires d'une malnutrition prolongée. D'une manière ou de l'autre, la dépression vous guette.

Si vous examinez ce qui se passe dans les cultures où la minceur fait partie de l'idéal féminin, vous découvrirez un fait fascinant. Dans toutes ces cultures pullulent des troubles de l'alimentation et les femmes y souffrent deux fois plus souvent de dépression que les hommes. (Deux fois plus de femmes que d'hommes suivent des régimes. On estime, en effet, que 13 p. 100 des hommes adultes en suivent un actuellement contre 26 p. 100 des femmes.) Dans les cultures où la minceur n'est pas considérée comme un idéal, ces problèmes d'alimentation n'existent pas et le nombre de femmes déprimées est égal à celui des hommes. Tout cela tend à prouver qu'à travers le monde, l'idéal de minceur et les régimes amaigrissants sont la cause, non seulement de désordres de l'alimentation, mais également du nombre plus élevé de dépressions chez les femmes que chez les hommes.

Les problèmes de prise de conscience du poids et de dépressions subséquentes apparaissent peu avant la puberté. Avant ce stade, les dépressions sont au moins aussi fréquentes chez les garçons que chez les filles. Au moment de la puberté, les garçons commencent à remplacer leurs graisses par des muscles mais les filles, dont le poids est surtout constitué par la graisse, passent de maigrichonnes à épanouies. Les garçons se rapprochent de leur corps idéal, les filles s'en éloignent. Peu après la puberté, la dépression est deux fois plus courante chez les filles que chez les garçons et les filles qui se soucient de leur ligne sont les plus touchées.

Dans une culture où minceur et jeunesse sont glorifiées, bon nombre d'entre nous qui ne sont ni sveltes ni jeunes deviennent aigris et vulnérables face aux messages qui leur suggèrent continuellement qu'ils sont des ratés. Et il n'y a pas loin des sentiments constants d'échec à la dépression pathologique.

La conclusion

Depuis trente ans, j'ai, de temps à autre, suivi des régimes. Je m'y soumets car je veux être plus séduisant, en meilleure santé, plus enthousiaste et maître de la situation. Comment ces objectifs s'accordent-ils aux faits?

La séduction. Si je maigris, je serai plus séduisant. Je suis, cependant, un homme marié, père de quatre enfants, et il y a pas mal de temps que je ne joue plus au séducteur. Si j'étais une jeune femme de 25 ans, cet objectif apparaîtrait plus évident. Dans notre société, plus une femme est proche de son poids «idéal», plus elle sera considérée comme séduisante. Je ne suis pas d'accord, mais c'est un fait.

Si votre besoin de séduction est d'une priorité telle qu'il vous convainc de suivre un régime, souvenez-vous des trois inconvénients suivants. Premièrement, cet aspect séduisant que vous allez retrouver ne sera que temporaire. En quelques années, vous allez reprendre tous les kilos que vous aurez perdus et même plus. Cela vous déprimera. Vous devrez à nouveau les perdre, et ce sera plus difficile que la première fois. Ou vous devrez vous résigner à être moins séduisant. Deuxièmement, lorsque les femmes décrivent leur silhouette de rêve, elles s'imaginent en général plus minces que ce que les hommes considèrent comme une femme séduisante. Troisièmement, vous pourriez bien devenir boulimique, surtout si votre poids naturel est sensiblement supérieur à votre poids «idéal».

Tout compte fait, si atteindre un aspect séduisant à court terme est votre objectif primordial, suivez un régime amaigrissant. Mais soyez prêt à en subir les conséquences.

La santé. Si je suis un régime, je mets ma vie en danger. Perdre du poids pour en regagner par la suite rend les risques de mortalité probablement plus sérieux que si je conservais mon excès de poids ou si je me laissais progressivement grossir. Personne ne m'a encore prouvé que le fait de maigrir pouvait prolonger ma vie. En conclusion, l'objectif d'une santé meilleure ne justifie aucunement de suivre un régime.

L'enthousiasme. Si je suis un régime, j'aurai un poids en moins à porter. Je devrais pouvoir courir et nager plus vite. Mais ces avantages disparaîtront dès que je me remettrai à grossir. De plus, mon métabolisme ralentira pour défendre mon poids naturel et cela se traduit souvent par une forme de léthargie. Ce qui est pire encore, c'est que cette léthargie pourrait se prolonger après le régime et lorsque j'aurai repris le poids perdu. Je me demande maintenant si mon manque d'enthousiasme, apparu avec l'âge, n'est pas dû aux régimes que j'ai suivis, plutôt qu'à mon excès de poids. Serait-il possible que le syndrome bien connu de la «fatigue chronique» soit dû en partie à des régimes antérieurs? Ma soif d'énergie nouvelle ne sera sans doute pas satisfaite par un régime amaigrissant.

La maîtrise de la situation. Je veux être maître de la situation, mais le fait de me servir une seconde portion de dessert me prouve que je ne le suis pas. Faux. Ignorant les faits, j'ai simplement conclu trop rapidement à ma faiblesse. Je pensais que je pouvais contrôler mon poids. Je comprends maintenant que ma volonté chancelante a, durant trente ans, dû se mesurer à une incessante défense biologique de mon poids naturel.

Si j'arrivais à limiter mon sommeil à six heures par nuit, je pourrais réaliser bien plus de choses. Mais quand je m'y essaie et que, le lendemain, je suis épuisé deux heures plus tôt, je ne me sens ni honteux ni privé de volonté. Je sais qu'il s'agit d'une réaction de mon organisme essayant de récupérer les deux heures de sommeil perdues la veille. Pour la plupart des gens, il est aussi biologiquement impossible d'atteindre un poids «idéal» et de s'y maintenir que de fonctionner en se passant d'un certain nombre d'heures de sommeil. Ce fait m'incite à ne pas suivre de régime et estompe mes sentiments de honte. Ma conclusion est claire: je ne suivrai plus de régime.

Il y a heureusement d'autres possibilités que les régimes pour vous aider à atteindre vos objectifs.

Conseils aux personnes souffrant d'un excès de poids

Forme physique contre corpulence. Je reviens de la piscine. J'ai fait mes 800 mètres de crawl quotidiens. Je suis fier de moi car j'ai été capable, aujourd'hui, de sprinter sur la dernière longueur. Cela fait un an environ que je nage religieusement mes 25 longueurs. Je n'ai pas maigri (j'ai même pris quelques livres). Mais mes hanches se sont raffermies, je suis moins irritable, je dors mieux et j'ai plus d'énergie. J'ai lu également beaucoup de documentation sur les exercices physiques. Atteindre une bonne forme est bien plus sensé que de combattre l'embonpoint.

Il est surprenant de constater à quel point un minimum d'exercices suffit à diminuer sensiblement les risques de mortalité. Dans une étude menée auprès de 10 000 hommes et de 3000 femmes, il est apparu que les risques de mortalité étaient de très loin plus élevés chez les 20 p. 100 de personnes moins en forme physiquement. Ces risques étaient considérablement moindres dès que l'on sortait de cette catégorie représentant le cinquième des participants à l'enquête. Cela semble indiquer que même des exercices fort modérés, par opposition aux entraînements intensifs, diminuent considérablement les risques. Le taux de mortalité parmi les anciens étudiants de Harvard que j'ai déjà mentionnés le confirme: il est de 30 p. 100 supérieur chez les hommes sédentaires par rapport à ceux qui font modérément de l'exercice. Statistiquement, ce genre d'exercices, qui consument 2000 calories par semaine, prolongent la vie de deux ans en moyenne. (Dieu ne déduit peut-être pas de votre part de vie sur terre les heures que vous consacrez à l'exercice!) Un «exercice modéré» correspond à une marche d'une heure ou à une demi-heure de course ou de natation par jour. Les exercices sont aussi un bon remède contre la dépression et ils accroissent l'estime de soi. Ils semblent jouer un rôle bien plus important dans le prolongement de la vie que dans la perte de poids et il est plus facile de les pratiquer pendant des années que de suivre des régimes; c'est (souvent) plus plaisant!

Les exercices ne vous feront probablement pas maigrir à eux seuls. Mais associés à un régime alimentaire approprié, ils peuvent vous faire maintenir plus longtemps un poids raisonnable. De toute façon, que vous perdiez ou non du poids, les exercices physiques auront des effets bénéfiques sur votre santé. Mais si vous alliez les exercices à la décourageante expérience des régimes, vous risquez d'abandonner aussi les premiers quand vous commencerez à reprendre du poids.

La composition du régime alimentaire. Il peut s'avérer inutile d'essayer de manger moins; il serait plutôt utile de manger *sainement*. Gardez-vous des aliments gras et de l'alcool. Ce que mangent les Américains, en ce siècle, est 25 p. 100 plus gras qu'auparavant; or, le gras des aliments est converti en graisse dans nos organismes. La nourriture de restauration rapide, le chocolat et les crèmes glacées sont tous riches en matières grasses. Il y a fort peu à dire en faveur d'une consommation modérée d'alcool et beaucoup contre elle. L'alcool est très riche en calories, a un effet d'accoutumance et provoque des dommages au cerveau.

Le fait de changer la composition de votre régime alimentaire peut ou non vous faire perdre du poids. On ne sait pas si l'organisme compense, à long terme, les calories perdues en suivant un régime à faible teneur en matières grasses et sans alcool, mais il y a de fortes chances que la modération en ces domaines ne puisse être que bénéfique pour la santé.

Manger lorsque l'on a faim. Manger trop, consommer plus d'aliments que nécessaire pour apaiser sa faim pose plus de problèmes que l'excès de poids. Contrairement à ce dernier, pourtant, vous pouvez contrôler votre tendance aux excès de table. La plupart d'entre nous ne connaissent pas la faim. Nous mangeons quand l'heure nous dit qu'il est temps de le faire et non quand la faim nous tenaille. Nous vidons nos assiettes que nous ayons faim ou non. Nous nous empiffrons quand les plats sont délectables, que nous ayons ou non l'estomac dans les talons.

La consommation excessive d'aliments pourrait bien être une autre conséquence fâcheuse des régimes. Rappelez-vous les réactions de nos ancêtres du pléistocène après une période de famine. Ils ne pouvaient se permettre le luxe de ne manger que lorsqu'ils avaient faim. Ils ne gaspillaient rien, mangeaient tout ce qu'ils pouvaient avaler. Leur survie à la famine suivante pouvait dépendre de leur gavage au lendemain d'une chasse «miraculeuse». Chaque fois qu'une occasion se présentait, ils avalaient jusqu'à n'en plus pouvoir. Les gens qui ont suivi un régime mangent trop pour les mêmes raisons. Tout ce que sait leur organisme est qu'il a déjà été affamé. Votre optique de l'alimentation change et, même si vous n'avez pas faim, vous allez engloutir tous les bons plats que l'on vous sert. Vous avez appris à ne pas tenir compte de la faim au profit de votre survie.

Voici quelques conseils pour vous aider à manger moins et à reconnaître la faim.

- Quand on vous présente quelque chose de vraiment appétissant, dites-vous: «Mon estomac est-il vraiment vide ou n'ai-je qu'une envie de goûter à ce plat?» Si ce n'est qu'une envie, refusez.
- Arrêtez-vous une minute de manger, à la moitié du repas, et demandez-vous si vous êtes rassasié. Si oui, faites enlever les restes et arrêtez de manger. Si la réponse est non, refaites la même chose aux deux tiers du repas.
- Mangez lentement et avalez fréquemment une gorgée d'eau pour ralentir votre repas. Déposez vos couverts entre

chaque bouchée. Cela vous permettra de vous demander si vous devez absorber plus de nourriture pour vous rassasier.

Enfin, si vous mangez trop, vous avalez probablement toute la nourriture que l'on vous présente. C'est une habitude tenace dont vous devez vous débarrasser. Les aliments en excès finissent dans les toilettes ou se retrouvent autour de votre taille. Je voudrais que vous pratiquiez l'*exercice de la chasse d'eau* afin de vous défaire de votre habitude. Au milieu du prochain bon repas que vous prendrez chez vous, arrêtez-vous de manger. Découpez en petits morceaux ce qui reste dans votre assiette. Prenez le dessert et réduisez-le également en morceaux. Allez jeter le tout dans les toilettes et tirez la chasse. C'est là, de toute façon, que le tout aboutirait, et cet exercice supprime les intermédiaires!

La chirurgie au service de l'extrême obésité. Les régimes n'ont que peu d'effets chez les personnes extrêmement obèses. La plupart des patients reprennent les kilos perdus au bout de quelques années et ces fluctuations de poids augmentent les risques de mortalité. Si vous êtes extrêmement obèse (si vous pesez le double, au moins, de votre poids «idéal»), vous devriez probablement avoir recours à la chirurgie. L'opération la plus fructueuse est la dérivation gastrique. Cette intervention chirurgicale de quatre heures consiste à relier l'intestin grêle au sommet de l'estomac. C'est une chirurgie lourde qui peut donner lieu à de multiples complications qui devront être, à leur tour, corrigées chirurgicalement. Le taux de mortalité de cette opération est très minime — moins de 1 p. 100 —, mais il faut noter un taux de suicide subséquent qui est d'environ 1 p. 100. Les aliments que vous absorberez par la suite, et jusqu'à la fin de vos jours, devront être mous car ils passeront par le tube digestif sans être complètement digérés. L'appétit décroît, la perte de poids est spectaculaire et, ce qui est encore plus important, le poids tend à se stabiliser au niveau atteint. Des suivis de plusieurs centaines de patients pendant des périodes de trois et cinq ans ont confirmé de bons résultats. Les patients qui pesaient autour de 135 kg avant l'opération ne pesaient plus que 90 kg cinq ans plus tard. Les fonctions cardiaques se sont aussi améliorées. De 15 à 20 p. 100 seulement des patients retrouvent leur poids d'origine. La dérivation gastrique est le seul traitement qui se soit scientifiquement montré satisfaisant à long terme. Les effets de cette chirurgie sur les personnes moindrement obèses sont toujours inconnus. Mais, constatant leur désespoir d'être trop gros, je ne serais pas surpris que les Occidentaux modérément obèses aient bientôt recours à ce traitement.

LE TRAITEMENT ADÉQUAT
TABLEAU RELATIF À LA PERTE DE POIDS

	Tout régime	RFTC*	Fenfluramine et Phentermine†	Remèdes pharmaceutiques	Dérivation gastrique (obèses extrêmes)
PERTE INITIALE	▲ ▲ ▲	▲ ▲ ▲ ▲	▲ ▲ ▲	▲ ▲	▲ ▲ ▲ ▲
TAUX D'ABANDON	▼ ▼ ▼	▼ ▼ ▼ ▼	▼ ▼	▼ ▼ ▼	ne s'applique pas
TAUX DE RÉUSSITE	0	0	▲ ▲	0	▲ ▲ ▲
REGAIN	▼ ▼ ▼ ▼	▼ ▼ ▼ ▼	▼ ▼	▼ ▼ ▼	▼ ▼
EFFETS SECONDAIRES	▼ ▼ ▼	▼ ▼ ▼	▼ ▼	▼ ▼ ▼ ▼	▼ ▼ ▼
COÛT		bon marché		bon marché	cher
DÉLAI POUR PERTE INITIALE	semaines	mois	semaines	semaines	mois
GLOBALEMENT	▲	▲	▲ ▲	0	▲ ▲ ▲ ††

PERTE INITIALE

▲ ▲ ▲ ▲ = de 80 à 100 p. 100 perdent 10 kg ou plus
▼ ▼ ▼　 = de 60 à 80 p. 100 perdent de 5 à 10 kg
▼ ▼　　 = 50 p. 100 au moins maigrissent quelque peu
▼　　　 = probablement mieux que rien

TAUX D'ABANDON

▼ ▼ ▼ ▼ = 55 p. 100 ou plus abandonnent
▼ ▼ ▼ = de 40 à 55 p. 100 abandonnent
▼ ▼ = de 20 à 40 p. 100 abandonnent
▼ = moins de 20 p. 100 abandonnent

REGAIN

▼ ▼ ▼ ▼ = 50 p. 100 ou plus regagnent leur poids
▼ ▼ ▼ = de 30 à 50 p. 100 regagnent leur poids
▼ ▼ = de 10 à 30 p. 100 regagnent leur poids
▼ = moins de 10 p. 100 ont regagné leur poids

EFFETS SECONDAIRES

▼ ▼ ▼ ▼ = sévères
▼ ▼ ▼ = modérés
▼ ▼ = minimes
▼ = aucun

TAUX DE RÉUSSITE

▼ ▼ ▼ ▼ = 80 p. 100 n'ont pas regrossi après 3 ans
▼ ▼ ▼ = 60 p. 100 n'ont pas regrossi après 3 ans
▼ ▼ = 40 p. 100 n'ont pas regrossi après 3 ans
▼ = 20 p. 100 n'ont pas regrossi après 3 ans
o = de 0 à 20 p. 100 n'ont pas regrossi après 3 ans

GLOBALEMENT

▼ ▼ ▼ ▼ = excellent, le traitement à choisir sans hésitation
▼ ▼ ▼ = très bon
▼ ▼ = utile
▼ = de marginal à inutile
o = inutile

* RFTC: régime à faible teneur en calories.
† Les recherches sont insuffisantes pour déterminer le caractère sécuritaire et l'efficacité de la fenfluramine et de la phentermine. Le tableau donne mon opinion sur leur efficacité. Je considère qu'elles ne peuvent être utiles qu'à titre expérimental à ce stade-ci de développement.

†† N.B.: Comme les patients opérés, contrairement aux autres, proviennent tous d'une catégorie de «superobèses» (pesant au moins le double de leur poids «idéal»), j'ai considéré que le «poids réduit», dans leur cas, signifiait une perte de 60 p. 100 de leur excès de poids. Sur cette base élargie, la dérivation gastrique obtient trois ▲.

Quelques mots à l'intention des professionnels

J'ai destiné ce livre à deux catégories de lecteurs. Mais il est surtout fait à l'intention du grand public. Des millions de gens essaient de prendre des décisions rationnelles pour régler leurs problèmes et savoir comment combattre leurs défauts. Ils dépensent annuellement des milliards de dollars pour suivre des cours d'autoperfectionnement, des traitements psychologiques ou psychiatriques. Il n'existe actuellement aucun «guide du consommateur», rien de complet ni de scientifiquement fondé, qui puisse signaler au public les traitements qui donnent des résultats et ceux qui échouent, les problèmes qui peuvent être résolus et ceux qui sont insolubles, les défauts qui peuvent être corrigés et ceux qui ne peuvent pas l'être. Mon but est d'en concevoir un.

La deuxième catégorie de lecteurs à qui je destine ces lignes est celle des professionnels: les psychologues cliniciens et de pratique privée, les psychiatres, les travailleurs sociaux, les concepteurs et les instructeurs de programmes d'autoperfectionnement. Les régimes sont un cas qui nous intéresse particulièrement. Ils ont des effets douteux sur la moitié environ de nos clients et ils éclipsent par leur ampleur tous les autres problèmes dont nous nous occupons. Nous avons, pendant 50 ans, conseillé à nos clients de suivre des régimes. Au départ, nous étions justifiés de le faire: l'idée même des tableaux de «poids idéaux» suggérait que l'excès de poids présentait des risques accrus pour la santé. Depuis vingt ans, il n'en est plus de même. Il est maintenant prouvé que:

- on reprend presque toujours du poids après avoir suivi un régime;
- les régimes ont des effets secondaires néfastes comme les échecs répétés, le désespoir, la boulimie, la dépression et la fatigue;
- les fluctuations de poids (les pertes et les regains) présentent des risques pour la santé comparables à ceux que fait courir l'excès de poids lui-même.

Quand nous encourageons nos clients à se soumettre à un régime, nous risquons de violer notre serment «de ne point faire de mal». Ceux qui veulent aider leur prochain devraient modifier leurs conseils. Nous devrions dire à nos clients souffrant d'embonpoint qu'à moins d'être uniquement préoccupés par un aspect séduisant temporaire, ils ne devraient pas suivre de régimes qui ont peu de chances de donner des résultats probants.

Les programmes commerciaux d'amaigrissement, les recueils de régimes diététiques, les magazines spécialisés devraient être soumis à une obligation encore plus urgente; ils devraient avertir leurs clients et leurs lecteurs *de façon insistante* du fait que les kilos perdus ont toutes les chances d'être repris. Si les firmes commerciales se refusent à le faire volontairement, des lois devraient leur imposer de publier les taux de réussite (ou d'échec) à long terme et les effets secondaires de leurs produits.

Tout cela contribuera à responsabiliser davantage nos professions.

13

L'alcool

La poésie est le mensonge qui rend la vie supportable.

R. P. BLACKMIRE
(Extrait d'une conférence donnée
en 1959 à l'Université Princeton)

IL Y A UNE DIZAINE D'ANNÉES, Lauren Alloy et Lyn Abramson, deux étudiants d'avant-garde du 3ᵉ cycle à l'Université de Pennsylvanie, ont tenté une expérience dont les résultats furent les plus troublants que j'eus à connaître dans toute ma carrière scientifique. J'ai, pendant dix ans, gardé l'espoir que leurs conclusions seraient contestées, mais des recherches ultérieures les ont, au contraire, confirmées.

Les sujets de l'expérience avaient reçu les moyens, à des degrés différents, d'allumer une lampe. Certains avaient un contrôle parfait de la lumière; la lampe s'allumait dès qu'ils appuyaient sur un bouton et elle ne s'allumait jamais sans ce geste. Les autres n'avaient pas la maîtrise de l'allumage; la lumière brillait, qu'ils aient ou non manipulé l'interrupteur. Ils étaient impuissants, privés de tout contrôle.

On demanda ensuite aux participants des deux groupes d'estimer, le plus exactement possible, le degré de contrôle dont ils disposaient. Les sujets dépressifs donnèrent une estimation des plus justes. Quand ils avaient le contrôle de la lampe, ils le savaient parfaitement; quand ils ne l'avaient pas, ils le reconnaissaient sans hésitation. Les sujets non dépressifs stupéfièrent Alloy et Abramson; leur estimation était correcte quand ils possédaient le contrôle mais, quand ils en étaient privés, ils ne se décourageaient nullement et affirmaient avoir une certaine maîtrise de la situation. Les dépressifs savaient la vérité. Les non-dépressifs avaient la douce illusion de n'être pas impuissants alors qu'ils étaient en réalité privés de tout contrôle.

Alloy et Abramson se demandèrent si la lumière et les interrupteurs ne manquaient pas un peu d'intérêt, aussi ajoutèrent-ils à l'expérience un jeu d'argent. Quand la lampe s'allumait, les participants recevaient une prime, quand elle ne s'allumait pas, ils en payaient une. Les douces illusions des non-dépressifs ne s'évanouirent pas; au contraire, elles s'amplifièrent. On créa alors une situation où tous les participants avaient un certain contrôle et perdaient tous leur argent. Cette fois, les non-dépressifs prétendirent avoir moins de contrôle qu'ils n'en avaient en réalité. Quand l'expérience fut réglée pour que tout le monde soit gagnant, les non-dépressifs dirent, cette fois, avoir plus de contrôle qu'ils n'en avaient. Les dépressifs, par contre, perdants ou gagnants, étaient inébranlables et leurs jugements toujours d'une grande exactitude.

Des preuves en ce sens confirment le fait que les personnes dépressives sont d'excellents juges de leurs aptitudes alors que les non-dépressifs estiment avoir beaucoup plus de qualités que celles que d'autres leur attribuent (80 p. 100

des hommes américains pensent faire partie de la moitié la plus qualifiée de la population). Les non-dépressifs se souviennent de plus d'événements heureux que ceux qu'ils ont vécu en réalité et ils ont tendance à oublier les mauvaises expériences. Les personnes dépressives se souviennent avec exactitude des deux. Les non-dépressifs estiment qu'une réussite est due à leurs propres talents et qu'elle est faite pour durer; ils pensent aussi être qualifiés dans tous les domaines. S'ils rencontrent des échecs, ils sont dus à d'autres, seront vite oubliés et ne sont que des incidents de parcours sans importance. Les dépressifs sont impartiaux quant à leurs succès et à leurs échecs. Seuls les non-dépressifs croient en la justesse du dicton: «Le succès a mille géniteurs, l'échec est orphelin.» Dans un suivi de son enquête, Alloy a constaté que les non-dépressifs réalistes deviennent plus facilement déprimés que ceux qui entretiennent ces illusions. Le réalisme ne coexiste pas avec la dépression, il n'en est qu'un facteur possible, tout comme le tabagisme n'est qu'un facteur de risque de cancer du poumon.

L'idée que les dépressifs voient la réalité en face, alors que les non-dépressifs la déforment en leur faveur, est perturbante. En tant que psychothérapeute, j'ai été formé à croire que mon métier consiste à aider mes patients dépressifs à se sentir plus heureux et à voir le monde tel qu'il est. Je suis censé être un agent de la félicité comme de la réalité. Mais il se pourrait bien que bonheur et vérité soient antagonistes. Peut-être que la thérapie que nous considérions la meilleure pour nos patients dépressifs fait naître en eux de douces illusions en leur laissant croire que le monde est meilleur qu'il ne l'est en réalité.

Cette hypothèse est plus que troublante quand on la dissèque. Elle bouleverse catégoriquement une de nos certitudes les mieux entretenues relatives à la psychothérapie, voulant que le praticien soit l'agent de la réalité comme de la santé.

Dans quel autre ordre de problèmes une bonne santé mentale devrait-elle dépendre d'une fausse représentation?

Dans quel autre cadre de problèmes une guérison devrait-elle dépendre de la formation d'illusions plutôt que de l'apprentissage de la réalité? Peut-être les tactiques utilisées pour résoudre un problème sont-elles étrangères à la réalité de ce dernier?

L'antagonisme entre les tactiques de guérison et la réalité n'est jamais aussi apparent que dans les problèmes reliés aux abus toxiques. Le présent chapitre a pour sujet l'alcool. Je n'y parlerai ni des drogues ni du tabac, mais tout ce que j'aborde s'applique également à ces substances.

L'alcool et l'alcoolisme

- Il existe une maladie nommée alcoolisme.
- Un alcoolique est désarmé face à cette maladie.
- L'alcoolisme résulte d'une dépendance physique.
- L'alcoolisme est une maladie évolutive.
- Un jour alcoolique, toujours alcoolique.
- La personnalité de dépendance existe.
- Un verre suffit à la rechute.

Toutes ces affirmations sont généralement admises. Elles sont probablement toutes utiles. Les gens qui abusent de l'alcool ont intérêt à les croire. Les personnes qui essaient d'aider celles et ceux qui abusent des spiritueux seront plus efficaces dans leurs efforts si elles admettent la justesse de ces assertions. Elles sont, d'ailleurs, les bases de nombreux groupes d'entraide, dont les Alcooliques anonymes, leur ancêtre à tous.

Curieusement, aucune de ces propositions n'est cependant tout à fait exacte. Elles sont chacune l'objet de controverses. Bon nombre de scientifiques considèrent ces «vérités» avec scepticisme. Pour certains, elles servent d'excuse à une inconduite en la taxant de symptôme maladif (comme le *psychopathe* désigne *l'individu dangereux*, le *cleptomane*, le *voleur*, le *déviant sexuel*, le *violeur*, le *pédophile*, *l'agresseur d'enfant*, la *démence passagère*, le *meurtre*, etc.). D'autres ne les considèrent que comme des slogans politiques et d'autres encore, comme des contrevérités manifestes.

Mon principal dessein est de voir si l'abus d'alcool peut être réfréné et guéri. Je ne peux cependant m'empêcher, en passant, d'examiner ces croyances. Je ne serai pas à même d'arbitrer les controverses relatives à l'alcoolisme en tant que maladie, dépendance, habitude malsaine ou péché. Je n'ai pas de réponse concernant la personnalité de dépendance, ni sur le contrôle de la boisson. Je vous donnerai mon opinion à ces sujets, mais ce ne sera jamais qu'une opinion personnelle. Je ne fais pas preuve ici de fausse modestie. Si je suis une autorité en matière d'émotions et un chercheur actif en matière de sexualité et de diététique, je ne suis qu'un lecteur averti des communications scientifiques relatives aux toxicomanies. Je peux vous tenir informé des dernières études en la matière, mais mes expériences de clinicien et de chercheur en ce domaine restent limitées.

Êtes-vous alcoolique?

> L'homme avale un verre,
> puis le verre avale un verre,
> puis le verre avale l'homme

Proverbe japonais

Avez-vous un problème d'alcool? En «abusez-vous» ou, pire encore, «dépendez-vous» de lui pour arriver au bout de votre journée? Vous serez sans doute peu surpris d'apprendre que les limites entre bien supporter l'alcool, en abuser ou être sous sa dépendance sont floues. À première vue, plus vous présentez de symptômes, plus votre problème est grave. Répondez au questionnaire suivant:

301

TEST DE DÉPISTAGE DE L'ALCOOLISME DU MICHIGAN

(Adapté de la méthode du Dr Melvin Selzer)

POINTS   **OUI**   **NON**

0   0. Aimez-vous prendre un verre, de temps à autre?

2   1. Avez-vous le sentiment de boire normalement? (Par *normalement,* j'entends boire moins ou autant que la plupart des gens)?

2   2. Vous est-il déjà arrivé de vous réveiller le matin et de vous rendre compte que vous ne vous souveniez plus de certains moments de la soirée?

1   3. Votre femme ou votre mari, ou un proche parent se sont-ils déjà plaints de votre tendance à boire?

2   4. Devez-vous vous forcer à arrêter de boire après avoir pris un verre ou deux?

1   5. Vous sentez-vous parfois coupable de vos tendances à boire?

2   6. Vos amis ou parents pensent-ils que vous buvez de façon anormale?

2   7. Êtes-vous incapable d'arrêter de boire lorsque vous le voulez?

5   8. Avez-vous déjà participé à une réunion des Alcooliques anonymes?

1   9. Vous êtes-vous déjà battu après avoir bu?

L'alcool

2   10. Votre façon de boire a-t-elle déjà créé des problèmes dans votre ménage ou avec des parents?

2   11. Votre femme ou votre mari, ou d'autres membres de votre famille ont-ils déjà recherché une aide extérieure pour régler votre problème de boisson?

2   12. L'alcool vous a-t-il déjà fait perdre des amis?

2   13. L'alcool vous a-t-il déjà créé des problèmes au travail ou aux études?

2   14. L'alcool vous a-t-il déjà fait perdre un emploi?

2   15. Avez-vous déjà négligé vos obligations, votre famille ou votre travail pendant deux jours de suite ou plus, à cause de l'alcool?

1   16. Buvez-vous souvent avant midi?

2   17. Vous a-t-on déjà dit que vous souffriez du foie? D'une cirrhose?

*   18. Après avoir beaucoup bu, avez-vous déjà eu un accès de *delirium tremens* *(5 points), de forts tremblements *(2 points) ou avez-vous vu des choses en réalité inexistantes *(2 points)?

5   19. Avez-vous déjà cherché de l'aide extérieure concernant votre problème d'alcool?

5   20. Avez-vous déjà été hospitalisé(e) à cause de votre problème d'alcool?

POINTS   **OUI**   **NON**

2   21. Avez-vous déjà été soigné(e) dans un institut psychiatrique ou dans le département de psychiatrie d'un hôpital, l'alcool étant une des raisons de votre hospitalisation?

2   22. Avez-vous déjà été arrêté(e) pour ivresse au volant, pour conduite avec facultés affaiblies ou pour conduite avec un taux prohibé d'alcoolémie (2 points pour chaque arrestation)?

2   23. Avez-vous déjà été arrêté(e) ou mis(e) en détention provisoire pour ivresse publique (2 points pour chaque arrestation)?

Votre score. Le pointage est simple. Faites le total de vos points. Il n'y a pas de limite précise, mais un total de 5 points ou plus vous situe dans la catégorie des alcooliques, des personnes ayant une dépendance vis-à-vis de l'alcool. Un total de 4 points suggère que votre consommation d'alcool est abusive. Avec 3 points ou moins, vous n'avez pas de problème sérieux d'alcoolisme. Ce questionnaire est traditionnel, sert au dépistage et tend donc à qualifier d'alcooliques plus de gens que de raison. Mais si vous obtenez un total supérieur à 3 points, vous devriez apporter une attention particulière aux paragraphes suivants sur le traitement de l'alcoolisme.

L'alcoolisme est-il une maladie?

L'alcoolisme est-il une maladie? Aucune question relative aux abus de substances toxiques n'a soulevé autant de controverses passionnées que celle-ci. Les Alcooliques anonymes soutiennent que l'alcoolisme est une maladie et que

304

l'alcoolique est «impuissant» devant elle. Mais depuis plus de 100 ans, d'autres ont prétendu que «l'ivrognerie est un vice et non une maladie» et que «l'alcoolisme n'est pas plus une maladie que ne le sont le vol ou le lynchage».

Pour les théoriciens, le débat est une question de vérité et de précision du langage. Pour les gens de terrain, c'est une question qui doit servir à déterminer leurs tactiques. De toute façon, le sujet se prête à des échanges et à des concessions mutuelles.

Affirmation: L'alcoolisme, contrairement aux vraies maladies, n'a rien de physique. Si quelqu'un vous dit que les alcooliques ont une déficience métabolique, un gène particulier ou une faiblesse biochimique connue, méfiez-vous. Tout cela est faux. L'alcoolisme est un problème d'ordre social, économique et interpersonnel et non un état physiopathologique.

Réplique: L'alcoolisme n'est pas une maladie, comme la malaria, causée par un germe particulier ou une anomalie chimique; il ressemble plutôt à la pression sanguine élevée. L'hypertension est liée à des facteurs sociaux, interpersonnels et économiques; elle est en grande partie *essentielle,* c'est-à-dire qu'elle n'a pas de cause physique connue. Elle a par contre des conséquences physiques connues, comme les crises cardiaques et les congestions cérébrales et l'alcoolisme entraîne, de même, des cirrhoses du foie et des lésions cérébrales. L'alcoolisme, comme beaucoup de maladies, est souvent lié à un héritage génétique. Il se retrouve plus souvent en concordance chez les jumeaux univitellins que chez les faux jumeaux et les enfants de parents biologiques alcooliques ont beaucoup plus de risques de le devenir aussi, même s'ils sont élevés par de parfaits abstinents.

Affirmation: Son caractère héréditaire n'impressionne guère. La stupidité, la laideur et la criminalité sont héréditaires, mais cela n'en fait pas des maladies. Ou vous êtes atteint d'une véritable maladie, comme la syphilis ou la schizophrénie, ou vous ne l'êtes pas. L'alcoolisme n'est tout simplement qu'un phénomène progressif de consommation d'alcool, avec les buveurs invétérés à son point culminant. Qualifier cet état de maladie équivaut à dire des personnes de très petite taille (à ne pas confondre avec les nains) qu'elles sont malades.

Réplique: Comme pour l'hypertension, il n'existe pas de ligne de partage précise pour l'alcoolisme. Tout ce que l'on peut en dire, c'est que plus il est apparent, plus le problème tend à être sérieux.

Affirmation: Voilà un fameux exemple de *victimologie*: l'art de transformer les «ratés» en victimes. Notre société n'est pas tendre envers eux. Les échecs sont perçus comme vaguement immoraux; ils sont signes de paresse et de stupidité et censés être dus à un mauvais esprit ou pire encore. Mais notre société est, depuis quelques années, devenue moins cruelle. Les bonnets d'âne ont disparu de nos classes, comme les zéros sur les bulletins de nos enfants (ils sont remplacés par des appréciations du genre «insuffisant»). Nos gamins ne peuvent plus, impunément, harceler un enfant retardé en le traitant d'«innocent». Nous traitons désormais les «ratés» de façon à essayer de leur éviter les humiliations du passé. Nous les qualifions de victimes, et rien ne peut être reproché à une victime. Les alcooliques sont, à vrai dire, des «ratés» et leur échec n'est qu'un échec de volonté. Ils ont fait le mauvais choix et ils continuent à le faire, jour après jour. En les qualifiant de victimes d'une maladie, nous déplaçons d'un coup de baguette magique le fardeau du problème; nous le retirons du contrôle personnel et du choix des individus et le faisons dépendre d'une force impersonnelle, c'est-à-dire de la maladie. Ce déplacement érode la responsabilité individuelle et prête même une aura de légitimité morale à l'ivrognerie. Il magnifie le problème, rendant encore plus difficiles les changements.

Réplique: Rappelez-vous le proverbe japonais en tête du chapitre. L'alcoolisme, en s'aggravant, affaiblit encore le contrôle volontaire. Qualifier l'alcoolisme de maladie met en lumière le peu de contrôle que ses victimes finissent par détenir sur lui. Le choix était important au début, mais dans les dernières phases du mal, les alcooliques n'ont pratiquement plus ce choix. Un automobiliste qui choisit de rouler à tombeau ouvert sur une autoroute, sachant que ses freins sont défectueux, et qui passe ensuite des années dans le plâtre, a fait au départ de mauvais choix, dont les conséquences sont désastreuses pour son avenir. Mais son dos et ses membres brisés sont maintenant des «maladies».

ET LA DISCUSSION se poursuit avec une autre demi-douzaine d'affirmations et de répliques. Les deux parties ont chacune des arguments valables: il y a de bonnes raisons de penser que l'alcoolisme est une maladie, mais il y en a d'aussi bonnes également pour prétendre le contraire. La controverse se termine par un match nul.

Mais une maladie, contrairement au triangle ou au noyau benzénique, n'est pas une chose scientifique. La *maladie* n'est pas bien définie; c'est plutôt une étiquette qui n'a rien à voir avec la science et que l'on utilise pour introduire des sujets particuliers. C'est un terme comme *cognitive* que l'on oppose en psychologie à *mémoire immédiate,* ou comme *vie* à *gène* en biologie, ou comme *guérison* à *lésion de la moelle épinière* en médecine. Il y a une certaine latitude quant à la possibilité d'étiqueter ou non l'alcoolisme comme *maladie,* et c'est pourquoi je pense que d'autres considérations devraient intervenir. Nous devrions d'abord nous demander si les gens qui se disent *malades* de l'alcoolisme en tirent avantage. Les gens qui aident les alcooliques sont-ils plus efficaces s'ils pensent traiter une maladie? Le changement est-il facilité?

Les tactiques. Contrairement à la vérité du concept voulant que l'alcoolisme soit une maladie, notre façon de nous expliquer à nous-mêmes nos échecs n'est pas purement sans portée pratique. En fait, notre façon de cataloguer nos problèmes a des conséquences considérables. Quand nous sommes convaincus par une explication permanente, pénétrante et personnelle, les problèmes nous semblent bien plus graves que quand nous les expliquons en termes temporaires, locaux et impersonnels. Par exemple, si nous expliquons le fait d'être sans emploi en disant «Je n'ai aucun talent» (opinion permanente, pénétrante et personnelle), nous nous déprimons, nous nous sentons impuissants, nous ne cherchons pas un autre emploi et notre échec submerge tous les aspects de notre existence. Par contre, si nous considérons que la récession (temporaire, locale et impersonnelle) est la coupable, nous nous mettons à la recherche d'un nouvel emploi, nous contrecarrons la dépression, nous n'avons pas le sentiment d'être inutiles ou impuissants et nous continuons à vivre normalement. C'est d'ailleurs le thème de mon livre *Apprendre l'optimisme** et le tout s'applique directement au concept de l'alcoolisme en tant que maladie.

Quand quelqu'un découvre qu'il souffre d'une dépendance envers l'alcool et qu'il se rend compte que cela met en danger sa vie, sa famille, sa carrière et tout ce qui lui est cher, comment devrait-il s'expliquer la chose? Tout compte fait, il n'a pas beaucoup de choix. Il peut se donner l'explication de la maladie. Les autres possibilités consistent à parler d'un vice, du résultat d'un mauvais choix et d'un caractère malsain, ou encore d'un péché. Comparez maladie et vice. La maladie est plus temporaire (elle est souvent guérissable), le vice est plus permanent (il est le produit d'un caractère malsain et le caractère ne se modifie que rarement, si ce n'est jamais). Une maladie est plus spécifique (elle est le fait d'un accident biologique ou environnemental), alors que le vice est général (il est le propre d'une personne malsaine). Une maladie est impersonnelle alors que le vice vous implique, car c'est *vous* qui en avez fait le choix.

---

* *Op. cit.*

Par conséquent, la maladie est une explication plus optimiste que le vice et l'optimisme est l'essence même de la variabilité. Les étiquettes pessimistes entraînent la passivité alors que celles teintées d'optimisme encouragent à essayer de changer. Les alcooliques qui se classent parmi les malades seront donc moins déprimés, se sentirons moins démunis, auront une meilleure estime de soi et, ce qui est encore plus important, ils essaieront plus sérieusement de se changer, ou de chercher de l'aide pour changer, que les alcooliques qui considèrent être de mauvaises gens. L'étiquette de maladie a encore un autre avantage: elle donne accès au système d'aide médicale.

Je suis donc en faveur du concept de l'alcoolisme en tant que maladie. Non qu'il soit le reflet de la vérité (j'en doute sérieusement), mais bien parce qu'il porte en lui plus d'espoir que les explications de rechange dont nous disposions jusqu'à récemment. Les alcooliques qui se considèrent malades et les professionnels qui les soignent comme tels essaieront avec plus d'enthousiasme de changer la situation que s'ils pensaient avoir affaire à un cas d'immoralité. La «maladie» de l'alcoolisme est une de ces illusions thérapeutiques qui peuvent aider les alcooliques à trouver la vie supportable.

Les Alcooliques anonymes n'ont, d'après moi, qu'à moitié raison. En taxant l'alcoolisme de maladie, les AA rendent le changement plus plausible que s'ils avaient laissé croire à leurs membres qu'ils étaient gouvernés par le vice ou le péché, principale explication existant au moment où furent fondés les AA. Mais notre époque contemporaine a trouvé des explications de rechange plus acceptables. Un alcoolique raffiné pourrait aujourd'hui expliquer son défaut en termes de «mauvaise habitude», de «problème comportemental» ou même de «faiblesse humaine». Chacune de ces explications est une étiquette beaucoup plus optimiste que «vice» ou «péché», et probablement plus optimiste que «maladie». Les habitudes peuvent changer; les problèmes de comportement sont particuliers et les faiblesses vont et viennent. Ces façons de considérer l'alcoolisme encouragent plus les changements que ne pourraient le faire les options vice et péché ou celle de maladie.

Le contraste devient encore plus frappant quand vous examinez certaines des fameuses *Douze Étapes* des AA. La première, par exemple, admet l'«impuissance» de l'alcoolique devant sa maladie. Celle-ci est génétique et échappe au contrôle du malade. La guérison n'est envisageable qu'en abandonnant ce contrôle à une «puissance supérieure». La maladie est toujours présente, rendant une rechute toujours possible.

Cette structure est à double tranchant. D'une part, l'impuissance est parfois le matériau des conversions religieuses. La face cachée de l'âme peut armer les gens du courage nécessaire pour cesser de boire et maintenir cette décision malgré d'énormes tentations. D'autre part, le fait de croire en l'impuissance tend à annihiler les effets bénéfiques du concept «maladie» qui poussent les gens à sortir de leur torpeur et à faire l'effort de se changer. Le sentiment d'impuissance est souvent prétexte à la passivité et au désespoir.

Y a-t-il une personnalité qui prédispose à l'accoutumance?

Les alcooliques sont déprimés, angoissés, dépendants, de type «oral», remplis de doutes et de dégoût de soi, et ils entretiennent un sentiment d'infériorité. Et, pour ne citer que quelques-uns de leurs pires traits de caractère, on peut dire qu'ils vont à l'encontre du but recherché, qu'ils sont également pessimistes, paranoïdes, agressifs et psychopathes. Ces faits ont poussé les chercheurs à prétendre qu'il existe une personnalité qui prédispose à l'accoutumance, composée d'une sorte d'agglomérat de ces traits. En d'autres termes, les gens qui seraient dotés d'une telle personnalité seraient plus facilement victimes d'accoutumance aux substances et à certains comportements. Mis à part l'alcool, ils seront des «accros» du crack, du sexe, du jeu ou de la cigarette. Cela

310

signifie aussi que de telles personnes ont recours à l'alcool pour noyer leurs tourments émotionnels. Peut-être êtes-vous inquiet de présenter cet ensemble de traits et de courir ainsi des risques?

C'est une question qui a été résolue une fois pour toutes, après de longues années de travail et de considérables progrès méthodologiques sous forme d'études «longitudinales» et prospectives sur la longévité des alcooliques. L'idée d'une personnalité prédisposant à l'accoutumance est fondée sur l'observation temporaire des alcooliques pendant un ou même cinq ans. Cette observation révèle la présence de ces traits prétendument liés à l'accoutumance. Or, il est essentiel que les personnes soient observées alors qu'elles abusent de l'alcool. Qu'est-ce qui se manifeste en premier, les traits de l'accoutumance ou l'abus d'alcool? Il se pourrait bien que le fait de voir l'alcool détruire votre existence, sans pouvoir réagir, fasse naître en vous l'angoisse, la dépression, la délinquance, la dépendance, le pessimisme et des sentiments d'infériorité. Par contre, il se pourrait aussi que ces sentiments vous poussent à l'alcoolisme.

Au cours de deux études qui ont fait date, des groupes d'hommes ont été observés et suivis pendant quarante ans et plus, depuis l'enfance, donc avant toute forme d'alcoolisme, jusqu'à un âge moyen avancé. Les deux enquêtes ont été menées par George Vaillant, un chercheur de l'Université Harvard, que je considère comme le plus important psychanalyste depuis Freud. Dans une des études, les jeunes qui étudiaient à Harvard furent scrutés à la loupe. Le but était de déceler les sujets les plus en forme parmi eux. On retint 5 p. 100 de ces jeunes sur les bases d'une santé physique et mentale exceptionnelle et de leurs prouesses intellectuelles. Pendant toute la durée de leurs études, ces hommes furent interviewés sans arrêt et soumis à d'innombrables tests psychologiques. On a continué à les suivre de près jusqu'à ce jour. Sur les 252 sujets, 30 ont commis des abus d'alcool. Vaillant a voulu savoir en quoi ces 30 hommes différaient des 222 autres avant de devenir alcooliques.

Avant de vous révéler les résultats de son enquête, je veux mentionner la seconde étude, dont les sujets provenaient d'un milieu totalement différent se situant à l'autre extrémité de l'éventail social américain, c'est-à-dire des quartiers déshérités de Boston. Ces hommes furent également suivis pendant quarante ans. Soixante et onze d'entre eux devinrent alcooliques et 260 ne le devinrent pas. Vaillant a voulu savoir, une fois de plus, en quoi les alcooliques, avant de le devenir, différaient des autres.

Les résultats des deux études furent identiques. Il n'existe aucun signe de l'existence d'une personnalité prédisposée à l'alcoolisme. Les hommes qui étaient devenus alcooliques se distinguaient des autres de deux façons: il y avait plus d'alcooliques dans leurs familles et ils étaient plutôt d'origine nord-européenne (surtout irlandaise). L'insécurité émotionnelle, la dépression, la dépendance, la délinquance juvénile et tout le reste de la panoplie des éléments de l'accoutumance (en l'absence de parents alcooliques) ne laissaient nullement prévoir l'alcoolisme.

Ces résultats ont apporté une bouffée d'air frais. Avant que Vaillant en arrive à ses conclusions, les cliniciens, qui n'examinaient les alcooliques que durant leurs crises, pouvaient sans crainte se livrer à des déclarations alarmistes telles que: «Le développement du processus morbide de l'alcoolisme est inconcevable sans l'existence d'une psychopathologie sous-jacente.» Les découvertes de Vaillant permettent de nier complètement de telles déclarations. C'est l'alcoolisme qui provoque les caractéristiques de la dépression, de la dépendance, de la délinquance et ainsi de suite. La seule chose que les alcooliques ont en commun avant leur trouble est une dangereuse propension à boire et non un caractère malsain sous-jacent ou une maladie mentale qui ne se manifestent que sous l'aspect de l'ivrognerie.

La bonne nouvelle réside dans le fait que ces caractéristiques indésirables disparaissent dès que cesse l'abus d'alcool. L'alcoolique guéri n'est pas plus dépressif, psychopathe, pessimiste ou égoïste que la plupart d'entre nous. Comme il a pu rater une vingtaine d'années de sa vie, il manque néanmoins souvent de maturité dans son travail, dans sa vie émotionnelle et dans ses relations par rapport aux gens de son âge. Comme me le disait mon meilleur ami d'enfance, après s'être drogué pendant vingt ans et s'en être sorti: «Marty, j'ai 50 ans et j'atteindrai bientôt la trentaine!»

L'alcoolisme est-il évolutif?

Les AA ont un principe de base voulant que l'alcoolisme soit non seulement une maladie, mais encore une maladie *évolutive*. Comme la syphilis qui, si elle n'est pas traitée, évolue d'une ulcération du pénis à une faiblesse des membres, puis à la démence et à la mort, l'alcoolisme non contrôlé évolue du verre que l'on prend en bonne compagnie à l'abus, à la dépendance et à la mort. Quand une personne a une tendance génétique à devenir alcoolique et qu'elle commence à abuser de l'alcool, deux solutions seulement se présentent à elle: se suicider en continuant à boire ou s'en abstenir complètement. Ce scénario reflète-t-il la réalité?

L'alcoolisme a certainement un côté évolutif parce qu'il développe la *tolérance*. Vous aurez besoin de plus en plus d'alcool pour atteindre à la même ivresse. La tolérance et les effets du sevrage — ce besoin maladif produit par l'abstinence — sont les marques d'une dépendance à l'alcool. Quand quelqu'un prétend que l'alcool ou l'héroïne produisent des dépendances physiques, il se trompe en pensant qu'il existe une pathologie biologique ou chimique connue. Et «dépendance physique» est une expression totalement inappropriée. Il n'y a que des phénomènes comportementaux; vous avez de plus en plus besoin de la substance toxique et si vous cessez de la prendre, vous souffrirez des affres du sevrage.

Les AA, en affirmant que l'alcoolisme est évolutif, ne veulent pas dire que son besoin va en croissant. Cette affirmation signifie que ses symptômes empirent avec l'usage. Cela commence par des trous de mémoire et de fréquentes ivresses suivies d'arrestations, de plaintes d'amis et de parents et du besoin de boire dès le matin. Cela se poursuit par les échecs répétés des résolutions de ne plus boire. Suivent la perte d'emploi et les «cuites». Au bout de trois à dix ans, interviennent finalement les convulsions, les hospitalisations et les AA. Le tout se termine soit par l'abstinence totale, soit par la mort.

La même étude remarquable qui répondait à la question de savoir si la personnalité qui prédispose à l'accoutumance existe vraiment nous éclaire aussi sur le caractère évolutif de l'alcoolisme. Comme l'étude nous donne une image des sujets durant toute leur vie d'alcoolique — avant, pendant et après (s'il y en a un!) —, elle nous détaille toutes les phases de l'alcoolisme.

Et ici, les AA sont presque entièrement dans le vrai. Si l'alcoolisme n'est pas inévitablement évolutif, généralement, il l'est. Sur les 110 alcooliques des quartiers déshérités observés pendant quarante ans, 73 ont suivi un parcours évolutif se terminant, pour la moitié, par l'abstinence et, pour l'autre moitié, par une consommation d'alcool nettement abusive et par la mort. Les 37 sujets restants n'ont pas manifesté les symptômes d'une maladie évolutive. Ils ont guéri de leur alcoolisme, passant à une consommation modérée ou à des périodes de consommation exagérée sans pour autant présenter de symptômes dangereux.

Vaillant vient d'obtenir le suivi de ces hommes pour les dix dernières années (ce qui porte à cinquante ans la durée totale du suivi). Il est maintenant à même d'en donner un portrait encore plus complet. Au début de la vie, l'alcoolisme progresse. Entre les âges de 18 et de 30 et 40 ans, la consommation d'alcool ne cesse de s'accroître. Elle commence par la suite à se stabiliser. Peu d'alcooliques le sont plus à 65 ans qu'ils ne l'étaient à 45. L'âge moyen, si l'on arrive à l'atteindre, semble être celui de l'autocorrection. La délinquance, l'obésité, la schizophrénie, la psychose maniaco-dépressive et l'alcoolisme tendent tous à s'éteindre à l'âge moyen. Vaillant énonce une règle «du tiers» relative à l'alcoolisme: à 65 ans, un tiers des sujets sont morts ou dans un état épouvantable, un autre tiers sont abstinents ou ne boivent que modérément et un dernier tiers essaient toujours d'arrêter de boire.

Peut-on déterminer à l'avance si un alcoolique va suivre le parcours évolutif ou le parcours non évolutif, plus rare? Parmi les hommes de Vaillant, ceux qui souffraient d'une forme évolutive du trouble avaient montré les pires symptômes dès qu'ils s'étaient mis à boire, ils fumaient plus (deux paquets par jour) et ils avaient passé plus d'années à se sentir «incapables de maîtriser» leur besoin de boire (15 contre 4).

La guérison

- Quelles sont vos chances de guérir votre alcoolisme?
- Les traitements donnent-ils des résultats?
- Les AA sont-ils efficaces?

Il est fort difficile de répondre à ces questions. Je ne connais aucun autre domaine où tant d'argent ait été dépensé pour trouver des traitements sans résultats probants. Ce manque de connaissance est, à mes yeux, un véritable scandale. Le bon moyen de savoir si un traitement X (mettons les AA, un médicament, ou une cure en institution) est valable, est, en principe, fort simple. Appliquez le traitement X à un groupe d'alcooliques. Appliquez tout sauf le traitement X à un groupe témoin, assorti au premier en fonction de facteurs intervenant dans la guérison (comme l'emploi, la stabilité émotionnelle, la gravité du cas et la classe sociale). Attendez et voyez ce qui donne les meilleurs résultats. C'est ce qui a été fait pour la plupart des problèmes abordés dans ce livre. Cela n'a jamais été fait dans le cas de l'alcoolisme.

Il y a un obstacle à l'obtention de bonnes études de résultats dans le domaine de l'alcoolisme. Les chercheurs se penchent, en effet, sur un problème où se répètent naturellement, durant des années, des cycles de guérison et de rechute. La compréhension du pourquoi des rechutes si fréquentes commence par l'étude de ce qui ne vous protège *pas* contre les rechutes. C'est ainsi que George Vaillant a comparé l'enfance des alcooliques qui rechutaient fréquemment à celle de ses sujets qui devenaient des abstinents reconnus. Il en est ressorti que les éléments suivants ne permettaient *pas* de prévoir qui allait devenir sûrement abstinent:

- de bons soins maternels;
- une enfance et une adolescence sans problèmes;
- un milieu familial parfait;
- une bonne éducation;
- aucun cas d'alcoolisme dans la famille.

Ces constatations devraient choquer ceux d'entre vous qui attachent une grande importance aux expériences de l'enfance (le chapitre 14 ébranlera encore plus votre croyance en ce dogme).

Un grand nombre de facteurs qui semblent protéger les gens contre les ravages d'autres troubles psychologiques n'arrivent pas à le faire pour l'alcoolisme car ce problème, contrairement à d'autres maladies, s'attaque à trois des plus importants facteurs de guérison, c'est-à-dire la force de l'ego, la volonté et le soutien social. L'alcool porte atteinte au cerveau; des gens solides aux volontés marquées deviennent faibles et malléables. L'alcool rend «rois et génies semblables aux indigents et aux pauvres d'esprit». Il est le «grand niveleur des différences humaines». De plus, l'alcool détruit systématiquement vos amours et vos amitiés. Il vous prive de tout soutien social en vous rendant égoïste, irresponsable et incapable de maîtriser vos colères et vos chagrins. Sans famille ou sans amis, les personnes souffrant d'une maladie chronique voient leur état se détériorer.

Si tous ces facteurs de l'enfance ne contribuent pas à rendre la guérison plus probable, quoi d'autre pourrait y arriver? D'abord, moins vous aurez relevé de symptômes dans le test sur l'alcoolisme, plus vous aurez de chances de guérir. Le fait d'être marié, d'avoir un emploi, d'être d'un âge moyen, d'avoir une bonne éducation, d'être de race blanche et d'appartenir à la classe moyenne permet ensuite de prédire la guérison. Bref, la stabilité sociale est un atout majeur. Les personnes faisant partie de cette catégorie ont deux fois plus de chances de se rétablir que celles issues des «quartiers de clochards».

Paradoxalement, l'extrême gravité du cas aide également la guérison. Lorsque les gens sont sérieusement menacés, lorsqu'ils risquent de mourir, d'être défigurés ou de faire faillite, ils sont mûrs pour la conversion. Atteindre le fonds du puits peut, incontestablement, être un puissant moteur de changements et de rétablissements spectaculaires. Les pires résultats sont obtenus avec les personnes buvant modérément et celles qui boivent beaucoup. Dans ces cas, l'alcoolisme n'est pas suffisamment bénin pour rendre la guérison facile et pas assez prononcé pour menacer radicalement la vie, la famille et les moyens d'existence au point de vous pousser à l'abstinence. Dans l'étude de Vaillant, les sujets de Harvard qui étaient modérément alcooliques à 40 ans le sont toujours à l'aube de la vieillesse. Les gens dont le cas est bénin ou extrême s'en sortent mieux.

Quelles sont en général les chances de guérir un alcoolisme grave dans des circonstances normales? Pour répondre à cette question, il faut d'abord tenir compte du fait suivant: les rechutes chroniques d'alcoolisme font que lorsque les chercheurs examinent un cas durant une courte période, six mois par exemple après un quelconque traitement, ils auront une vision optimiste des choses. Jusqu'à 64 p. 100 peut-être des personnes traitées se mettent au régime sec pendant une telle période après le traitement. Tous les alcooliques ont d'ailleurs cessé de boire de temps en temps. Essayer d'y renoncer et échouer sans cesse sont des caractéristiques de l'alcoolisme. La vision réaliste ne commence à apparaître qu'au bout de dix-huit mois minimum. Les études qui révèlent de réelles chances de guérir de l'alcoolisme sont rares et ce sont celles qui se sont poursuivies sur de très longues périodes.

Voici quelques statistiques significatives. Sur 110 alcooliques des quartiers déshérités, suivis par Vaillant tout au long de leur vie, 49 (45 p. 100) s'abstinrent de boire pendant au moins un an. Sur ces 49, 21 (19 p. 100) devinrent sérieusement abstinents, s'y tenant pendant trois ans au moins. Sur 100 alcooliques traités en clinique et que Vaillant a suivi pendant douze ans après leur congé de l'hôpital, 25 étaient devenus durablement abstinents, 21 étaient des cas douteux, 37 étaient morts et 17 souffraient toujours d'une dépendance à l'alcool. On a obtenu des pourcentages semblables en suivant pendant dix ans des alcooliques anglais. Les meilleures estimations à long terme des chances de guérir de l'alcoolisme que je puisse avancer sont donc les suivantes.

- Une minorité importante d'alcooliques guérissent.
- Un alcoolique sur cinq environ se rétablira complètement.
- La moitié environ meurent prématurément ou conservent leur dépendance à l'alcool.
- Les alcooliques socialement stables ont environ deux fois plus de chances de se rétablir.
- Les symptômes particulièrement graves ou très bénins permettent de prévoir une guérison probable.

Quand Vaillant a comparé les hommes devenus abstinents à ceux qui étaient morts ou qui étaient restés alcooliques, il a découvert quatre facteurs naturels de guérison chez ceux qui s'étaient rétablis. Premièrement, les abstinents avaient trouvé des substituts à leur dépendance: les orgies de bonbons, les repas forcés, le librium, les prières et la méditation, les cigarettes à la chaîne, le travail ou un hobby. Deuxièmement, ils se savaient menacés par les conséquences médicales douloureuses et catastrophiques de leur penchant. Les hémorragies, les fractures de la hanche, les attaques, les horribles problèmes gastriques faisaient tous entrevoir à ces hommes leur destruction physique (les lésions hépatiques indolores n'étaient pas suffisantes pour leur faire entendre raison). Troisièmement, ces hommes ont trouvé des sources accrues d'espoir, typiquement la conversion religieuse et les

Alcooliques anonymes (dont je parlerai plus en détail ci-dessous). Finalement, ces hommes ont souvent lié de nou-velles relations amoureuses à l'abri des désastreuses expériences qu'ils avaient précédemment fait subir à leurs épouses. Plus il y avait de facteurs intervenant dans le processus, plus ces hommes avaient de chances de se rétablir.

C'est dans le contexte de ce processus naturel de guérison que doivent être comparés les traitements formels. Or il est malheureux de constater que ces traitements ne donnent que fort rarement de meilleurs résultats que ce processus naturel.

Si vous en avez les moyens, votre premier réflexe sera probablement de vous faire soigner dans une des nom-breuses cliniques spécialisées destinées aux alcooliques. Les traitements qu'elles prodiguent sont chers et font générale-ment appel à des équipes de professionnels. Les meilleurs établissements offrent toute une gamme de services: désin-toxication, assistance socio-psychologique, psychothérapie comportementale, soins médicaux en cas de complications, cure d'interdiction provoquée (ou de dégoût), groupes de type AA, le tout dans un cadre confortable. Vous pouvez en prendre et en laisser. Les résultats à long terme de ces cures semblent excellents. Un de ces établissements, par exemple, a récemment publié avec fierté un rapport sur 200 de ses anciens patients suivis pendant dix ans. Soixante et un pour cent d'entre eux étaient «complètement» ou «durablement» rétablis. Mais ces patients n'étaient pas issus d'un quartier de clochards, ils étaient socialement stables et on pouvait en tout état de cause s'attendre à d'aussi bons résultats avec ce genre de personnes. Il faut un groupe témoin assorti pour pouvoir déterminer si de tels programmes de soins donnent de meilleurs résultats que la guérison naturelle. Or, le rapport en question n'y avait pas eu recours et les études de résultats contrôlés sur les patients de cliniques de désintoxication sont rares. Ces patients sont généralement des clients payants qui refusent d'être désignés au hasard pour faire par-tie d'un groupe témoin; si on les y force, ils iront se faire soi-gner ailleurs.

Il y a eu, cependant, quelques tentatives d'études contrôlées. L'une d'elles, particulièrement spectaculaire, a eu lieu à Londres, il y a une quinzaine d'années. Cent hommes mariés et alcooliques reçurent au hasard l'un des deux traitements suivants. Le premier, fort élaboré, consistait en un ensemble d'une année d'assistance socio-psychologique, d'une affiliation aux AA, d'une cure de dégoût provoqué par médicaments, d'un traitement pharmacochimique pour atténuer les effets du sevrage et du libre accès à un traitement médical en institution. Le second traitement consistait simplement en une consultation avec un psychiatre en présence de l'épouse du patient. Le psychiatre expliquait au couple que le mari était alcoolique et qu'il devrait s'abstenir de toute boisson alcoolisée; il devrait conserver son emploi et le couple devrait tenter de ne pas se séparer. Le thème de l'entretien était que la guérison «reposait entièrement entre les mains du couple et ne pouvait en aucun cas être assumée par d'autres». Au bout d'un an, les deux groupes avaient obtenu des résultats semblables; 25 p. 100 environ des sujets dans chacun des deux groupes allaient mieux.

George Vaillant a obtenu les mêmes résultats en comparant son propre programme de traitement clinique intensif à l'hôpital de Cambridge, au Massachusetts, à une absence de traitement. Ses 100 patients furent sevrés et reçurent une assistance médicale et psychiatrique; ils avaient accès à un centre de réadaptation, à un programme d'information sur l'alcool et pouvaient, avec leurs familles, faire appel à des assistants socio-psychiatriques 24 heures sur 24. Un an plus tard, un tiers des patients se portaient mieux, les deux autres tiers n'avaient pas fait de progrès. Vaillant rassembla les données de quatre autres études de traitements similaires et trouva les mêmes résultats: un tiers des sujets allaient mieux, deux tiers ne progressaient pas. Il compara alors les résultats de tous ces traitements à ceux d'un ensemble de trois études sur des alcooliques non traités; ils étaient identiques: un tiers des sujets non traités allaient mieux, les deux autres tiers n'avaient pas progressé.

Une étude portant sur 227 ouvriers syndiqués, nouvellement reconnus comme alcooliques, contredit ces résultats. On répartit au hasard les ouvriers en deux groupes. Les membres du premier devaient suivre un traitement en milieu hospitalier, ceux du second devaient obligatoirement participer, pendant un an, aux réunions des AA (les ouvriers avaient aussi le choix de ne pas se faire traiter). Le traitement hospitalier, d'une durée de trois semaines, consistait en un sevrage, conjugué à des réunions de AA et avait pour objectif l'abstinence. À la fin de ce traitement, les sujets devaient assister pendant un an, trois fois par semaine, aux réunions des AA et ne plus boire au travail. Le second groupe était soumis aux mêmes contraintes, sans hospitalisation. Deux ans plus tard, le groupe ayant été hospitalisé se portait beaucoup mieux que les deux autres. Il comportait deux fois plus d'abstinents (37 p. 100 contre 17 et 16 p. 100), près du double d'hommes n'étant jamais ivres, et la moitié seulement de ceux qui devaient être à nouveau hospitalisés.

En rassemblant toutes ces informations, je peux donc recommander les traitements en institution, *mais seulement de façon marginale*. Ils sont chers et il n'existe qu'une seule étude sérieuse prouvant qu'ils sont plus efficaces que le processus naturel de guérison. Mais bon nombre d'enquêtes, de moindre qualité s'entend, contredisent les conclusions de cette étude.

Comme pour la psychothérapie assurée à titre externe, il n'existe aucune preuve qu'une forme quelconque de thérapie suggestive (à l'exclusion de la psychanalyse, des traitements de soutien et de la thérapie cognitivo-comportementale) puisse vous faire renoncer à l'alcool. Il n'existe qu'une étude, à petite échelle, de psychothérapie comportementale. Elle faisait état de résultats prometteurs, mais le traitement n'a pas donné lieu à un suivi suffisant. Toutefois, le stade de l'abstinence une fois atteint, la psychothérapie suggestive pourrait s'avérer utile pour faciliter l'ajustement à la sobriété, à une vie familiale responsable et à un emploi stable. Dans l'ensemble, se guérir des abus d'alcool n'est pas comme se guérir d'une fracture ouverte; la guérison ne dépend pas du genre de traitement externe ou interne que l'on suit, ni même de l'absence de traitement.

En ce qui concerne les médicaments, c'est l'Antabuse (du disulfirame) qui est le plus généralement utilisé. L'Antabuse et l'alcool ne s'accordent pas. Quand un alcoolique en prend une dose et boit ensuite la moindre goutte de spiritueux, il est pris d'affreuses nausées et perd le souffle. Cela décourage l'absorption d'alcool, mais l'alcoolique peut toujours décider de renoncer à l'Antabuse plutôt qu'à la boisson. Pour lui enlever cette possibilité, on implante chirurgicalement l'Antabuse sous la peau. Des études contrôlées n'ont cependant montré aucune différence, quant à leurs rechutes, entre alcooliques ayant eu des implants d'Antabuse et de placebo. Les sujets de l'un et l'autre groupe se sont remis à boire à l'excès dès que l'effet des implantations cessait.

L'utilisation de l'Antabuse n'est qu'un des nombreux traitements destinés à provoquer un dégoût de l'alcool. Dans la cure de dégoût électrique, une décharge est couplée à l'absorption d'un verre d'alcool; on espère ainsi provoquer une aversion du patient pour la boisson. Ce traitement ne semble pas donner les résultats attendus. Dans la cure de dégoût chimique, des produits pharmaceutiques qui dérangent l'estomac sont couplés au goût de l'alcool. Cette approche est théoriquement plus logique (souvenez-vous des puissants effets de la sauce béarnaise décrits au chapitre 6 sur les phobies). Plus de 30 000 alcooliques ont été soumis à un tel traitement mais sans résultats évidents. Les groupes traités obtiennent des résultats semblables à des groupes témoins non traités. Il est curieux qu'une étude seulement ait été menée dans ce domaine de l'aversion. Dans l'ensemble, je ne puis donc pas recommander les cures de dégoût pour le traitement de l'alcoolisme. Il n'y a tout simplement aucune preuve scientifique valable démontrant la supériorité de la cure d'interdiction provoquée sur le processus naturel de guérison.

Le naltrexone donne de nouveaux espoirs dans le domaine du traitement pharmacochimique des alcooliques.

Joseph Volpicelli, un chercheur de l'Université de Pennsylvanie, spécialiste des aversions, a soumis que l'alcool stimule le système des récepteurs aux opiacés de l'organisme et produit ainsi l'ivresse. Si on arrive à bloquer chimiquement ce système dans le cerveau, l'ivresse devrait être évitée. Au cours d'une étude menée durant douze semaines sur 70 hommes alcooliques, la moitié d'entre eux reçurent du naltrexone (un agent bloquant des opioïdes) et l'autre moitié un placebo. Cinquante-quatre pour cent de ces derniers ont rechuté contre 23 p. 100 seulement de ceux traités au naltrexone. La plupart des hommes burent au moins un verre d'alcool au cours du traitement; ceux ayant reçu un placebo continuèrent à boire et se saoulèrent, mais la plupart de ceux traités au naltrexone s'arrêtèrent après le premier verre, ce à quoi on pouvait s'attendre si le produit avait effectivement eu l'effet de bloquer l'ivresse. Une deuxième étude, menée à l'Université Yale, a reproduit ces effets. La prudence est cependant de rigueur du fait de l'absence d'un suivi à long terme. Il n'en reste pas moins que cette découverte est des plus prometteuses dans l'histoire, jusqu'ici stérile, des médicaments pour alcooliques.

LE PROBLÈME le plus difficile qui reste à résoudre est de savoir si les Alcooliques anonymes et les groupes d'entraide qui les ont imités obtiennent des résultats. Plusieurs raisons empêchent d'évaluer avec certitude l'action des Alcooliques anonymes. Premièrement, cette action ne peut être scientifiquement comparée au «processus naturel de guérison», mon critère pour toutes les comparaisons ci-dessus, parce que les AA, omniprésents en Amérique, font partie intégrante de ce processus naturel. Essayez de former un groupe témoin d'alcooliques dont les membres ne fréquentent pas déjà les AA. Si vous y arrivez, vous constaterez que ces gens sont généralement moins gravement alcooliques que ceux qui font partie des AA et formeront donc un groupe témoin inutilisable. Deuxièmement, les AA sont rébarbatifs aux enquêtes scientifiques. Ils assurent l'anonymat de leurs membres et leur inculquent la loyauté envers le groupe, deux conditions qui rendent difficiles les suivis à long terme et improbables les confessions et rapports individuels désintéressés. Les AA consistent plus en une secte religieuse qu'en un groupement thérapeutique et ce fait contribue sans doute à leur succès. Troisièmement, les personnes qui restent membres des AA et participent à des milliers de leurs réunions tendent à être des gens qui demeurent sobres. Cela ne signifie pas pour autant que les AA en sont la cause. Ce pourrait même être le contraire. L'ivrognerie pousse les gens à partir honteusement des AA; par contre, ceux qui sont capables de ne plus s'enivrer y restent. Finalement, l'organisation des AA est une vache sacrée. Rares sont les critiques émises à son sujet et les témoignages d'estime affluent du monde entier. Le groupement est connu pour sa virulence envers ses détracteurs qu'il traite en hérétiques, ce qui explique que même le milieu scientifique ne se permet d'émettre que de timides reproches à son égard.

En dépit du champ de mines, je me hasarderai malgré tout à en faire une évaluation. D'après moi, les AA ne sont, en général, que peu efficaces; ils pourraient cependant s'avérer très utiles pour certains sous-groupes d'alcooliques.

Il faut d'abord regretter le fait que pas une seule étude contrôlée et valable n'ait été menée sur les AA. C'est d'autant plus malheureux qu'ils représentent le moyen le plus répandu de soigner l'alcoolisme et qu'il est de pratique courante parmi les cliniciens, les gens d'église et les médecins de famille de référer directement aux AA la plupart des alcooliques auxquels ils ont affaire. Les apologistes du groupement publient des statistiques éblouissantes tirées d'études non contrôlées, mais leur méthodologie est si imparfaite que je suis forcé de les ignorer.

Les hommes de Vaillant issus des quartiers déshérités fournissent un bon échantillon, en l'absence de groupe témoin, puisqu'ils ont été suivis durant de longues années. Parmi ceux qui avaient été abstinents à certains moments et parmi les 20 p. 100 qui l'étaient devenus sans faille, plus d'un tiers considéraient l'influence des AA comme «importante». Ils classaient, bien sûr, «la volonté» en tête de liste. Dans une autre de ses études, Vaillant a suivi, pendant huit ans, un groupe d'anciens patients de sa clinique dont 35 p. 100 étaient restés abstinents pendant une longue période. Deux tiers d'entre eux participaient régulièrement aux activités des AA. Je ne suis pas à même de déterminer lequel des deux faits explique l'autre, mais on constate et on répète souvent que parmi le tiers des alcooliques qui obtiennent de bons résultats à long terme, nombreux sont ceux qui sont de fidèles adeptes des AA et qui participent à des centaines de leurs réunions par an.

Les AA ne s'adressent pas à tout le monde. C'est une organisation spirituelle et même carrément religieuse, aussi hérisse-t-elle les esprits laïques. Elle exige l'adhésion au groupe et irrite ainsi les non-conformistes. Elle entraîne la confession et indispose donc ceux qui sont jaloux de leur intimité. Son but est de vous entraîner à l'abstinence totale et non de vous faire ramener votre consommation d'alcool à des limites raisonnables. Elle considère l'alcoolisme comme une maladie, non comme un vice ou une faiblesse. L'un ou plusieurs de ces principes paraîtront inacceptables à bon nombre d'alcooliques et ceux-ci abandonneront, sans doute, en cours de route. Mais un grand nombre de ceux qui s'accrochent *profitent,* à mon avis, du programme. Ce serait une erreur d'établir une catégorisation des personnes appréciant les AA. Toutes sortes de gens atypiques y adhèrent et en restent membres: des poètes, des athées et des solitaires. Les AA arrivent à changer le caractère de certains de leurs fidèles membres. Après tout, l'organisation répond au processus de guérison. Elle procure une dépendance de substitution et elle est une source d'espoir.

LE TRAITEMENT ADÉQUAT
TABLEAU RELATIF À L'ALCOOLISME*

	Hospitalisation	Psychothérapie	Dégoût	AA	Naltrexone[†]
MIEUX-ÊTRE	▲	0	0	▲	▲ ▲
RECHUTES	▲	▲	▲	▲	?
EFFETS SECONDAIRE	▼ ▼	▼	▼ ▼ ▼	▼	▼ ▼
COÛT	cher	cher	modéré	gratuit	économique
PÉRIODE	semaines/mois	années	semaines/mois	années	semaines
GLOBALEMENT	▲	0	0	▲	▲ ▲

MIEUX-ÊTRE

▲ ▲ ▲ ▲ = de 80 à 100 p. 100 de mieux-être évident ou disparition des symptômes

▲ ▲ ▲ = de 60 à 80 p. 100 de mieux-être

▲ ▲ = au moins 50 p. 100 de mieux-être

▲ = mieux sans doute que par effet placebo

o = sans doute inutile

RECHUTES (après abandon du traitement)   EFFETS SECONDAIRES

▲ ▲ ▲ ▲ = 10 p. 100 ou moins de rechutes   ▼ ▼ ▼ ▼ = sévères

▲ ▲ ▲ = de 10 à 20 p. 100 de rechutes   ▼ ▼ ▼ = modérés

▲ ▲ = taux de rechutes moyen   ▼ ▼ = minimes

▲ = taux de rechutes élevé   ▼ = aucun

GLOBALEMENT

▲ ▲ ▲ ▲ = excellent, la thérapie la plus adéquate

▲ ▲ ▲ = très bon

▲ ▲ = utile

▲ = accessoire, secondaire

o = sans doute pas meilleur que le processus naturel de guérison

* La psychothérapie comportementale de contrôle de la boisson semble prometteuse, mais les preuves sont insuffisantes pour la recommander.
† Le naltrexone est très prometteur, mais aucune étude à long terme n'a encore pu être menée sur les rechutes et les effets secondaires. Les premiers rapports semblant favorables, je peux néanmoins recommander le naltrexone en tant que traitement expérimental.

L'abstinence totale

Paul Thomas, un de mes meilleurs amis, est barman. Il excelle en tout. Il apprit à jouer au bridge, et il devint maître à vie en moins de deux ans. Il apprit à jouer au golf, et son handicap tomba à zéro en une saison. Quand sa femme mit au monde un enfant mongolien, il devint en peu de temps président de la section philadelphienne de l'œuvre de la trisomie 21. Quand il se mit à boire, il but sec pendant dix bonnes années. Il n'a plus avalé une goutte d'alcool depuis maintenant quinze ans. Quand on lui demande comment il y parvient, il répond qu'il n'a pas besoin qu'on lui rafraîchisse la mémoire; tous les jours ses clients lui rappellent ce que c'est que d'atteindre le fond du puits.

Après avoir lu maints articles passionnés sur la guérison de l'alcoolisme qui devrait se manifester soit par l'abstinence totale, soit par un retour à une consommation raisonnable en société, je décidai de demander son avis à Paul. Je dînai à son bar et lui expliquai que les publications spécialisées affirmaient qu'une partie des alcooliques rétablis pouvaient, sans conteste, se remettre à boire raisonnablement. Sa réaction fut claire: «Pourvu que les autres n'en sachent jamais rien!»

Cette réplique de Paul me semble parfaitement logique. D'abord les faits. Une partie des alcooliques guéris arrivent à reboire modérément, sans retomber dans les excès de beuveries, suivies de pertes de conscience et de violences. Reste à savoir ce que représente cette minorité dans l'ensemble. George Vaillant en a relevé entre 5 et 15 p. 100 parmi tous ses alcooliques. Selon une étude portant sur des alcooliques suédois, menée pendant vingt-cinq ans, 25 p. 100 d'entre eux rebuvaient modérément et 20 p. 100 seulement étaient abstinents. Il est peu probable que des alcooliques graves ne deviennent des buveurs modérés dans de telles proportions; seuls des alcooliques n'ayant connu que peu de problèmes sérieux seraient sans doute capables d'y arriver. Quand les alcooliques les plus touchés guérissent, ils y réussissent en observant une abstinence totale. C'est donc envers eux, selon la logique de Paul, qu'il faut garder secrète la possibilité de boire modérément.

La controverse subsiste autour des effets à long terme d'une consommation contrôlée par rapport à l'abstinence. En 1972, Mark et Linda Sobell, deux audacieux chercheurs dans le domaine de l'alcoolisme, ont publié un rapport sur les excellents résultats d'un programme de consommation sous contrôle. De nombreux partisans des AA descendirent en flèche les Sobell. Mary Pendery, entre autres, fit remarquer qu'à y regarder de plus près, dix ans plus tard, ces résultats étaient en réalité sinistres. Bon nombre de sujets modèles des «succès» étaient morts, sans doute d'alcoolisme. À son tour, Pendery fut critiquée pour avoir omis de signaler que dans le groupe d'abstinents témoins des Sobell, on retrouvait autant de morts durant ladite décennie. La discussion s'éternise et la question semble loin d'être réglée.

L'objectif de l'abstinence totale a, bien sûr, un avantage certain. Y croire maintient les alcooliques les plus touchés sur le chemin qui mène à la guérison. Même s'il est vrai que certains alcooliques peuvent guérir tout en continuant à boire un peu, l'objectif de l'abstinence totale, comme l'étiquette de malade, est probablement une tactique valable.

Mais cet objectif a cependant aussi un désavantage. Quand l'alcoolique a le sentiment que de boire ne fût-ce qu'un verre lui ferait reprendre ses vieilles habitudes, la moindre défaillance pourrait faire s'écrouler son château de cartes. Une «bringue» est à prévoir. Une étude a comparé l'objectif de l'abstinence totale à celui de la consommation contrôlée. Au bout d'un an, les deux groupes comptaient le même taux d'abstinents: environ un tiers. Mais parmi les non-abstinents («les cas d'échec»), ceux qui avaient suivi le traitement d'abstinence buvaient trois fois plus que ceux de l'autre groupe.

Bon nombre de gens qui guérissent de leur alcoolisme font parfois un faux pas en cours de route. Plutôt que de réagir en se disant «Je rechute», «Ma maladie a pris le dessus» ou «J'ai perdu la bataille», ils devraient adopter une façon plus optimiste de voir les choses. Un faux pas peut, en effet, être considéré non comme un manque de détermination, mais comme un contretemps passager provoqué par des circonstances indépendantes de leur volonté. Les défaillances sont des occasions d'apprendre comment mieux réagir, non des signes que l'alcoolique est une fois de plus désarmé devant sa maladie.

L'objectif de l'abstinence concorde avec le mythe des alcooliques n'ayant aucun contrôle sur la boisson. Or, les alcooliques, dans le cours normal de leurs troubles, contrôlent souvent leurs penchants à court terme. Parfois un verre en appelle un autre et un autre encore mais, en certaines occasions, les alcooliques décident d'arrêter. Il arrive même fréquemment qu'ils se contrôlent, par exemple, en ne buvant pas avant de se présenter à un nouvel emploi. La plupart des alcooliques ont cessé plusieurs fois de boire mais se sont, éventuellement, remis à le faire. Ce n'est pas le fait qu'un verre suffise *toujours* à provoquer la perte de contrôle qui pose un problème, mais bien le fait que les alcooliques, à plus ou moins long terme, se remettent à boire même après avoir réussi, à plusieurs reprises, à contrôler leur consommation d'alcool. L'alcoolisme est extrêmement contraignant et prétendre qu'il entraîne une totale perte de contrôle est abusif.

Changer ses habitudes

L'alcool a des caractéristiques similaires à celles des drogues dont on abuse couramment, c'est-à-dire le tabac, la cocaïne et les produits opiacés. Premièrement, certaines personnes sont très vulnérables au besoin qu'elles en éprouvent, probablement pour des raisons d'ordre génétique. L'existence d'une personnalité qui prédispose à l'accoutumance et qui soit vulnérable à *toutes* les drogues n'est cependant pas prouvée. Deuxièmement, si tout se passe normalement dans les cas d'abus graves, moins de la moitié (seulement le tiers pour l'alcool) des intoxiqués seront capables de renoncer à leur drogue. Cela signifie que si la toxicomanie est loin d'être incurable, elle n'en pose pas moins un problème sérieux. Troisièmement, aucun traitement médical ou psychologique existant ne s'est avéré supérieur au processus naturel de guérison. Si vos impulsions vous poussent à suivre un traitement dispendieux en clinique, un traitement psychothérapeutique ou pharmacochimique, pensez-y deux fois. Il n'y a pas de remède miracle pour l'alcoolisme. La famille, les amis et un soutien qui procure encouragements et espoir, comme les AA, la religion ou le travail, mais avant tout l'individu lui-même, sont le secret de la guérison.

L'excès de boisson, il ne faut jamais l'oublier, est un mode de vie. Par exemple, quand l'alcoolique est invité à une soirée, il envisage cette sortie sous un tout autre angle que les autres. «Leur bar sera-t-il bien garni?», «N'est-ce pas le beau-frère de mon voisin? Il va sûrement moucharder!», «Je me demande si mon copain Jean viendra; nous pourrions achever la soirée ensemble...» L'excès de boisson est tout autant un mode de vie que l'étude chez l'intellectuel, la politique chez le député ou l'amour de Dieu chez l'intégriste. Y renoncer, ce n'est pas comme abandonner un hobby. Cela ressemble plus à un renoncement à soi.

L'esclavage était jadis un mode de vie dans le sud des États-Unis. Il était considéré comme un droit constitutionnel et les sudistes ont eu le sentiment que les abolitionnistes violaient leur moi quand ils ont voulu le supprimer. L'esclavage était cependant une horrible institution. Les batteurs de femmes et leurs épouses battues ont leur mode de vie, tout aussi horrible. Ce n'est pas le fait de faire partie d'un mode de vie qui puisse rendre une chose juste, bonne ou banale.

L'excès de boisson est un mode de vie détestable. Il détruit l'individu et les êtres qui lui sont chers. Rien ne peut l'excuser. Ça, ce sont de vieilles rengaines. Ce qui est nouveau est le fait, progressivement reconnu, que les individus ne peuvent pas faire grand-chose pour changer ce mode de vie une fois que ce dernier s'est installé. Qu'un tiers d'entre eux puissent échapper à une condition aussi débilitante est fort remarquable, mais la vraie tragédie est qu'il en reste les deux tiers. Les produits pharmaceutiques (à l'exception possible du naltrexone), la psychothérapie, les AA, les traitements en clinique et la volonté n'apportent que de rares soulagements à ces malheureux deux tiers.

Quand des institutions destructrices comme l'esclavage ou la violence faite aux femmes ne sont pas rejetées par ceux et celles qui en sont les principales victimes, notre devoir est de faire appel à quelque chose de plus puissant que le moi pour extirper le mal. Tout comme il existe une morale supérieure au choix de l'individu pour condamner l'esclavage et la violence faite aux femmes, il en existe certainement une pour l'alcoolisme. Bien peu de nos problèmes réclament avec autant d'évidence une intervention de la société.

Vous me direz qu'une intervention a déjà été tentée aux États-Unis et qu'elle a échoué. D'accord, la prohibition, bien qu'elle ait fait diminuer les cas de maladies reliées à l'alcool, fut un échec retentissant et loin de moi l'idée de la faire ressusciter. Mais la consommation d'alcool et le taux d'alcoolisme grimpent sensiblement dès que les contrôles publics se relâchent. Aux États-Unis, les taxes sur les spiritueux sont peu élevées. Elles n'ont pas suivi l'inflation au cours des quarante dernières années. On estime que si on doublait la taxe fédérale actuelle, le nombre de décès des suites d'une cirrhose alcoolique diminuerait de 6000 par an, sans parler du nombre de vies épargnées sur les routes. Réduire le nombre de magasins de vins et spiritueux et celui des débits d'alcool, restreindre la publicité, augmenter les limites d'âge, surtaxer les profits de la vente et de la distillation des alcools seraient toutes des mesures utiles pour empêcher les excès de boisson. Quand les individus sont impuissants à régler un problème de l'ampleur de l'alcoolisme, il appartient à la société d'agir.

C'est devenu une mode que de reporter sur l'alcoolisme la responsabilité de la mauvaise éducation reçue des parents et autres mauvaises expériences de l'enfance. En ce sens, le caractère incorrigible de l'alcoolisme témoigne de l'influence des événements vécus dans l'enfance sur la vie d'adulte. De fait, tous les problèmes de l'âge adulte que nous avons examinés jusqu'à présent ont été attribués à de tels événements. Dans la dernière partie du livre, nous allons voir si votre enfance exerce une telle influence sur votre vie actuelle. Nous répondrons à la question de savoir si vous êtes prisonnier du passé ou libre de vous changer.

Quatrième partie

Devenir – enfin – adulte

Freud estimait que la psychanalyse ne pouvait en rien aider un névrosé de plus de 45 ans. Jung était convaincu qu'à cet âge on en était arrivé à une période de la vie qui marquait le début d'un nouveau développement d'une importance capitale et que cette seconde période était axée sur des préoccupations d'ordre religieux, dans le sens le plus large du terme.

Cette opinion déplaît souverainement à bon nombre de gens. Ils ne veulent pas entendre parler de religion et sont trop paresseux ou trop effrayés à l'idée que la religion puisse avoir une signification fort différente de l'orthodoxie. Ils se raccrochent à l'idée que l'Homme est le centre de l'univers, la forme la plus développée de la vie et que, quand la conscience d'un individu s'éteint avec sa mort, c'est, en ce qui les concerne, la fin de l'histoire. L'Homme, en tant qu'instrument d'une certaine Volonté très supérieure, ne les intéresse pas et ils ne considèrent pas leur refus comme une étroitesse de leur entendement.

Interprétation du traducteur d'un extrait de
The Essential Jung par ROBERTSON DAVIES

14

Se dépouiller de l'enfance

QUAND AVEZ-VOUS SOUDAIN l'envie que le temps s'arrête? Lorsque vous faites l'amour, que vous jouez avec vos enfants, que vous prenez la parole en public, que vous contemplez un chef-d'œuvre ou quand vous barbouillez une toile? Où vous sentez-vous vraiment heureux? Sur un terrain de golf en Jamaïque, en bouquinant au coin du feu, en plantant des delphiniums, à un récital de Patrick Bruel ou en servant des repas dans un resto du cœur?

Ces questions ne sont pas sans importance. Vous devez vous les poser et entendre vos propres réponses. Elles sont en effet essentielles, au moment où bon nombre d'entre vous vont effectuer le passage de la première à la seconde période de leur vie.

Il n'y a, je pense, que deux périodes majeures dans l'existence: celle de l'expansion et celle de la contraction. Elles sont le sujet du présent chapitre. La période de l'expansion commence à la naissance. Votre tâche primordiale durant ladite période consiste à découvrir les exigences du monde qui vous entoure et à vous adapter à elles: faire des études, former un couple, avoir des enfants, adopter les valeurs de votre société, vous atteler à l'ouvrage de votre vie et, si vous avez un peu de chance, devenir un maître dans votre domaine. L'évolution a fait en sorte que cette période soit extrinsèque, le temps pour vous d'apprendre ce que l'on attend de vous et de faire ensuite ce qui vous est commandé par l'extérieur.

Je présume que la moyenne d'âge des lecteurs de ce livre se situe entre 35 et 45 ans. Vous, lecteur d'âge moyen, approchez «du sommet de vos pouvoirs». Vous avez parcouru la moitié environ de votre existence. Vous êtes arrivé au moment où se termine la première période et où commence la seconde.

Au cours de celle-ci, votre vie sera moins déterminée par le monde extérieur que par certaines réalités qui se sont amalgamées en vous. Durant cette période de contraction, votre tâche tournera autour de ce que vous avez appris pendant la période d'expansion. C'est durant cette dernière que vous avez trouvé les activités, les objets et les personnes que vous aimez, des choses qui n'étaient pas des moyens d'arriver à des fins, mais bien des fins en soi. Quand vous avez deviné et pressenti leur signification, vous avez probablement retardé le moment de les rechercher. Mais depuis peu, leurs appels se font plus pressants. La seconde période ne vous permet plus d'attendre. Vous allez réorganiser votre vie en fonction de ce que vous avez découvert en vous. À partir de maintenant et jusqu'à la fin de votre vie, quand tant de vos choix se seront limités, vous rechercherez ce que réclame votre monde intérieur.

Parfois, mais c'est rarement le cas, ce qui accélère la transition d'une période à l'autre est le sentiment d'accomplissement issu d'une réussite totale. Ce sentiment peut «culminer» à des sommets que vous pouviez ou que vous vouliez atteindre. Ce pourrait être la réussite de vos enfants devenus indépendants. Mais les accomplissements ne sont pas nécessairement les seules motivations; les échecs, les frustrations ou simplement l'ennui peuvent jouer un rôle déterminant dans votre passage d'une période à l'autre. De toute façon, les bouleversements se produiront. Vous allez lentement et subtilement cesser de faire ce que vous aviez l'habitude de faire, d'être ce que vous étiez, de réagir comme avant à certains stimuli. Vous trouverez des excuses pour refuser une invitation, préférant rester au coin du feu avec votre mari ou votre femme. Vous commencerez à vous rendre au travail en souliers de course. Vous cesserez d'aller voir des films sous-titrés. Vous ne renouvellerez pas votre abonnement à une revue à grand tirage. Vous irez à l'église pour la première fois depuis votre enfance. Vous allez donner de vous une image de moins en moins conforme à celle que l'on pensait se faire de vous.

Répondre enfin à ce qui est intrinsèque peut mener au sybaritisme, à la frivolité ou même à la vanité. Mais ce n'est pas toujours le cas. Une part étonnamment importante de votre véritable personnalité s'accorde à de vieilles notions comme le devoir, le service, la générosité et l'éducation. Vous pouvez aider à la construction d'un centre communautaire en en montant les murs ou en recueillant des fonds; vous pouvez vous porter candidat à une élection; vous pouvez guider des jeunes, vos petits-enfants par exemple, en les aidant à atteindre la maturité; vous pouvez faire profiter les autres d'une bonne partie de ce que vous avez si laborieusement acquis.

Il est dangereusement facile de ne pas réussir le passage, en vous laissant paralyser dans la seconde période de votre existence par les événements du passé. Mais les réussites ne sont pas rares, contrairement à ce que voudraient nous faire croire ceux qui prétendent que nous sommes prisonniers de notre enfance. L'épanouissement se produit tout au long de l'âge adulte. Je consacre ce qui suit à votre transformation et à cet épanouissement.

L'enfant en soi

La philosophie du «mouvement de rétablissement», l'opinion largement répandue que les problèmes de l'âge adulte sont dus aux mauvais traitements subis dans l'enfance, est la cible de ce passage. Et bien que je veuille demeurer constructif, je critique cette opinion sur des bases autant factuelles que morales. Je veux mettre en évidence le thème de ce livre: des changements majeurs sont possibles, tout au long de l'âge adulte, si vous connaissez les moyens vraiment adéquats de vous changer.

On attribue couramment aux infortunes de l'enfance de nombreux échecs de l'âge adulte. On explique les dépressions de l'âge moyen par les punitions infligées, des dizaines d'années auparavant, par les parents. Dans un récent succès de librairie, Patti Davis, la fille de Nancy et de Ronald Reagan, reprochait à ses parents d'être à l'origine de ses troubles du moment. Elle soulignait avoir été giflée par sa mère, à l'âge de huit ans, et avoir été privée d'affection, ses parents étant trop amoureux l'un de l'autre. Dans le public en général, l'incapacité d'aimer est attribuée, de nos jours, à des agressions sexuelles commises par un oncle, un père ou un frère. Les émissions radiophoniques de lignes ouvertes sont submergées de narrations larmoyantes d'incestes et d'agressions sexuelles durant l'enfance. Si vous battez vos enfants, la faute en revient à votre père qui vous maltraitait. La prémisse fondamentale du mouvement de rétablissement est, en effet, que les mauvais traitements subis dans l'enfance hypothèquent la vie d'adulte. Mais le mouvement nous promet un rétablissement possible. En nous efforçant de résoudre le problème des traumatismes passés, nous pouvons recouvrer nos santés physique et mentale.

Fabien est un homme perturbé. Âgé d'une trentaine d'années, il est colérique, dépressif et se sent coupable. Il se souvient d'avoir, à trois ans, refusé d'aller se coucher et d'avoir hurlé à sa mère: «Je te déteste!» Son père, furieux, le secoua en lui criant: «Tu as enfreint le Cinquième Commandement: "Tes père et mère honoreras".» Le

338

petit Fabien se sentit coupable et honteux et, maintenant adulte, il traîne toujours avec lui cette «culpabilité toxique». En pratiquant les exercices de «l'enfant en soi», Fabien se débarrasse de ce fardeau. Il téléphone à son père (âgé de 72 ans) et exprime sa colère. Il revit toute sa peine et sa culpabilité et, dans son esprit, divorce de son père et de sa mère.

Voici les prémisses jumelles du mouvement de rétablissement de l'enfant en soi:

- Les événements malheureux de l'enfance exercent une influence considérable sur la vie d'adulte.
- En s'efforçant de résoudre les problèmes posés par ces événements, on oblitère leur influence.

Le cinéma et le théâtre perpétuent ces prémisses. Le film psychologique à succès de 1991 *Le prince des marées,* tiré du roman lyrique de Pat Conroy, en est un exemple. Il met en scène un entraîneur de football alcoolique, Tom Wingo (interprété par Nick Nolte), qui a perdu son emploi et délaisse sa femme et ses petites filles. Lui et sa sœur ont été violés vingt-cinq ans auparavant, lorsqu'ils étaient enfants. Il confie le fait, en pleurant, au Dr Susan Lowenstein (Barbra Streisand), une psychanalyste new-yorkaise, et retrouve ainsi ses bons sentiments, ses talents d'entraîneur et sa maîtrise par rapport à l'alcool. Sa sœur guérira probablement, elle aussi, de sa schizophrénie suicidaire si elle arrive à revivre le viol. Les spectateurs sont en larmes et semblent n'éprouver aucun doute quant aux prémisses.

Quant à moi, j'en éprouve de sérieux.

Le pouvoir de l'enfance

C'est une chose facile que de croire à l'emprise de l'enfance sur ce que vous devenez à l'âge adulte. Les preuves semblent être partout à votre portée. Les enfants de parents intelligents deviennent intelligents; ce doit être dû à toutes ces conversations et à tous ces livres enrichissants. Les enfants de foyers brisés divorcent souvent; ils n'ont probablement pas eu de «modèles» pour leur apprendre à aimer suffisamment. Les enfants victimes d'agressions sexuelles deviennent souvent des pessimistes apeurés; il n'est pas surprenant que le monde leur paraisse un milieu effrayant. Les enfants d'alcooliques le deviennent souvent à leur tour; ils ont appris ce qu'est l'alcool sur les genoux de leur père. Les enfants de parents autoritaires le deviennent également. Les enfants de joueurs de basket-ball et de musiciens finissent par développer les mêmes talents. Les enfants battus par leurs parents battent leur propre progéniture.

Aussi persuasives qu'elles puissent être, ces observations sont désespérément confondantes. D'accord, ces gens ont été élevés à l'image de leurs parents, *mais ils ont aussi hérité des gènes parentaux.* Chacune des observations est sujette tant à une interprétation génétique qu'à une interprétation «historique»: gènes de l'intelligence, du manque d'affection, de l'angoisse, du pessimisme, de l'alcoolisme, de l'autoritarisme, des aptitudes sportives ou musicales, de la violence. Pourquoi les interprétations génétiques sonnent-elles si étrangement à nos oreilles alors que celles remontant à l'enfance sonnent si juste?

L'attrait des explications fondées sur l'éducation a deux dimensions, l'une théorique, l'autre morale. Freud supposait que les événements de l'enfance façonnaient la personnalité de l'adulte et que leurs conséquences pouvaient être annulées si on revivait, intensément, le traumatisme d'origine. Cela a-t-il un petit air familier? Ça devrait, car les prémisses sont les mêmes que celles du mouvement de l'enfant en soi. Les prémisses de Freud, depuis plusieurs années, ont peut-être bien perdu de leur audience dans les milieux académiques, mais Hollywood, les lignes ouvertes à la radio, de nombreux psychothérapeutes et le public en général les adorent toujours. Le mouvement de rétablissement fait s'accorder les prémisses fondamentales de Freud aux méthodes confessionnelles des AA. Ce groupe d'entraide le plus populaire des années 90 en est le résultat.

Les traumatismes de l'enfance et la catharsis sont du bon théâtre. Mais l'attrait du mouvement de l'enfant en soi va beaucoup plus loin, car il comporte également un sympathique message moral et politique. Cet attrait trouve ses sources dans la défaite du nazisme. Les nazis utilisaient la respectable science de la génétique pour soutenir leur théorie de la supériorité aryenne. Les personnes génétiquement «inférieures» — les Juifs, les Tziganes, les Slaves, les handicapés mentaux et physiques — étaient jugées sous-humains et dirigées vers les camps de la mort. Au lendemain de notre victoire sur les nazis, tout ce que ces derniers utilisaient ou tout ce dont ils abusaient était rejeté. La philosophie de Nietzsche, les opéras de Wagner et l'autoritarisme devinrent tous suspects. Du coup, la psychologie américaine, déjà environnementaliste, ignora complètement la génétique et ne jura plus que par les explications fournies par la personnalité de l'enfant et le dogme de la plasticité humaine.

Attisée par cette réaction au nazisme, la logique du dogme de la plasticité se résume ainsi: si nous acceptons l'explication que Bob réussit mieux que Fred parce qu'il est génétiquement plus intelligent, nous sommes sur la pente glissante qui mène au génocide. Après la Seconde Guerre mondiale, les justifications génétiques sont devenues des arguments de dernier ressort, car elles avaient des relents de fascisme et de racisme. Tout cela s'accordait bien à nos idéaux démocratiques voulant que tous les êtres humains naissent égaux.

Le deuxième aspect de l'attrait moral du mouvement de l'enfant en soi est celui de la consolation. La vie est remplie d'écueils. Des personnes que nous aimons nous rejettent. Nous n'obtenons pas les emplois que nous recherchons. On ne nous accorde pas les promotions auxquelles nous nous attendions. Nos enfants n'ont plus besoin de nous. Nous buvons trop. Nous n'avons plus d'argent. Nous nous sentons médiocres. Nous sommes perdants. Nous tombons malades. Quand nous échouons, nous cherchons une consolation, une de ses formes étant de considérer l'écueil autrement que comme un échec, de l'interpréter de manière qu'il nous fasse moins mal qu'un échec. Se poser en victime, rendre les autres, ou même le système, responsables de nos malheurs sont des formes de consolation de plus en plus efficaces et répandues. Cela soulage des coups durs de l'existence.

De tels déplacements de reproches ont un glorieux passé. Les Alcooliques anonymes ont rendu la vie plus supportable à des millions d'alcooliques en leur attribuant le titre de «malades» pour remplacer l'indignité de se sentir des êtres «ratés», «immoraux» ou «mauvais de nature». Le mouvement des droits civils a joué un rôle encore plus important. De la Guerre civile au début des années 50, les Noirs américains n'étaient pas gâtés, à tout point de vue. Comment expliquait-on le fait? Ils sont «stupides», «paresseux» et «immoraux» étaient les réponses lancées par les démagogues ou chuchotées par la bonne société blanche. Ce genre d'explication commença à perdre du poids en 1954. La Cour suprême des États-Unis, dans la cause de *Brown contre les Conseils d'établissements scolaires,* décréta en effet que la ségrégation raciale dans les écoles était illégale. Les gens commencèrent dès lors à expliquer les échecs des Noirs par une «éducation inadéquate», par la «discrimination» et par «l'inégalité des chances».

Ces nouvelles justifications sont littéralement réjouissantes. Techniquement parlant, les anciennes explications, la stupidité et la paresse, sont personnelles, permanentes et envahissantes. Elles abaissent l'estime de soi et conduisent à la passivité, à l'incapacité à s'en sortir et au désespoir. Si vous étiez Noir et que vous y croyiez, elles se vérifiaient. Les nouvelles justifications — la discrimination, les écoles médiocres, le manque d'occasions — sont impersonnelles, modifiables et moins envahissantes. Elles ne démontent pas l'estime de soi (en fait, elles attisent plutôt la colère). Elles incitent à l'action en vue d'un changement. Elles donnent de l'espoir.

Le mouvement de rétablissement élargit le champ de ces précédentes justifications. Le rétablissement vous donne toute une série de nouvelles explications à vos échecs. On vous explique que vos problèmes personnels ne sont pas dus, comme vous le craigniez, à votre paresse, à votre insensibilité, à votre égoïsme, à votre malhonnêteté, à votre sybaritisme, à votre stupidité ou à vos vices. Ils sont dus aux mauvais traitements subis dans votre enfance. Vous pouvez à présent blâmer vos parents, votre frère, vos professeurs, votre directeur de conscience, comme votre sexe, votre race et votre âge. Ce genre d'explications vous soulagent. Elles transfèrent les responsabilités à d'autres et, ce faisant, elles renforcent votre estime de soi et vos sentiments de valeur personnelle. Elles atténuent votre culpabilité et votre honte. Faire l'expérience d'un tel déplacement d'optique, c'est comme si l'on voyait poindre des rayons de soleil à travers les nuages, après d'interminables journées de grisaille et de froidure.

Nous sommes devenus des victimes, des «survivants» des abus subis plutôt que des «ratés» et des «perdants». Cela nous aide à mieux nous entendre avec les autres. Nous sommes maintenant des opprimés essayant de nous soustraire au mauvais sort. Dans notre société si bienveillante, tout le monde se démène en faveur des opprimés. Personne n'oserait plus dire de mal d'une victime. Le mépris et la pitié, habituellement réservés aux ratés, ont fait place au soutien et à la compassion.

Les prémisses de l'enfant en soi sont ainsi de plus en plus attrayantes. Elles sont démocratiques et consolantes, elles accroissent l'estime de soi et favorisent de nouvelles amitiés. Il n'est pas surprenant dès lors que tant de gens à problèmes les adoptent.

Les événements de l'enfance influencent-ils la personnalité de l'adulte?

Pleins d'enthousiasme pour l'idée de l'impact important de l'enfance sur le développement de l'adulte, de nombreux chercheurs se sont impatiemment mis en quête de preuves. Ils espéraient en trouver un grand nombre démontrant les effets destructeurs des événements malheureux de l'enfance sur les victimes à l'âge adulte. Ils envisageaient la mort des parents ou leur divorce, la maladie, les mauvais traitements physiques, le manque de soins ou d'affection ou les agressions sexuelles. Des enquêtes à grande échelle furent menées sur les épreuves de l'enfance et la santé mentale des adultes. Des études prospectives de ces épreuves de l'enfance sur la vie future à l'âge adulte furent également réalisées (elles durent des années et coûtent une fortune). Il s'en dégagea certaines preuves, mais en nombre limité. Si votre mère meurt avant que vous atteigniez 11 ans, vous aurez des tendances dépressives à l'âge adulte très légèrement supérieures aux autres personnes, mais seulement si vous êtes du sexe féminin et encore, d'après la moitié seulement des études. Si vous êtes le premier enfant d'une famille, votre QI sera plus élevé que celui de vos frères et sœurs mais, en moyenne, de moins d'un point. Quand les parents divorcent (nous ne tenons pas compte des études qui ne se donnent même pas la peine de faire appel à des groupes témoins de familles unies), on constate des effets légèrement perturbants au cours des dernières années de l'enfance et durant l'adolescence. Mais les problèmes s'atténuent avec l'âge et ne sont généralement plus détectables à l'âge adulte.

On a démontré que les principaux traumatismes de l'enfance peuvent avoir une certaine influence sur la personnalité de l'adulte, mais que cette influence est insignifiante. Ces études ont menacé un des remparts des environnementalistes. Contrairement à leur credo, les événements malheureux de l'enfance n'entraînent pas, en effet, les troubles de l'âge adulte, loin de là. D'après ces études, il n'y a aucune raison valable de rendre les infortunes de l'enfance responsables des dépressions, des angoisses, des mauvais ménages, des toxicomanies, des problèmes sexuels, des pertes d'emploi, de la violence envers les enfants, de l'alcoolisme ou des colères de l'âge adulte.

Mais la plupart de ces études étaient, de toute façon, inadéquates sur le plan de la méthodologie. Dans leur enthousiasme à l'idée de la plasticité humaine, elles ont omis de s'intéresser aux gènes. Leurs auteurs, aveuglés par leur idéologie, n'ont jamais imaginé que des parents criminels pouvaient transmettre des gènes de criminalité et que les forfaits d'enfants de délinquants et les mauvais traitements que ces derniers infligent à leur progéniture pouvaient avoir des origines génétiques. Il existe maintenant des recherches dans ce domaine. Certaines étudient les personnalités adultes de jumeaux identiques élevés séparément; d'autres font de même avec des enfants adoptés et comparent leurs personnalités à l'âge adulte avec celles de leurs parents biologiques et adoptifs.

Toutes ces études concluent aux considérables effets des gènes sur la personnalité des adultes et aux effets négligeables des quelconques événements externes. Des jumeaux identiques élevés séparément sont bien plus semblables à l'âge adulte sur les plans, entre autres, de l'autoritarisme, de la spiritualité, de la satisfaction au travail, du conservatisme, des colères, des dépressions, de l'intelligence, de l'alcoolisme, du bien-être et des tendances à la névrose que ne le sont des jumeaux bivitellins élevés ensemble. Parallèlement, les enfants adoptés sont bien plus semblables, rendus à l'âge adulte, à leurs parents biologiques qu'à leurs parents adoptifs.

Ces faits devraient mettre un terme à la controverse renaissante entre partisans de l'inné et partisans de l'acquis. Ils sont révélés par une convergence d'études à grande échelle utilisant les mesures les plus précises à ce jour. Ces études laissent encore beaucoup de place aux influences non génétiques sur la personnalité des adultes, car moins de la moitié seulement des variances sont génétiquement attribuables. Les chercheurs n'ont cependant pas trouvé d'influences non génétiques particulières (comme les incidences fœtales, l'éducation et les traumatismes de l'enfant, l'instruction, les épreuves de l'adolescence et de l'âge adulte, les erreurs de mesures, etc.). Certains de ces facteurs particuliers pourront peut-être se révéler aussi influents sur la personnalité des adultes mais, jusqu'à présent, aucun d'eux ne l'a fait.

Si vous voulez blâmer vos parents pour vos problèmes d'adultes, reprochez-leur de vous avoir transmis certains gènes; vous n'avez aucune raison, à ma connaissance, de rendre responsable la façon dont ils vous ont traité.

Les traumatismes sexuels de l'enfance

Les agressions sexuelles sont un des traumatismes de l'enfance que l'on considère souvent comme particulièrement dévastateur pour la santé mentale à l'âge adulte. Ce que je vais retracer à ce sujet pourrait être facilement mal interprété, mal cité ou séparé de son contexte. Je m'empresse donc de préciser que j'estime intolérables les sévices sexuels. Ils devraient faire l'objet de sévères condamnations. Les enfants agressés et les adultes qui y survivent ont besoin d'aide, mais une aide efficace et non celle fournie par de la «psychologie populaire».

De nos jours, on dirait de moi que j'ai été un enfant sexuellement agressé. Myron m'a «agressé» tous les jours de la semaine, pendant près d'une année alors que j'avais neuf ans. J'allais à pied à l'école du quartier, à quatre pâtés de maisons de chez moi. À un des coins de rue, Myron vendait le quotidien local à cinq cents l'exemplaire. Il était vêtu de haillons grisâtres, ne se rasait pas et bégayait lamentablement. Il serait considéré par mes collègues aujourd'hui comme «arriéré, atteint de paralysie cérébrale». Au début des années 50, les gens d'Albany, capitale de l'État de New York, le qualifiaient de «clochard» et de «pantin». Mais nous entretenions une amitié particulière l'un pour l'autre. Il m'embrassait, nous nous serrions dans nos bras et nous nous racontions ensuite nos problèmes respectifs. Et puis je rejoignais mon école.

Un jour, Myron a disparu. Je le cherchai partout comme un fou jusqu'à ce qu'un policier, en patrouille dans le coin, me dise que Myron «était parti». J'avais le cœur brisé. Il ne m'avait même pas dit au revoir.

Cinq ans plus tard, en descendant de l'autobus pour me rendre au cinéma, j'aperçus Myron et le hélai joyeusement. Il me jeta un coup d'œil effrayé et prit ses jambes à son cou en abandonnant derrière lui une pile de journaux invendus s'éparpillant au glacial vent d'hiver.

Aujourd'hui, j'ai pu retracer ce qui s'était passé. Une voisine, passant par là, avait vu Myron «m'agressant» (me serrant dans ses bras et m'embrassant). Elle le raconta à mes parents qui, à leur tour, avertirent la police. Cette dernière avertit Myron que si on le surprenait encore une fois en ma compagnie, il serait envoyé en prison — ou pire (Albany n'était pas une ville indulgente dans les années 50). Personne ne me toucha mot de l'incident.

J'avais oublié tout cela jusqu'à il y a une dizaine d'années, quand les agressions d'enfants devinrent un sujet de discussion courant. Il y eut d'abord les rapports sur l'inceste dans les milieux déshérités, puis des statistiques alarmantes mettant en cause la classe moyenne. Et comme les agresseurs étaient généralement des amis ou des parents, on mit tout le monde en garde contre les oncles et les beaux-pères. Puis, des célébrités du jour se mirent à révéler, les unes après les autres, que leur père les avait violées en leur occasionnant de terribles cicatrices psychologiques. Les psychothérapeutes commencèrent alors à sonder leurs patients à la recherche d'agressions sexuelles oubliées et en trouvèrent souvent. Des enfants devenus adultes intentèrent alors des poursuites, se souvenant, trente ans plus tard, de sévices qui avaient ruiné leur existence.

De prétendues recherches furent entreprises qui entre-tinrent l'inquiétude du public. Dans une étude typique, on vérifie la santé mentale de femmes adultes qui ont «survécu» à l'inceste. Les résultats sont toujours les mêmes: ces femmes sont plus dépressives, plus angoissées, plus suicidaires, plus toxicomanes, plus seules, plus culpabilisées et sexuellement plus perturbées que des membres de groupes témoins. Les interprétations écrites de ces constatations veulent que les agressions sexuelles de l'enfance soient à l'origine des problèmes de l'âge adulte.

Les ladres s'expriment! Les auteurs de ces articles, mus par leur fanatisme, ignorent systématiquement les raffine-ments méthodologiques comme les groupes témoins adé-quats et les références à des thèses rivales. Dans ces études, les «survivantes» sont souvent autosélectionnées. Elles sont recrutées parce qu'elles sont des adultes perturbées sous psy-chothérapie, membres d'un groupe d'entraide, ou encore elles ont répondu à une petite annonce recherchant des «vic-times d'inceste». Il n'est donc pas surprenant qu'elles con-naissent plus de problèmes qu'un groupe témoin. Et quand il y a des groupes témoins, ils sont également suspects. Ils ne sont pas assortis aux victimes d'inceste sur le plan des varia-bles les plus critiques et les plus évidentes. Ces études ne con-trôlent pas, en effet, les différences génétiques (possibilité alternative soigneusement tue) et environnementales reliées à l'inceste. Les genres de pères, de frères et d'oncles qui agres-sent sexuellement de jeunes enfants sont des hommes souf-frant eux-mêmes de graves problèmes. Les victimes d'inceste sont très souvent issues de familles fort perturbées où l'on retrouve plus de maladies mentales que dans les groupes témoins. Nombre de ces déficiences mentales et certains pro-blèmes familiaux sont probablement d'origine génétique. Il est donc fort possible que la dépression, l'angoisse, le carac-tère colérique et les problèmes sexuels des victimes d'inceste ne soient pas dus à l'inceste en question. Ils pourraient bien trouver leurs origines dans les autres événements pénibles et si fréquents dans les familles troublées ou alors dans l'héritage génétique. Si l'on fait fi de l'idéologie, nous n'en restons pas moins ignorants de l'influence réelle des agressions sexuelles de l'enfance sur la vie d'adulte.

On oublie trop souvent l'enfant lui-même. Que pouvons-nous faire de mieux pour limiter les dégâts? Que pouvons-nous faire de mieux pour aider l'adulte qui, des années plus tôt, a été agressé dans son enfance?

En vous parlant des désordres de stress post-traumatiques, j'en étais arrivé à la conclusion que des événements horribles avaient des effets durables et néfastes que la psychothérapie ne semblait pas à même de soulager entièrement. Les camps de concentration, la torture, le viol brutal laissent tous des blessures profondes. Cela est vrai lorsque l'événement traumatisant se produit à l'âge adulte et cela est tout aussi vrai s'il se produit durant l'enfance. Mais contrairement aux prémisses de l'enfant en soi, je ne connais aucune donnée prouvant que les traumatismes de l'enfance soient plus marquants que ceux de l'âge adulte.

Au milieu des années 50, nous faisions nos essais de bombes H sur l'atoll de Bikini, dans le Pacifique occidental. Les explosions répétées de plusieurs mégatonnes l'ont déchiqueté et saturé de radiations. Or, en quelques années, au grand étonnement des biologistes, l'atoll de Bikini, présumé à jamais détruit, s'est réveillé garni d'une faune et d'une flore renaissantes. J'imagine que les enfants sont comme l'atoll, dotés du pouvoir de ressusciter.

J'ai l'impression que le processus naturel de cicatrisation est, en général, plus développé chez l'enfant que chez l'adulte. Plusieurs suivis d'enfants agressés sexuellement ont été entrepris et indiquent tous un taux de rétablissement étonnamment bon. En une ou deux années, plus de la moitié des enfants font des progrès remarquables et le nombre de ceux connaissant de graves problèmes diminue très sensiblement. Quelques-uns, malheureusement, voient leur état empirer.

Les agressions sexuelles d'enfants varient entre deux extrêmes de gravité objective, des caresses érotiques au viol brutal. Dans les désordres de stress post-traumatique, la gravité objective, sauf en cas de violences et de menaces de mort, ne détermine ni la durée ni l'intensité des symptômes. Ayant subi des traumatismes identiques, certains adultes en seront marqués à vie et d'autres n'en subiront aucun effet. Certains même y puiseront de l'énergie. («Ce qui ne me tue pas, me redonne des forces», disait Nietzsche.) Cela se vérifie aussi chez les enfants. Sans exception, du quart au tiers des enfants agressés sexuellement ne présentent aucun symptôme et, contrairement à ce que voudraient les théories du «refoulement» et de la «dénégation», ces enfants n'en présenteront jamais. Notre devoir en tant que psychothérapeutes et parents est de limiter les dégâts. Avec notre aide, les agressions brutales ne devraient pas se traduire en DSPT (désordres du stress post-traumatique) accentués et les caresses «ambiguës» aboutir auxdits DSPT.

Si nous faisons en sorte d'amplifier le traumatisme dans l'esprit de l'enfant, nous aggraverons ses symptômes; nous les diminuerons, au contraire, en mettant ce traumatisme en sourdine. Un processus naturel de cicatrisation intervient toujours, mais des parents bien intentionnés, des psychothérapeutes et des tribunaux peuvent fort bien le ralentir. Ils arrivent même, parfois, à détruire systématiquement le tissu cicatriciel de la blessure. Les enfants mêlés à des procès interminables ont 10 fois plus de risques de demeurer perturbés que ceux dont les causes sont réglées rapidement.

C'est le message que je voulais transmettre en racontant l'histoire de Myron. Mes parents et la police, en ces jours rétrogrades, ont mis l'affaire en sourdine. Ils ont tranquillement éloigné Myron de mon trajet et lui ont donné la frousse de sa vie. S'ils se sont emportés ou s'ils se sont surexcités, je n'en ai rien su. Ils ne m'ont pas interrogé sur des détails intimes. Aucun médecin de service d'urgence ne m'a scruté l'anus. Je n'ai pas dû témoigner devant un tribunal. On ne m'a pas soumis à une psychothérapie pour me faire renoncer à ma «dénégation». On ne m'a pas encouragé, des années plus tard, à redécouvrir ce que j'avais «refoulé» et à revivre ensuite mon traumatisme pour guérir mes troubles du moment.

Si votre enfant a été agressé, ou si vous avez été agressé, je vous conseille de mettre, aussitôt que possible, les événements aux oubliettes. La cicatrisation de vos plaies pourrait être ralentie, si vous reviviez trop souvent vos expériences malheureuses.

La première prémisse de l'enfant en soi, celle voulant que les expériences de l'enfance aient une influence importante sur la personnalité adulte, ne résiste donc pas à l'examen. Seuls quelques événements de l'enfance, comme la mort de la mère, ont une influence prouvée sur la vie émotionnelle de l'adulte. Mais cette expérience est quasiment insignifiante quand on la compare à celle des gènes. La «honte toxique» et la «culpabilité toxique» de l'âge adulte insufflées par les agressions parentales ne sont que de pures inventions du mouvement de rétablissement. Quand des chercheurs scrupuleux se penchent sur la question, ils ne trouvent aucune preuve du fait que la honte et la culpabilité soient à l'origine des problèmes de l'âge adulte. Il existe, par contre, quelques preuves de la responsabilité des agressions parentales sur le développement de tels problèmes, comme les mauvais ménages, par exemple, mais la honte et la culpabilité, une fois de plus, n'ont rien à y voir. Leurs causes sont plus radicales, comme dans le scénario statistiquement bien couvert de la petite fille placée en foyer d'accueil. Quand elle arrive à la puberté, elle ne sait plus à quel saint se vouer. Elle s'évade et tombe enceinte dès l'adolescence ou se marie impulsivement, bien trop tôt, ce qui n'entraîne généralement rien de bon. Il y a aussi le cas des filles difficiles qui suscitent une éducation hargneuse. Cela en fait également des femmes difficiles à vivre. Elles épousent des hommes timides et effacés qui se replient sur eux-mêmes, et le couple finit par se séparer.

L'agression sexuelle dans l'enfance est aussi au goût du jour comme un des principaux agents de troubles de la personnalité de l'adulte. Ce fait est loin d'être prouvé. Les événements traumatisants, comme les agressions sexuelles brutales, ont des effets destructeurs sur la vie future. Mais les traumatismes de l'enfance ne sont pas plus destructifs que ceux de l'âge adulte et les enfants cicatrisent mieux leurs plaies que ne le font leurs aînés. On pourrait dire, plus simplement, que mis à part les plus brutaux, les traumatismes de l'enfance considérés comme influençant la personnalité adulte, ne sont qu'une vue de l'esprit chez les défenseurs du principe de l'enfant en soi. Aucune donnée scientifique ne confirme le fait.

L'éclair du flash et la boule de neige

Le fait le plus surprenant concernant l'éducation des enfants et les événements qui entourent l'enfance tient en ce qui suit. Si l'on se penche sur les caractères génétiques, toutes les études démontrent que les variances de personnalité interfamiliales sont à peu près les mêmes que les variances intrafamiliales. (Apprenez à prononcer correctement cette phrase et vous épaterez vos amis au cours de votre prochaine sortie mondaine!) Traduit en français courant, cela signifie qu'en moyenne, sur le plan de la recherche génétique, les personnalités de deux enfants d'une même famille se révèlent aussi différentes entre elles que si on les compare à celle de tout autre enfant pris au hasard.

Les événements de l'enfance nous paraissent si importants parce que nous n'avons qu'un modèle à l'esprit, l'éclair d'un flash. Nous avons longtemps présumé que ces épisodes sont fulgurants et deviennent aussi fondamentaux de par leur éclat. Mais ce modèle ne correspond pas aux faits. La boule de neige en est un qui répond mieux à la réalité. Quand deux roches se mettent à rouler du sommet d'une colline enneigée, de très petites différences initiales entre elles deviennent de plus en plus grandes au fur et à mesure que les boules de neige prolongent leur course. Une légère dépression sur le flanc de la colline peut provoquer une importante déviation. De petites variantes initiales de trajet et de légères dérivations en cours de route se développent en différences considérables quand les boules de neige arrivent en fin de parcours, au pied de la colline.

Prenons l'exemple de deux petites sœurs, Johanne et Sarah, âgées respectivement de six et sept ans, élevées au sein de la famille Marquez. Cinquante pour cent de leurs gènes sont identiques et elles se ressemblent beaucoup. On note de légères différences quant à leurs aptitudes sportives. Johanne est un peu plus musclée que Sarah. Quand il faut choisir des partenaires pour lutter à la corde, Johanne est toujours choisie avant sa sœur. Jour après jour, Sarah quitte le cours de gymnastique découragée. Mais elle est un peu meilleure en musique et fait de gros efforts au sein de la chorale. Johanne n'y participe pas, préférant jouer au volley. À la fin de leurs études secondaires, Johanne sera devenue une championne de gymnastique avec des ambitions olympiques et Sarah chantera en été les premiers rôles de soprano du répertoire local. De petites différences d'optimisme, d'aspect physique, ou dans l'appréciation de l'institutrice en troisième année du primaire, ou encore dans le désir d'aider papa à jardiner, pourraient éventuellement aussi faire boule de neige. En dépit du fait qu'elles aillent une fois par mois à l'opéra, qu'on leur apprenne à apprécier le fromage de chèvre, qu'elles jardinent avec leur père et qu'on leur enseigne à jouer du tuba, Johanne et Sarah, si l'on tient compte de leurs similitudes génétiques, n'ont pas plus de chances d'aimer toutes deux l'opéra, le fromage de chèvre, le tuba ou le jardinage que deux autres enfants pris au hasard. Et quoiqu'elles débutent dans la vie avec des personnalités semblables et qu'elles soient élevées pratiquement de la même façon, avec les mêmes parents, les mêmes enseignants, la même discipline stricte, la même croyance religieuse et qu'elles reçoivent le même argent de poche, Sarah et Johanne se révéleront très différentes l'une de l'autre à l'âge adulte.

Liberté et profondeur

Les événements de l'enfance, même ses traumatismes, et l'éducation que l'enfant reçoit, paraissent n'avoir que de faibles effets sur sa vie d'adulte. Contrairement à la croyance populaire, l'enfance ne semble pas être, empiriquement, particulièrement formatrice. Nous ne sommes donc pas prisonniers de notre passé, à l'encontre, encore une fois, de l'opinion courante. L'éducation que nous avons reçue – à coups de martinet ou de règle sur nos petits doigts, ou de la part de parents permissifs à l'école de Spock (le pédiatre, et non le Vulcain!), la manière de nous nourrir — à la demande ou à heures fixes, au sein ou au biberon —, même le décès de la mère, le divorce des parents ou le fait d'être cadet, exercent, au plus, une légère influence sur nos façons d'être à l'âge adulte. Pour changer le cours de notre existence, nous n'avons pas besoin de nous livrer à des exorcismes élaborés, comme de divorcer cérémonieusement de nos parents.

En tant qu'adultes, nous sommes parfaitement libres de nous changer. J'ai la conviction que la plus grande partie de la controverse éculée sur le libre arbitre est vide de sens et remplie de fausses dichotomies et hypostases: «Toute action est-elle d'un côté strictement déterminée par le passé, ou est-elle, d'un autre côté, parfois le produit du libre choix?» «Avons-nous la faculté du libre arbitre?» «Les êtres humains peuvent-ils participer à leur propre salut, ou est-il un don de Dieu?»

Je crois que ces questions proviennent d'une interprétation erronée de certains mots. Nous comprenons parfois parfaitement un mot et son contraire. Les deux éléments de la paire peuvent être compris séparément. *Sucré* et *amer, malin* et *stupide* en sont des exemples. L'intelligence, la stupidité, le goût du sucre et l'amertume existent et ont des significations définissables sans référence à leur contraire. Parfois, cependant, nous ne pouvons bien comprendre et définir qu'un des éléments de la paire; l'autre ne signifie rien de plus que l'absence du premier. Nous savons ce que veut dire *embarrassé* mais son contraire ne peut s'exprimer que par *non embarrassé*. L'embarrassement est quelque chose qui existe, contrairement au non-embarrassement. On peut définir *embarrassé* sans faire référence à *non embarrassé*, l'inverse n'est pas possible. *Coloré* et *non coloré, fini* et *infini* sont de cette nature. *Aliénation* et *santé mentales, maladie* et *santé physiques, anormalité* et *normalité* ont généré des controverses, des érudits inventant des qualités de santés mentale et physique ou de normalité, alors que tous ces concepts ne désignent que des absences d'aliénation mentale, de maladie ou d'anormalité.

La tentative de définition du *libre arbitre* est l'ancêtre de ces recherches inutiles. Nous comprenons ce qu'est être *contraint*. C'est être un prisonnier entraîné de force à dévaler une montagne. La contrainte est quelque chose de tangible. La liberté n'est rien d'autre que l'absence de contrainte.

Les événements de l'enfance ne sont pas des contraintes pour la personnalité de l'âge adulte. Nous ne sommes pas entraînés de force, à l'âge de six ans, par les fessées parentales, à devenir des trentenaires culpabilisés. Nos gènes ne sont pas contraignants pour nos vies d'adultes. Mais contrairement aux fessées, ils ont statistiquement des effets substantiels sur nos personnalités, quoique nous ne soyons pas entraînés de force à devenir des alcooliques même si nos parents biologiques étaient alcooliques. Nous pouvons appliquer des tactiques pour éviter l'alcoolisme, même si nous avons des prédispositions génétiques à la boisson. Nous pouvons, par exemple, éviter pour de bon de boire de l'alcool. Il y a beaucoup plus d'abstinents que vous ne pourriez l'imaginer parmi les descendants d'alcooliques.

En l'absence de contrainte, nous sommes libres. Le libre arbitre, la liberté de choix, la possibilité de changer ne signifient rien de plus, absolument rien de plus, qu'une absence de contrainte. Et cela veut dire, tout simplement, que nous sommes libres de changer quantité de choses en nous. Tout cela est démontré par les faits marquants de ce livre qui souligne que les dépressifs cessent souvent de l'être, que des personnes qui ont paniqué toute leur vie durant arrêtent d'avoir peur, que des hommes impuissants redeviennent virils, que des adultes rejettent le rôle sexuel déterminé par leur éducation, que des alcooliques arrivent à arrêter de boire. Cela ne veut pas dire que les psychothérapeutes, les parents, les gènes, les bons conseils et même la dyspepsie n'ont pas d'influence sur ce que nous faisons. Rien de tout cela ne contredit le fait qu'il y ait des limites aux changements que nous pouvons effectuer. Cela signifie seulement que nous ne sommes pas prisonniers.

La catharsis

La première prémisse de l'enfant en soi, voulant que les événements de l'enfance déterminent la personnalité de l'adulte, est fausse. Je veux maintenant me pencher sur la seconde prémisse, celle qui prétend qu'en s'efforçant de résoudre les problèmes de l'enfance on résout ceux de l'âge adulte.

John Bradshaw, dans son livre à succès *Retrouver l'enfant en soi: partez à la découverte de votre enfant intérieur**, décrit plusieurs de ses techniques imaginatives comme de demander pardon à l'enfant en soi, de divorcer d'un de ses parents et d'en trouver un autre, d'aimer Jésus, de caresser son enfant intérieur, de rédiger une histoire de son enfance. Ces techniques répondent au nom de *catharsis,* c'est-à-dire un engagement émotionnel dans les événements passés lourds de traumatismes. La catharsis est quelque chose de magnifique à vivre et d'impressionnant à se représenter. Sangloter, être en rage contre ses parents depuis longtemps décédés, serrer dans ses bras le petit garçon blessé que vous avez été, tout cela est fort émouvant. Vous devez avoir un cœur de pierre pour ne pas être ému aux larmes. Par la suite, pendant des heures, vous vous sentirez purifié et en paix, peut-être pour la première fois depuis bien longtemps. Un réveil, un recommencement, un nouveau départ sont à votre portée.

---

* Le Jour, éd. – trad. de Céline Sinclair, 1992.

La catharsis, en tant que technique thérapeutique, existe depuis plus d'un siècle. Elle était un des soutiens des traitements psychanalytiques, mais elle ne l'est plus. Son principal attrait réside dans les sensations agréables qu'elle suscite. Son principal défaut réside, lui, dans le fait que rien ne prouve son efficacité. Quand on mesure le plaisir que les gens éprouvent à la pratiquer, elle ne mérite que des louanges. Quand on fait le bilan des changements qu'elle produit, la catharsis ne fait pas le poids. Si elle est pratiquée correctement, elle peut apporter un certain soulagement temporaire, comme le bien-être ressenti après un exercice énergique. Mais sitôt la sensation agréable passée, au bout de quelques jours, les vrais problèmes subsistent, tels le conjoint alcoolique, le boulot haïssable, le cafard du petit matin, les crises de panique et la cocaïnomanie. Aucune preuve scientifique n'indique que les techniques de catharsis du mouvement de rétablissement aient des effets bénéfiques durables sur les troubles émotionnels chroniques. Rien ne prouve qu'elles puissent modifier la personnalité des adultes. Ce qui paraît étrange, c'est que la catharsis appliquée à des souvenirs fictifs donne des résultats à peu près semblables à ceux obtenus avec les souvenirs réels. Les défenseurs de la théorie de l'enfant en soi, après avoir traité pendant des années des dizaines de milliers d'adultes perturbés, n'ont jamais cru bon d'en faire le suivi. Parce que les techniques de la catharsis sont si superficiellement attrayantes, qu'elles sont si étroitement liées au charisme des psychothérapeutes et qu'on ne leur prête pas d'effets durables, je me contenterai de «mettre en garde ses clients».

Une remise en question de la dimension morale du rétablissement

Je ne trouve rien qui puisse appuyer les deux hypothèses avancées par le mouvement de rétablissement, c'est-à-dire que les mauvais traitements infligés durant l'enfance influent sur la personnalité de l'adulte et que les traitements à l'aide de la catharsis donnent de bons résultats. Mais même si le mouvement ne se base sur rien, il n'en reste pas moins que le fait de passer pour une victime reste fort attrayant. C'est démocratique, consolant, cela accroît l'estime de soi et transforme le mépris des autres en compassion. Mais tout cela est-il vrai? Tout dépend des «options alternatives». Si vous êtes alcoolique, le fait d'être taxé de malade a pu un jour vous être bien utile. L'étiquette de «personne malsaine» était la seule «option alternative». La maladie se soigne, elle est limitée dans le temps et impersonnelle. Un caractère malsain est permanent, pénétrant et personnel. Penser que vous êtes mauvais vous pousse à ne pas vous en sortir, au désespoir et au mépris de soi. Penser que vous êtes malade peut vous pousser à réagir, à chercher un moyen de vous guérir, à vous redonner de l'espoir et un peu d'estime de soi. Si vous êtes un adolescent noir, sans emploi et en passe de faire de la prison, et que vous rendez responsables de vos problèmes la discrimination ou une scolarité déficiente, vous vous sentirez soulagé pour les mêmes raisons. Les étiquettes «alternatives», «stupidité», «paresse» et «délinquance», si vous les acceptez, se matérialiseront.

La dépression, les troubles sexuels, l'angoisse, la solitude et la culpabilité sont les principaux problèmes qui fournissent sa clientèle au mouvement de rétablissement! Expliquer de semblables problèmes en se présentant comme victime d'une enfance malheureuse n'arrange pas les choses. Comparez l'explication d'«enfant meurtri» à d'autres façons de faire comprendre vos problèmes, tels une «nature dépressive», un «penchant pour l'angoisse» ou un «dysfonctionnement sexuel». L'«enfant meurtri» est une explication plus permanente; la «nature dépressive» l'est moins. Comme nous l'avons vu dans la première partie de ce livre, et contrairement à l'état d'enfant meurtri, la dépression, l'angoisse et les dysfonctionnements sexuels sont tous éminemment sujets à traitement. «Enfant meurtri» est aussi plus pénétrant dans ses effets destructeurs. «Toxique» est l'expression colorée qui décrit bien cet aspect pénétrant. «Dépression», «angoisse» et «dysfonctionnement sexuel» sont tous plus limités, leur étiquette est moins accablante et c'est, d'ailleurs, ce qui explique en partie qu'ils peuvent être soignés avec succès.

L'étiquette d'«enfant meurtri» (à moins que vous n'ayez foi dans les cures de catharsis) mène donc à plus de difficultés à s'en sortir, à plus de désespoir et à plus de passivité que d'autres choix. Mais elle a un caractère moins personnel — la faute en revient aux parents — que celles de «dépressif», d'«angoissé» et de «sexuellement dysfonctionnel». Les explications impersonnelles d'événements malheureux encouragent l'estime de soi plus que ne le font les explications personnelles. C'est pourquoi l'étiquette d'«enfant meurtri» diminuera plus facilement votre sentiment de culpabilité tout en vous instillant plus d'estime de soi.

Depuis une vingtaine d'années, cette estime de soi a pris une importance considérable pour les Américains. Nos écoles publiques sont censées inculquer l'estime de soi à nos enfants, nos églises la prêcher à leurs congrégations et le mouvement de rétablissement la restaurer chez les «victimes». Parvenir à l'estime de soi est un but indéniablement important mais qui soulève chez moi certaines réserves. Je pense que c'est une idée exagérément gonflée et mon opinion est fondée sur mes travaux sur les personnes déprimées.

Vous vous souviendrez que ces personnes ont quatre genres de problèmes: comportementaux — elles sont passives, indécises et ont des difficultés à s'en sortir; émotionnels — elles sont tristes; physiques — leur sommeil, leur alimentation et leurs activités sexuelles sont perturbés; cognitives — elles ont le sentiment que la vie est sans espoir et qu'elles ne sont bonnes à rien. Seule la deuxième moitié de ce dernier symptôme correspond à un manque d'estime de soi. J'en suis arrivé à penser que cette insuffisance est la moins importante de toutes ces afflictions. Quand une personne déprimée redevient active et reprend espoir, son estime de soi s'améliore toujours. Il ne sert à rien d'encourager l'estime de soi sans s'occuper du désespoir et de la passivité. Pour être plus précis, j'estime qu'un manque d'estime de soi est un *épiphénomène,* reflétant simplement le fait que vos rapports avec le monde extérieur sont défaillants. Ce sont ces rapports et non l'estime de soi qui doivent être améliorés. Le seul avantage d'être taxé de victime étant d'augmenter l'estime de soi, c'est donc fort minime, surtout quand on néglige le désespoir et la passivité et qu'on empire de ce fait ses rapports avec le monde extérieur.

C'est ce qui me dérange le plus dans le mouvement de rétablissement. Une véritable épidémie de dépression sévit actuellement parmi les jeunes Occidentaux. Je me suis interrogé sur ses causes dans le dernier chapitre de mon livre *Apprendre l'optimisme** et je ne reviendrai pas ici sur mes conjectures. Les jeunes sont facilement attirés par tout ce qui pourrait les faire se sentir mieux, même temporairement. Le mouvement de rétablissement table sur cette attirance généralisée. Quand cela marche, l'estime de soi augmente et le sentiment de culpabilité diminue mais c'est parce qu'on rend d'autres personnes responsables de ses malheurs. Peu importe le fait que ces autres ne soient aucunement la cause de ces troubles. Peu importe le fait que de nous considérer comme des victimes incite au désespoir et à la passivité. Peu importe qu'il y ait d'autres traitements plus efficaces disponibles ailleurs.

Il est bien plus important de se concentrer sur les responsabilités et d'être optimiste. Nous considérer comme des victimes de notre enfance nous emprisonne dans le passé et mine notre sens des responsabilités. Toutes les psychothérapies efficaces ont deux choses en commun: elles prônent l'optimisme et le sens des responsabilités. Toutes les psychothérapies qui reviennent sans cesse sur l'enfance du patient et qui ne se concentrent pas sur la façon de s'en tirer sur-le-champ, qui attachent plus d'importance à démêler le passé qu'à concevoir un avenir meilleur, se sont révélées, depuis un siècle au moins, toujours inefficaces. Toutes les psychothérapies qui donnent de bons résultats dans le traitement de la dépression, de l'angoisse et des dysfonctionnements

---

* *Op. cit.*

sexuels se concentrent sur les problèmes du moment et sur la façon de les résoudre. Cela exige un sens développé des responsabilités envers nos problèmes et un engagement à travailler sérieusement (même chez soi) si nous voulons que notre avenir soit meilleur. On abordera bien sûr le passé, mais généralement dans le but d'avoir une meilleure idée de la nature de nos problèmes et non comme prétexte pour rejeter le blâme sur autrui.

Je me fais du souci pour la seconde période de la vie des personnes en «rétablissement» qui, d'après moi, sera handicapée, non par ce qui est arrivé durant la première période, mais par le fait que ces gens se considèrent comme prisonniers de leur enfance, comme des victimes incapables de repartir à zéro dans une nouvelle période de vie.

Les utilisations de l'enfance

Je souscris volontiers à l'objectif du mouvement de rétablissement de rassembler les adultes perturbés pour les aider à résoudre des problèmes qu'ils jugeaient insolubles. Je ne peux pas, par contre, souscrire ni à ses prémisses ni à ses méthodes. Pour moi, celles-ci vont à l'encontre de mon message positif voulant que, tout au long de la vie d'adulte, l'épanouissement et le changement sont la règle et non l'exception. En abordant la seconde période de votre vie, bon nombre d'entre vous êtes déprimés, angoissés, colériques et esseulés. Vous avez pu vous habituer à ces sentiments malheureux, mais ce n'est pas une raison suffisante pour les accepter jusqu'à la fin de vos jours. Vous ne devriez d'ailleurs pas le faire. Il y a des choix différents et des moyens efficaces de changer que nous avons décrits dans les deuxième et troisième parties de ce livre. Ils ne tiennent ni de l'orgie émotionnelle ni de la combine rapide; ils valent la peine d'être essayés et leurs effets sont durables.

Je souscris par contre avec *enthousiasme* à une troisième prémisse du mouvement de rétablissement, celle voulant que les modèles de problèmes de l'enfance qui se retrouvent à l'âge adulte soient révélateurs. Vous pourrez les découvrir en remuant votre passé, en fouillant les recoins de votre enfance. Mais en prenant celle-ci en main, vous ne saurez pas pour autant ce qui vous a fait devenir l'adulte que vous êtes. Les liens de causalité entre les événements de l'enfance et ce que vous êtes devenu sont tout simplement trop ténus. La prise en main de l'enfance ne fera pas disparaître les problèmes de l'âge adulte; le remuement du passé ne semble guérir aucun trouble. La prise en main de l'enfance ne vous fera pas vous sentir mieux bien longtemps et elle ne fera pas augmenter votre estime de soi.

Cette prise en main de l'enfance fait parcourir un chemin bien spécial et différent. Les sages de l'Antiquité nous pressaient de nous connaître nous-mêmes et Platon nous prévenait qu'une vie jamais remise en question ne valait pas la peine d'être vécue. La connaissance acquise le long du chemin est faite de modèles et concerne l'ouvrage que nous avons tissé. Il ne s'agit pas de la connaissance des causes. Y a-t-il des erreurs commises que nous commettons toujours? Est-ce que j'oublie mes amis, dans l'ivresse de la victoire (lors du championnat de «foot» junior ou quand j'ai reçu ma dernière grosse augmentation)? (On m'a toujours dit que j'étais un bon perdant mais un mauvais gagnant.) Est-ce que je réussis généralement dans un certain domaine mais subis des échecs dans un autre? (J'aimerais pouvoir m'entendre aussi bien avec les gens que j'aime vraiment qu'avec mes employeurs.) Une émotion surprenante se manifeste-t-elle encore et encore? (Je me querelle toujours avec des personnes que j'aime au moment où elles doivent partir.) Mon organisme me trahit-il souvent? (J'attrape souvent un rhume à l'approche d'échéances de travaux importants.)

Vous voulez sans doute savoir pourquoi vous êtes un mauvais gagnant, pourquoi vous êtes grippé au moment où l'on a le plus besoin de vous, pourquoi vous réagissez avec colère à la moindre séparation. Vous ne trouverez pas les réponses. Quelque importantes et fascinantes soient-elles, les «pourquoi?» sont des questions auxquelles la psychologie actuelle ne peut répondre. Une des deux découvertes les plus significatives qu'ait faites la psychothérapie, en cent ans, est que les réponses satisfaisantes aux grands «pourquoi?» sont fort difficiles à trouver; peut-être que, d'ici cinquante ans, les choses auront changé et peut-être que non. Ne croyez jamais les «inventeurs» de conséquences funestes de la «honte toxique» quand ils vous disent qu'ils savent qu'elle trouve son origine dans les abus parentaux. Personne ne peut savoir une telle chose. Soyez sceptique, même envers vos expériences qui vous paraissent significatives. Quand vous retrouvez la furie ressentie le premier jour de la maternelle, ne vous imaginez pas que vous avez découvert la source de votre terreur constante de l'abandon. Les liens de causalité ne peuvent être qu'illusoires et l'humilité s'impose. L'autre découverte significative résultant de tous les efforts psychothérapeutiques est que les changements sont à notre portée tout au long de l'âge adulte. Alors, même si le pourquoi de ce que nous sommes demeure un mystère, la manière de nous changer n'en est plus un.

Voyez le modèle. Un modèle d'erreurs est un appel à changer votre mode de vie. Le reste de l'ouvrage n'est pas défini par ce qui a été préalablement tissé. La tisseuse elle-même, dotée de savoir et de liberté, peut changer, sinon le fil avec lequel elle doit travailler, du moins le dessin du travail à venir.

15

Profondeur et changement: la théorie

IL EST TEMPS de dresser un bilan et d'exposer ma théorie. Quand nous passons en revue tous les problèmes, les types de personnalité, les modèles de comportement et quand nous voyons le peu d'influence de l'enfance sur la vie d'adulte, nous trouvons un ensemble déroutant de changements possibles. Des choses les plus aisées à celles qui sont le plus difficiles à changer, voici, en gros, comment se présente cet ensemble:

La panique	Guérissable
Les phobies particulières	Presque guérissables
Les dysfonctionnements sexuels	Soulagement marqué
Les phobies sociales	Soulagement modéré
L'agoraphobie	Soulagement modéré

La dépression	Soulagement modéré
Le rôle sexuel	Changement modéré
Les psychonévroses obsessionnelles	Soulagement modéré à moyen
Les préférences sexuelles	Changement modéré à moyen
La colère	Soulagement moyen à modéré
L'angoisse quotidienne	Soulagement moyen à modéré
L'alcoolisme	Soulagement moyen
L'excès de poids	Changement temporaire
Les désordres du stress post-traumatique (DSPT)	Soulagement marginal
L'orientation sexuelle	Probablement inchangeable
L'identité sexuelle	Inchangeable

Il est clair que nous n'avons pas encore mis au point des produits pharmaceutiques ou des psychothérapies qui puissent modifier toutes ces situations. Je pense que les succès et les échecs ont une autre origine que les traitements inadéquats. Ils proviennent plutôt de la profondeur du problème.

J'ai la conviction que la profondeur, qui est une notion ancienne mais difficilement saisissable, est la clé des succès et des échecs. Nous avons tous l'expérience d'états psychologiques de profondeurs différentes. Quand j'ai été absent de chez moi depuis plusieurs semaines et que je m'y retrouve enfin, épuisé mais content, quelque chose d'étrange se produit parfois en moi au milieu de la nuit. Ce phénomène est appelé la *dépersonnalisation*. Je me réveille et ne me souviens de rien. Je ne sais pas où je me trouve. J'ignore la date du jour, même la saison et l'année. Je ne connais pas la marque de ma voiture. Je ne sais même pas qui dort à mes côtés. Quand le phénomène est à son paroxysme, j'ignore mon âge. (Mais je sais toujours que je suis de sexe masculin.) Cet état ne dure que quelques secondes et ma mémoire me revient tout d'un coup — du moins jusqu'à présent.

Si vous demandez à quelqu'un, à brûle-pourpoint, de répondre rapidement à la question «Qui êtes-vous?», il vous dira généralement, à peu près dans cet ordre, ou son nom, ou son sexe, ou sa profession, ou sa situation familale, ou sa religion, ou sa nationalité. Sous-jacent à cette réaction, se trouve un continuum de profondeur allant de la surface à l'âme en passant par toutes sortes de matériaux psychiques. De crainte que les puristes, parmi mes lecteurs, ne soient rebutés par mon emploi du mot *âme,* laissez-moi vous rappeler la terminologie freudienne. Le mot utilisé par Freud dans son champ de recherche n'était pas *psyché* (comme l'ont interprété en français ses traducteurs médicaux), ni *esprit* (préféré par les spécialistes contemporains de la cognition), mais bien *die Seele,* l'âme, une entité beaucoup plus significative que la froide cognition.

Je pense que les troubles de l'âme peuvent difficilement être résolus par la psychothérapie ou les médications. Les problèmes et les types de comportement se situant quelque part entre la surface et l'âme peuvent être un tant soit peu modifiés et les problèmes en surface, eux, peuvent être facilement résolus et même guéris. Je veux croire que ce qui est modifiable par la psychothérapie et les produits pharmaco-chimiques dépend de la *profondeur* du problème.

Que signifie exactement *profondeur*? Comment savoir si nous avons affaire à un problème profond ou superficiel? Je conçois cette profondeur sous trois aspects. Le premier est biologique. Le deuxième est question de preuve, le troisième de force.

L'aspect biologique de la mort est évolutionnaire. Cet état est-il *prévu*? En vous référant au phénomène de la «sauce béarnaise», vous vous souviendrez que l'«apprentissage prévu» se produit à la suite d'une seule expérience, qu'il n'est ni rationnel ni conscient, qu'il résiste au changement et qu'il est sélectif. Les phobies relatives aux animaux et aux insectes répondent à ces caractéristiques et sont donc prévues. Il en est de même des obsessions concernant les contagions et la violence, du fétichisme attaché aux jambes ou aux poitrines de femmes, de la dépression suivant la mort d'un enfant. Les problèmes biologiques profonds sont prévus ou même innés. Ils sont, de ce fait, représentés génétiquement et, en tant que traits «adaptifs», ils sont transmissibles. Une longue évolution s'est opérée pour développer cet état de choses. La psychose maniaco-dépressive en est un exemple. Le cycle énergétique au rythme des saisons, de l'activité estivale à l'hibernation, pourrait bien être son fondement évolutionnaire et il est essentiellement transmissible génétiquement. Le fait que les jumeaux identiques soient plus enclins à être tous deux atteints d'une psychose maniaco-dépressive que ne le sont des jumeaux bivitellins est bien une preuve du caractère «adaptif» des humeurs cycliques.

La première hypothèse de ma théorie est la suivante: si une manifestation psychologique a des étais biologiques, étant prévue ou transmissible, elle sera plus difficile à changer; si elle n'est pas prévue, qu'elle n'est qu'une habitude acquise, elle sera plus facile à modifier. Le côté évident de la profondeur dépend de sa confirmation ou de son infirmation. À quel point est-il facile de prouver la conviction sous-jacente au problème? La quête de preuves contradictoires est encore plus importante. À quel point est-il difficile de prouver que la conviction est erronée? Il est dangereusement facile de mener nos existences en ne relevant que les preuves en faveur de nos convictions profondes et de négliger de mettre à l'épreuve leur justesse. Il est facile de confirmer les idées sous-jacentes au désordre du stress post-traumatique du genre «le monde qui m'entoure est injuste et misérable et ne m'apporte aucun réconfort». Il suffit de lire la une de votre journal habituel. L'idée sous-jacente à un problème de psychonévrose obsessionnelle, comme celui d'une mère qui se dit: «je vais contaminer mon enfant, si je ne me lave pas soigneusement les mains», ne sera pas infirmée chez quelqu'un qui évite de vérifier son exactitude. La personne qui a une telle idée derrière la tête se lave les mains deux heures par jour. Ses mains sont toujours propres et son enfant ne sera jamais contaminé. En se livrant si souvent à son rituel, elle ne trouvera jamais de preuves contradictoires. Et elle ne saura jamais qu'en ne se lavant pas les mains, elle ne risque pas nécessairement de contaminer sa progéniture.

La deuxième hypothèse de ma théorie est donc la suivante: plus une conviction sous-jacente à un problème est facile à confirmer et difficile à infirmer, plus elle sera difficile à changer.

Le troisième aspect de la profondeur réside en la force de la conviction sous-jacente au problème. J'utilise le mot *force* dans le sens de force d'une théorie. Une théorie est réputée avoir de la force quand elle est générale et explique ainsi de nombreux phénomènes. La théorie de la relativité, qui s'applique à l'ensemble du temps et de l'espace, a de la force. Une théorie qui ne s'applique qu'à quelques faits isolés n'a pas de force. «Il y a beaucoup de tiques cette année, parce que nous avons eu un été sec» ne s'applique vraiment qu'aux tiques et à l'humidité et n'a donc qu'une force toute relative. Nous nous raccrochons plus fermement à une théorie forte qu'à une autre, plus faible, même si elles sont toutes deux étayées par des preuves contradictoires d'égale valeur.

Certaines de nos convictions personnelles sont fortes de la même façon qu'une théorie peut l'être; elles donnent un sens à une grande partie de notre univers. Être socialiste ou croire en un Dieu plein de bonté sont deux exemples de convictions parmi une foule d'autres. Ces convictions imprègnent notre compréhension de ce qui nous arrive à nous et aux autres. Elles sont profondément ancrées. Les purges staliniennes n'ont pas vraiment ébranlé les convictions des communistes et la peste noire n'a pas incité beaucoup de croyants à reprocher à Dieu son manque de clémence ou son indifférence. D'autres convictions personnelles ont moins de force. Croire que les automobiles montées à Detroit, dans la journée du vendredi, sont de moins bonne qualité parce que les ouvriers ont hâte de partir en week-end explique seulement votre problème d'essuie-glaces et fort peu d'autres choses vous concernant. Les idées sous-jacentes à nos problèmes peuvent être fortes ou faibles. Croire que les araignées sont dangereuses n'a pas de force en soi, alors que la conviction d'être une personne détestable ou d'être obligé de boire pour arriver au bout de la journée a une force certaine.

La troisième hypothèse de ma théorie est donc celle-ci: si la conviction sous-jacente à un problème a de la force, le changement sera difficile, si elle est faible, le changement sera moins ardu.

Ces hypothèses s'additionnant, elles pourront peut-être expliquer la difficulté ou la facilité à régler les problèmes. Repassons en revue ceux qui nous intéressent ici.

Le transsexualisme, inversion de l'identité sexuelle, est, selon les critères précédents, le problème le plus profond. Il est biologiquement posé dès le second mois de la gestation. Il ne peut pas être remis en question et s'impose tout au long de la vie. Il est aussi totalement inchangeable.

L'orientation sexuelle (l'homosexualité et l'hétérosexualité, que je ne considère pas comme des problèmes, mais comme de simples types de comportement) est presque aussi profonde. Une partie de son fondement est probablement posée au cours de la gestation et elle a vraisemblablement un étayage particulier dans le cerveau. L'orientation une fois adoptée, ses preuves se confirment progressivement; vous l'appréciez et elle vous convient. Une femme aura de la facilité à confirmer et de la difficulté à infirmer qu'elle est attirée par les représentantes de son sexe, et cette attirance est pourvue d'une force certaine, intervenant dans bon nombre de ses actions. Alors que le désir lui-même résiste puissamment au changement, le type de partenaire est plus flexible.

Les désordres du stress post-traumatique sont un trouble de l'âme. Ils n'ont probablement qu'un fondement évolutionnaire fort restreint et on ne les suppose pas transmissibles; mais la conviction qui leur est sous-jacente est forte et facilement confirmée. Si votre enfant meurt, par exemple, un coup de sort cruel vous a dérobé ce que vous possédiez de plus précieux. Votre vision du monde se transforme. «Ce monde est sans pitié, la justice en est absente, je n'ai plus d'avenir, il n'y a plus d'espoir et j'aimerais mieux être morte.» Comme votre enfant ne reviendra jamais, votre conviction actuelle est empreinte d'une réalité pénétrante.

Tout ce qui vous reste à faire pour confirmer votre nouvelle philosophie consiste à regarder le téléjournal de 22 h. La cascade d'événements malheureux qui déferlent à la suite d'une tragédie confirmera encore plus vos idées pessimistes. Des événements heureux peuvent parfois survenir qui apaiseront votre mélancolie, mais vous aurez de la difficulté à les accepter. Une psychothérapie et des médicaments diminueront peut-être la peur que vous inspirent les lieux de la tragédie. Mais c'est là tout ce qui a pu être réalisé à ce jour pour soulager les DSPT, sauf chez les victimes de viol. Vous *savez* maintenant à quel point le bonheur est fragile.

Le poids est un souci profond. Les régimes n'ont que des effets temporaires chez 90 p. 100 des gens qui veulent maigrir. Votre poids est défendu par des processus biologiques et psychologiques puissants qui ont bien servi vos ancêtres en temps de famine et de misère. Ces mécanismes de défense du poids et de l'appétit sont multiples: les réactions des centres cérébraux, les chutes du taux de glycémie, les ralentissements du métabolisme, la fatigue, l'accumulation des graisses, les modifications du nombre et de la taille des cellules adipeuses, les faims intenses, les gargouillements d'estomac et les excès de table. La sélection naturelle a fait en sorte qu'il nous est extrêmement difficile de nous affamer volontairement. Les critères de preuve ne s'appliquent pas à l'excès de poids, contrairement aux critères de force. Vos habitudes alimentaires font partie de votre mode de vie. Vos habitudes dans le travail, l'amour et les loisirs sont souvent dépendantes de la qualité, du lieu et de la quantité de vos repas.

L'alcoolisme a certains supports biologiques. Il est modérément transmissible génétiquement. Le fait d'avoir une dépendance biologique envers l'alcool signifie, entre autres, que des cellules vivant dans un environnement saturé d'alcool deviennent dépendantes de sa présence pour fonctionner normalement. Mon besoin de boire pour affronter cette entrevue, cet examen ou ce rendez-vous est difficile à infirmer, surtout si je ne m'abstiens pas de boire et que l'entrevue se déroule bien. Généralement, je bois et tout se passe relativement bien, ou je ne bois pas et j'ai la tremblote. L'alcoolisme a de la force. C'est un mode de vie. Comme l'intellectuelle qui se rend à une soirée et la considère d'un point de vue qui l'intéresse («Cet invité ne serait-il pas politiquement naïf? Quel genre de livres la maîtresse de maison a-t-elle dans sa bibliothèque?»), ainsi en est-il de l'alcoolique («Le bar est-il bien garni? Avec qui vais-je prendre le dernier verre en sortant d'ici? Qui connaît mon patron et pourrait lui parler de mon penchant?»). Pour ces raisons, disons que l'alcoolisme est difficile à corriger.

L'angoisse quotidienne n'est pas aussi profonde que l'alcoolisme. La peur et le courage sont des «produits de base» de la personnalité et de la génétique. Ils sont un solide fondement évolutionnaire. («Nous serons plus en sécurité au fond de la caverne.») Ceux d'entre nous qui sont nés craintifs et timides mènent, dans la plupart des cas, des vies craintives et timides. Ces sentiments sont difficiles à infirmer si nous nous arrangeons pour éviter les circonstances redoutées et ils sont fréquemment confirmés (les agressions se produisent *effectivement* durant la nuit). Que le monde qui nous entoure soit effrayant est une idée pleine de force. Cela peut se corriger, mais difficilement. Avec de la discipline, des produits pharmaceutiques et d'habiles tactiques psychothérapeutiques, on arrivera à nous armer de courage, du moins un tantinet.

La colère pénétrante est probablement moins profonde que l'angoisse pénétrante. Elle a une origine évolutionnaire certaine et il existe quelques preuves de sa transmissibilité. Si vous avez la conviction d'être agressé, vous pouvez généralement le prouver. Les cibles de vos colères sont, parfois, *effectivement* à vos trousses. Le fait que ces cibles se révèlent, parfois aussi, totalement innocentes vous apportera également une certaine infirmation. Le sentiment d'être agressé est fort quand la conviction est d'ordre général comme «D'autres me cherchent noise» ou «Le monde est plein de gens qui ne pensent qu'à eux-mêmes». Il est dénué de force quand il n'est qu'une conviction sporadique. («Mon patron n'est qu'un pauvre type!») Les effets d'une psychothérapie sont loin d'être concluants, mais il semblerait que la colère soit, sinon totalement, du moins quelque peu contrôlable.

Les préférences sexuelles (nommées *paraphilies* à l'état pathologique) sont de profondeur moyenne. Elles semblent être prévues par l'évolution. Leurs preuves confirmatives sont faciles à obtenir dès qu'elles sont adoptées; elles donnent, en effet, beaucoup de satisfaction. Ce ne sont pourtant que des convictions limitées n'influençant que votre vie érotique. Une fois adoptées, elles ne s'estompent pas spontanément mais la psychothérapie arrive à les modifier quelque peu.

Les psychoses obsessionnelles sont également de profondeur moyenne. Les idées et les rituels semblent avoir été prévus par l'évolution (nettoyage et vérification, saleté et violence étaient des préoccupations de l'humanité prétechnologique) et certaines preuves existent de leur transmissibilité. L'obsession est extrêmement difficile à infirmer, car un rituel efficace fait en sorte que vous ne perdiez pas votre temps à vous demander si la négligence d'observer ledit rituel pourrait se terminer en catastrophe. Mais les obsessions sont dénuées de force; elles se limitent aux microbes, à la violence, aux explosions, etc. La psychologie s'avère fort utile mais ne guérit généralement pas complètement la psychose.

Le rôle sexuel pourrait en partie être déterminé par des mécanismes cérébraux et par des hormones fœtales. Durant l'enfance, les preuves abondent à l'appui de vos convictions stéréotypées; elles ont de la force et organisent en grande partie votre vie d'enfant. Mais les preuves et leur force diminuent spectaculairement quand vous atteignez la maturité et que vous pouvez mieux apprécier les vertus de la tolérance, de la justice et de l'individualisme. Les rôles sexuels sont rigides dans l'enfance et prennent une flexibilité croissante avec l'âge.

La dépression est aussi de profondeur moyenne. Les convictions sont parfois fondées sur une dénaturation des faits et sont ainsi faciles à infirmer; comme, par exemple, la femme riche qui s'imagine être une clocharde. Mais les convictions peuvent aussi être fondées sur la réalité, les dépressifs évaluant, en effet, leurs réussites et leurs échecs avec plus d'exactitude que les non-dépressifs. Les convictions dépressives n'ont parfois que peu de force: «Elle ne m'aime pas», «Je ne deviendrai jamais un bon golfeur». Elles ont parfois aussi de la force et sont pénétrantes: «Je ne mérite pas d'être aimé», «Je suis un raté total». Elles ont sans doute un certain caractère de transmissibilité et probablement aussi un fondement évolutionnaire, hérité du besoin de rester au fond de la caverne et de refaire son énergie pendant un certain temps après une défaite. La psychothérapie et une médication apporteront toujours un soulagement modéré, mais votre combat contre la dépression, même en ce cas, pourrait bien durer jusqu'à la fin de vos jours.

Les phobies sociales et l'agoraphobie se situent plus près de la surface. L'évolution peut les expliquer en partie et il y aurait, semble-t-il, des traces de transmissibilité génétique. Les convictions sous-jacentes sont faciles à confirmer puisqu'elles ne sont pas complètement fausses; les personnes timides sont *effectivement* embarrassées par leur entourage; si vous faites une crise de panique en public, il se peut fort bien que vous soyez malade comme un chien et que personne ne vous vienne en aide. Si vous évitez les réunions mondaines ou si vous restez enfermé chez vous, ces convictions ne seront pas infirmées. Les convictions sociophobiques n'ont qu'une force limitée; vous considérer comme socialement incompétent ou détestable peut expliquer un bon nombre de choses qui vous arrivent. La conviction agoraphobique de tomber malade sans qu'on vous vienne en aide n'a également qu'une force limitée. Dans les deux cas, les psychothérapies et les médications procurent un certain soulagement, mais non un complet rétablissement.

Les problèmes de **performance sexuelle** se corrigent facilement à l'aide d'une psychothérapie adéquate; je les situe près de la surface. Il n'y a pas de fondement biologique aux dysfonctionnements sexuels, mais si l'on est en proie à l'un d'eux, il est fort difficile d'infirmer la conviction d'être «sexuellement inadéquat», surtout durant le cercle vicieux de l'observation du phénomène. Ces convictions n'ont pas de force en soi, étant strictement limitées à la vie érotique et familiale.

Les phobies particulières s'approchent également de la surface. Les araignées, par exemple, *sont* dangereuses; certaines vous mordent et d'autres, très rares, peuvent même vous tuer. L'évolution vous incite à éprouver un sentiment de peur mais, quoique prévu, l'objet particulier de la phobie n'est pas transmissible. La conviction que les araignées sont dangereuses est difficile à infirmer si vous les évitez complètement et que, de ce fait, vous ne vous rendiez jamais compte que ces insectes ont bien plus peur de vous que vous d'eux. Cette conviction n'a aucune force, car elle ne concerne que les araignées. Ces peurs peuvent être pratiquement éliminées par la psychothérapie, mais la phobie peut être ravivée par d'autres troubles.

La panique se situe en surface. Elle n'est que la conviction erronée que des battements accélérés du cœur sont le symptôme d'une crise cardiaque, ou que d'avoir le souffle court est celui d'une attaque d'apoplexie. Fort peu d'autres choses dépendent de telles convictions et elles sont donc dénuées de force. Il est très facile de les infirmer en prouvant à un patient atteint d'hyperventilation que ces symptômes sont ceux de l'anxiété ou de l'essoufflement et non ceux d'une crise cardiaque. La panique n'est pas transmissible et son origine évolutionnaire n'est pas vraiment prouvée. Elle est presque toujours guérie à l'aide de la psychothérapie ou par la soumission de preuves.

PROFONDEUR DES TROUBLES
ET DES TYPES DE COMPORTEMENT
(▲▲▲▲ = contribution maximale d'un facteur)

	Biologie	Preuve	Force	Total	Possibilité de changement
IDENTITÉ SEXUELLE	▲▲▲▲	▲▲▲▲	▲▲▲▲	▲▲▲▲▲▲▲ ▲▲▲▲▲	inchangeable
ORIENTATION SEXUELLE	▲▲▲	▲▲▲	▲▲▲	▲▲▲▲▲▲▲ ▲▲	probablement inchangeable
DSPT	0	▲▲▲▲	▲▲▲▲	▲▲▲▲▲▲▲ ▲	soulagement minime (moyen pour le viol)
POIDS	▲▲▲	▲	▲▲▲	▲▲▲▲▲▲▲	temporaire seulement
ALCOOLISME	▲▲	▲▲	▲▲▲	▲▲▲▲▲▲▲	soulagement moyen
COLÈRE	▲▲	▲▲▲	▲▲	▲▲▲▲▲▲▲	moyen/modéré
ANGOISSE QUOTIDIENNE	▲▲	▲▲	▲▲	▲▲▲▲▲▲	moyen/modéré
PRÉFÉRENCES SEXUELLES	▲▲	▲▲	▲▲	▲▲▲▲▲▲	modéré/moyen
PSYCHONÉVROSES OBSESSIONNELLES	▲▲	▲▲▲▲	0	▲▲▲▲▲▲	modéré/moyen
RÔLE SEXUEL ENFANTS	▲	▲▲▲	▲▲▲	▲▲▲▲▲▲▲	rigide
ADULTES	▲	▲	▲	▲▲▲	flexible
DÉPRESSION	▲	▲▲	▲▲▲	▲▲▲▲▲▲	modéré
PHOBIE SOCIALE	▲	▲▲▲	▲▲	▲▲▲▲▲▲	modéré
AGORAPHOBIE	▲	▲▲▲	▲	▲▲▲▲▲	modéré
DYSFONCTIONS SEXUELLES	0	▲▲	▲▲	▲▲▲▲	pratiquement guérissable
PHOBIES PARTICULIÈRES	▲▲	▲▲	0	▲▲▲▲	pratiquement guérissable
PANIQUE	0	▲▲	0	▲▲	guérissable

Une théorie se définit par ce qu'elle affirme mais également ment par ce qu'elle omet. La plupart des théories relatives à la personnalité prétendent que l'enfance est déterminante, de même que les caractéristiques émotionnelles. Ma théorie contredit ces deux affirmations. Il n'y a ici aucune prémisse amenant à conclure que les apprentissages de l'enfance aient une quelconque force. Ma théorie veut que *le moment* où les problèmes, les habitudes et la personnalité prennent naissance n'a aucune importance; leur profondeur ne dépend que de leur caractère biologique, de leur preuve et de leur force. Certaines caractéristiques acquises dans l'enfance sont profondes et immuables, mais non à cause du fait qu'elles aient été apprises si tôt et qu'elles occuperaient ainsi une place privilégiée. Ces caractéristiques qui résistent au changement le font, plutôt, parce qu'elles sont prévues par l'évolution ou parce qu'elles ont une force considérable en tant que structure autour de laquelle viendront se cristalliser les résultats d'expériences futures. Ma théorie ne prétend pas, non plus, que les acquis émotionnels soient profonds et j'affirme que les expériences traumatiques n'occupent pas, de ce fait, de place privilégiée. Quand les caractéristiques émotionnelles résistent au changement, leur immuabilité dérive soit de leur origine biologique, soit de leur preuve ou de leur force, et non d'un traumatisme. J'ai passé les trente dernières années à étudier ce que les traumatismes instillent en nous et j'ai été impressionné de constater à quel point ces apports étaient changeants. L'omission des apprentissages traumatiques et de l'enfance est une idée centrale de ma théorie et s'accorde bien avec le fait qu'ils ont une faible influence sur la vie à l'âge adulte. De cette façon, la théorie de la profondeur peut transmettre le message optimiste affirmant que nous ne sommes pas les prisonniers de notre passé.

J'ai, ainsi, l'intention de raviver l'idée longtemps négligée par les milieux scientifiques, à l'exception des disciples de Freud, c'est-à-dire la notion de profondeur. Je pense qu'elle est la clé du changement. Changer ce qui est profond en nous requiert des efforts considérables, des doses massives de médicaments et des psychothérapies interminables. À long terme, ces efforts sont, de plus, souvent voués à l'échec. Ce qui affleure en nous se change beaucoup plus facilement.

Quand vous aurez bien compris ce message, votre vie sera à jamais transformée. Il y a pour l'instant un tas de choses en vous qui vous déplaisent et que vous voudriez changer: votre irascibilité, votre tour de taille, votre timidité, votre penchant pour la boisson, vos idées noires. Vous avez décidé de changer, mais vous ne savez pas par où commencer. Auparavant, vous auriez probablement choisi de corriger ce qui vous faisait le plus mal. Maintenant, vous vous demanderez aussi ce qui a le plus de chances de vous récompenser de vos efforts et ce qui pourrait ne mener qu'à d'autres frustrations. Vous savez aussi, depuis peu, que vos idées noires, votre timidité et votre irascibilité ont beaucoup plus de chances de se modifier que votre penchant pour la boisson qui, à son tour, sera plus facile à corriger que votre tour de taille.

Certaines choses qui peuvent changer sont sous votre contrôle, d'autres pas. Pour bien vous préparer au changement, vous aurez intérêt à savoir ce que vous pouvez changer en vous et comment y parvenir. C'est ce à quoi se destinait mon livre. Comme avec toute matière sérieuse, l'étude du changement n'est pas aisée; et il est encore plus difficile de renoncer à certains espoirs. Il y a peu de raccourcis et aucun truc rapide à votre disposition. Vous avez écouté les incitations, conseils et recommandations des industries multimillionnaires de l'autoperfectionnement et des confréries thérapeutiques et pharmacologiques. Ce que vous avez entendu d'eux était trop souvent de fausses représentations. Une bonne partie de l'optimisme qu'ils ont pu vous insuffler était injustifiée.

J'ai consacré ces vingt-cinq dernières années à l'étude de l'optimisme et je n'ai certainement pas l'intention de miner le vôtre à propos des changements possibles. Mais je n'ai pas plus l'intention d'assurer tout le monde de la possibilité de tout changer. Ce serait encore une fois une fausse représentation. L'optimisme, la conviction qu'il vous est *possible* de vous changer, est un premier pas nécessaire sur le chemin de votre transformation. Mais l'optimisme injustifié, la conviction que vous pouvez changer ce qui est immuable, est une tragique erreur. Des années de frustrations, de reproches à soi-même, de renoncements et, enfin, de remords en sont le résultat. Mon intention est de vous instiller un nouvel optimisme justifié à propos des choses en vous que vous pouvez changer et de vous aider, ce faisant, à consacrer votre temps précieux, votre argent et vos efforts à réaliser ce qui est vraiment à votre portée.

Rappelez-vous la prière de la sérénité de Reinhold Niebuhr citée au début du livre: le courage de changer les choses que je puis, la sérénité d'accepter ce que je ne peux changer et la sagesse d'en faire la différence. La vie est une longue période de changements. Ce que vous avez été capable de changer et ce qui a résisté à vos plus fermes résolutions peut vous sembler chaotique, car une partie de vous-même ne change jamais quoi que vous fassiez, et d'autres aspects changeront facilement. J'espère de tout cœur que la lecture de ce livre vous donne la sagesse nécessaire pour en faire la distinction.

Table des matières

imprimerie gagné ltée

IMPRIMÉ AU CANADA